JN048818

岩波講座　世界歴史　14

南北アメリカ大陸

〜一七世紀

岩波講座

世界歴史

14

南北アメリカ大陸

~一七世紀

【編集委員】
荒川正晴
大黒俊二
小川幸司
木畑洋一
冨谷至
中野聡
永原陽子
林佳世子
弘末雅士
安村直己
吉澤誠一郎

岩波書店

第14巻【責任編集】 安村直己

目次

コラム｜*Column*

トルデシリャス条約分界線
ブリストル
ケベック
セビリア
ニューアムステルダム
リスボン
サンタ・フェ
フロリダ半島
ヴァージニア
キューバ島
カディス
サカテカス
エスパニョラ島
メキシコ市
大西洋
ジャマイカ島
ナビダー
アカプルコ
パナマ
ユカタン半島
マリンディ
モンバサ
モザンビーク
リマ
クスコ
ポトシ
アンゴラ
リオデジャネイロ
ブエノスアイレス
喜望峰
0
3000 km

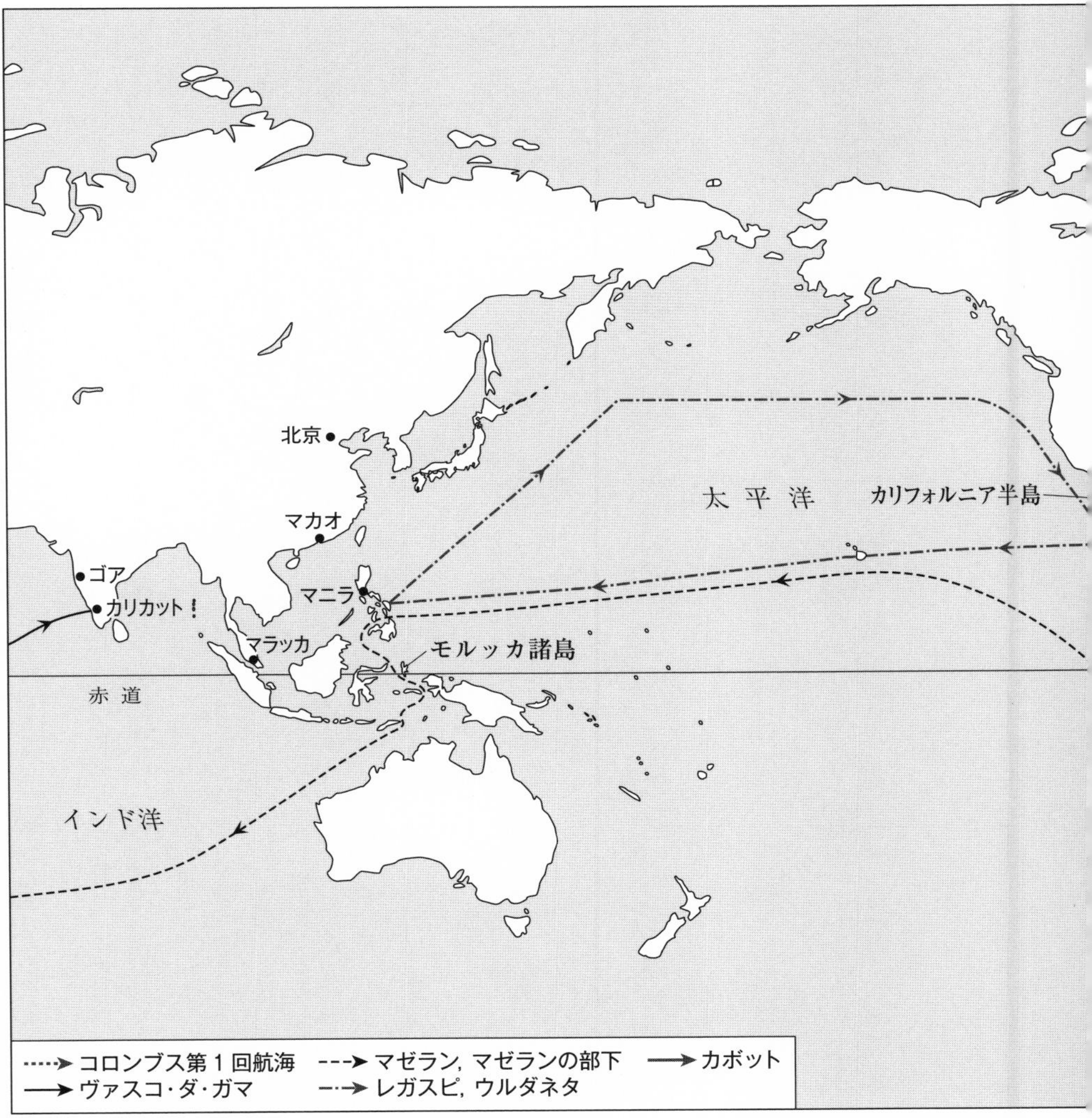
北京
マカオ
ゴア
カリカット
マニラ
マラッカ
モルッカ諸島
太平洋
カリフォルニア半島
赤道
インド洋
コロンブス第1回航海
マゼラン，マゼランの部下
カボット
ヴァスコ・ダ・ガマ
レガスピ，ウルダネタ

展　望｜*Perspective*

展望 *Perspective*

南北アメリカ大陸から見た世界史

安村直己

はじめに――「実体としての世界史」、「認識としての世界史」

南北アメリカ大陸から見直すとき、私たちの世界史認識はいかなる修正を迫られるのか。第三期『岩波講座　世界歴史』中、独立の一巻を南北アメリカ史に充てるのであれば、この問いを避けて通るわけにはいかない。この問いに取り組むうえで、ここでは「実体としての世界史」と「認識としての世界史」を区別しながら論じていきたい。

いわゆる大航海時代がヨーロッパの地理認識に革命的変化をもたらしたのは周知のことだろう。この変化を引き起こした最大の要因は、ヨーロッパ、アフリカから西方の大西洋中に未知の大陸が存在し、その大陸の西端から太平洋が広がり、アジア東端に達するという事実の確認であった。この革命的変化には、古典ともいうべきペンローズ『大航海時代』の原題に従えば、最大で一四二〇年から一六二〇年の二〇〇年しかかからなかった(ペンローズ 二〇二〇)。ところが、ヨーロッパの世界史認識が南北アメリカ大陸の歴史を統合し、新たな地平に到達するには、はるかに長い時間を要するのだ。

ダイアモンドによれば、遅くとも紀元前一万二〇〇〇年ごろ、狩猟採集段階の現生人類がシベリアからベーリング地峡／海峡を越えて北アメリカ大陸のアラスカに到達した痕跡が確認されており、その後、一〇〇〇年ほどで南アメリカ大陸南端のパタゴニアにまで広がったという(ダイアモンド 二〇一二：上巻八二頁)。「実体としての世界史」を現生人類による地球規模の拡散と定住とともに始まったとするならば、大陸レベルでそれは紀元前一万一〇〇〇年ごろに遡るといえる。本巻で佐々木憲一が指摘するように、紀元前八五〇〇年ごろベーリング地峡が水没し、ユーラシアからの南北アメリカへの移住は途絶えた。「実体としての世界史」はここで一時停止する。以後は、地球上の各地で文明が興隆し、その文化圏を「世界」とする複数の歴史が併存し、継起するにとどまった(佐藤 二〇二一：八五―八六頁)。

「実体としての世界史」は、一四九二年のコロンブスによるアメリカ大陸への到達により再開する。九三年にヨーロッパに戻ったコロンブスは、航海を全面的に支援したカスティーリャ王国のイサベル女王、アラゴン王国のフェルナンド国王――以後、両王国を合わせてスペインと呼ぶ――に『航海日誌』を提出するにとどまらず、アラゴン王国糧食書記官に宛てた書簡の出版を許可したらしく、バルセロナで出版された。これは短期間でドイツ語やラテン語に翻訳され、コロンブスが誤ってインディアス――当時のスペインでアジアはこう呼ばれていた――と命名したアメリカ大陸の存在は、ヨーロッパ中に知れ渡った。この成功を受け、同年九月、コロンブス率いる第二回遠征隊がカディスを出航する(青木 一九九三：二〇、二八六―三〇一頁)。こうして、スペインがヨーロッパと南北アメリカをつなぐ航路を確立する一方、ヨーロッパ各国も大西洋上に発見された土地への関心を抱くにいたった。ヘンリー七世によるカボットの派遣はその一例である。

以後、三〇年あまり、ヨーロッパ人による大西洋、カリブ海への航海が続き、スペイン国王カルロス一世(神聖ローマ帝国皇帝カール五世)の命令で一五一九年にスペインを発ったマゼラン一行が南アメリカ大陸南端を迂回して太平洋に出て、西回りで世界を一周したことで、コロンブスの誤解が証明された。インディアスはアジアとは別の大陸だと最初に主張したフィレンツェ人、アメリゴ・ヴェスプッチにちなみ、以後、アメリカ大陸と呼ばれるようになる。南北アメリカ大陸は旧世界との交流を回復し、ヨーロッパ、アフリカ、アジア、アメリカ大陸に住む者たちに地理上の認識を改めるよう迫る一方、「実体としての世界史」を軌道に乗せたのである。

ところが、「認識としての世界史」に目を転じると、南北アメリカ独自の歩みを認め、文化圏単位での世界史認識を地球規模の世界史認識へと転換する動きは、きわめて緩慢であった。一九世紀に入ると地球規模の世界史認識が芽生えるという見解もあるが(岡崎 二〇〇三:五章)、南北アメリカの歴史をどう世界史に組み込むかという視点からみると、そうともいえない。たとえば、ドイツ国民経済学派の祖、フリードリヒ・リストは、ヨーロッパ諸国と米国における工業化に関し、自由貿易こそ唯一の経路であるとする古典派経済学を批判し、後進国は国家による自国産業の保護という別の経路によらねば工業化を達成できないと主張する一方(Watson 2012: 459)、文明の発展全般については、未開状態→牧畜状態→農業状態→農工状態→農工商状態という単線的発展段階論を打ち出していた。しかもそれは、レオポルト・フォン・ランケによる「科学的」歴史学に継承されていくのだ(岡崎 二〇〇三:一七七―一九八頁)。

リストに対する批判は、一八世紀末から一九世紀初頭にかけてスペイン領アメリカ植民地を視察し、その古代文明についても調査した経験を有する、アレクサンダー・フォン・フンボルトから提起された。彼はリストの『政治経済学の国民的体系』を読むと、家畜化に適した動物が生息していなかったがゆえに新世界の古代文明は未開段階から直接農耕段階に発展したと反論する(Beck 1968: 545-546)。フンボルトは、人類のこれまでの歩みを整序するための解釈枠組みの次元で、リストを批判したわけである。この発展段階論は科学性を装っているが、新世界の古代文明を無視していると考えたのだろう。

実はリストにも新世界体験はあった。政治亡命先として米国を選び、一八二五年から三二年まで農業開拓者、新聞編集者、実業家、政治評論家として活動している(Salin & Frey 1968: 409-412)。けれども、彼にとっての新世界とは米国と同義であり、祖国ドイツを保護主義によって工業化させる夢を米国に託すのに忙しすぎた。彼には、南北アメリカの先史時代を視野に入れ、発展段階論を構想し直す余裕はなかったのだろう。それ以後も、フンボルトの主張は正面から受け止められなかった。南北アメリカ大陸が世界地図から排除されることはないのに、「認識としての世界史」において新世界の先史時代を含め、文明発生に関する理論的枠組みを修整する試みは、ほぼなされなかった。いわゆる四大文明に基づいて単線的発展段階論を提示し、南北アメリカの古代文明にあてはめる傾向が支配的だったのである(関 二〇〇六：五―一三頁)。

国境や大陸、文化圏を越えての移動が活発化し、「実体としての世界史」が発展していくとしても、先祖伝来の「認識としての世界史」が修正されるとはかぎらない。「世界のつながりを考える世界史」(小川 二〇二一：一八頁)の場合も同じだった。一五世紀以降、ヨーロッパ諸国が非西洋地域に進出し、貿易ネットワークを構築するうえで、ユダヤ人は重要な役割を果たしていた。コロンブスがアジアで貿易するために、キリスト教に改宗したユダヤ人をヘブライ語通訳として第一回航海に参加させた(マダリアーガ 一九九三：二二八頁)のは、こうした状況を考慮したからだろう。改宗者はその後スペイン領アメリカ植民地にも移住し、太平洋を越えてのアジア貿易にも関与した。他方で、先住民、インディオの村落共同体をめぐって行商に携わるなど、水平方向にも垂直方向にも境界線を越えていった(Wachtel 2007: 95-149)。しかし、伝統的世界史認識は彼らを呪縛しつづける。

スペイン領アメリカ植民地を旅したポルトガル系ユダヤ人モンテシノスは一六四四年、貿易ネットワークの中枢であったアムステルダムに暮らすユダヤ教のラビで、国際的知識人でもあったメナセ・ベン・イスラエル――若き日のスピノザは彼の下で学んだ――に、現在のエクアドルに暮らすインディオたちこそイスラエルの失われた十支族の末《まつ》裔《えい》だと語り、メナセは一六五〇年に『イスラエルの希望』という自著を刊行し、この話を収録した。モンテシノスは先スペイン期南北アメリカの歴史を、『旧約聖書』に示されたユダヤ・キリスト教文化圏の「世界史」に接ぎ木して理解しようと試みたわけだが、同種の試みは当時のプロテスタントにも共通していた。国際法の父、グロティウスはその一人であり、インディオはヴァイキングの子孫であると考えた。他方で、イギリスのプロテスタント知識人たちはモンテシノスの知らせについてメナセを質問攻めにしている(Nadler 2018: 128-158)。

一六世紀スペインではインディオの起源をめぐって様々な説が唱えられ、一五九〇年にはイエズス会士ホセ・デ・アコスタが科学的なアジア起源説を公刊し、「全ヨーロッパで広く認められていった」とされる(岡崎 一九九六：一三九―一四〇頁)。一七世紀半ばといえば、ヨーロッパの地理的認識はオーストラリアまでを包摂していた。ところが、これまで見てきたように同じ時期に、旧世界の経験から抽出した解釈枠組みでもって新世界の歴史を裁断する傾向が、再生産されていたのである。それはリストの単線的発展段階論に及ぶほど、強固に根を張っていた。リストとほぼ同世代のランケが創始した近代歴史学を輸入した日本の歴史学、さらにいえば一般読者の世界史認識もまた、この傾向を免れ得なかったといえよう。

本巻ではこの傾向を修正すべく、二対の目的と問いを設定する。第一の目的は、旧世界との恒常的交流を絶たれて以降の南北アメリカにおける現生人類の歴史をその独自性において示すことである。それは、先スペイン期――スペイン王室に派遣されたコロンブスとの接触以前を指す――の歴史をその独自性において捉えることを阻《はば》んできた諸条件はいかなるものだったのかという問いの考察を伴う。第二の目的は、一四九二年以降、一七世紀末までの「実体としての世界史」の再始動を、南北アメリカ大陸に視点を据えて明らかにすることにある。これには、「認識としての世界史」にコロンブス以後の南北アメリカ史さえ統合されなかったメカニズムを問い直す作業が付随する。

細部については問題群、焦点に譲るとして、ここではそれらを位置付けるべき、縮尺の大きな歴史像の提示を試みたい。

一、到達点から見た、南北アメリカ大陸における文明化の過程

コロンブスは西回りでインディアスに到達する予定だったので、現在のカリブ海域の島に到達すると、そこに暮らす人々に、インディアスの住民を意味する「インディオ」という名称を与えた。では、インディオはどんな暮らしを営んでいたのだろうか。

一四九二年時点のアメリカ大陸を俯瞰すると、多様性のなかに二つの極点を確認できる。

一つ目は狩猟採集民の社会である(モデル1)。彼らは食料を求め、季節に応じて移動する、遊動型の社会を形成していた。人々のあいだの絆は緩く、各自が食料を調達し、調達と同時に消費してしまう。性別分業も含め、分業の度合いは低く、使用する道具類も石器か、手近にある自然物にとどまる。いうまでもないが、人口密度はきわめて低い。一方、生態系を最大限活用する必要からか、移動の範囲、経路は決まっており、別の集団の侵入に対しては集団で対抗する。集団としての凝集性を高める手段として祭祀が営まれるのか、祭祀の共有が集団としての凝集性を高めるのかは、にわかに決しがたい。祭祀を主宰する人物がそのときだけ指導者の役割を果たす。一六九八年にカリフォルニア半島で宣教を開始したイエズス会士たちの報告書からは、こうした様相が窺える(Del Río 1984: 25-48)。カリフォルニア半島は長い間スペイン人を拒んできた。それゆえ、初期の宣教報告書に出てくるインディオたちの暮らしが太古の昔から営まれてきたと考えて、間違いないだろう。特定の生態的条件下、持続可能な社会を支える文化がそこにはあった。

この対極に位置するのは、本巻で関雄二、大越翼が検討を加える、アンデス文明、メソアメリカ文明である(モデル4)。最高神官としての側面も有する国王を頂点とし、神官層、軍事貴族層、遠距離商人層、各種職人層、農民層、

奴隷層などからなり、かつ諸機能を広範な領域に配する、高度な複雑社会を築き上げていた。政治的中心には神殿や王宮といった壮麗な公共建造物に加え、各種の儀礼が行われる大小の広場、市場、道路、上下水道などを備え、大きな人口を擁する都市が建設された。都市間をつなぐ街道も整備され、軍や貢納、賦役、さらには威信財が行き来した。農村部では集約的な農業が営まれ、狩猟・採集、さらには牧畜——メソアメリカ文明での役割は最小限だったが——で食料生産を補完し、余剰生産物は街道を通じて都市の生活を支えた。最上層に位置する諸集団は、文字や記号などを駆使し、情報を伝達、保管する技術を発達させ、独占した。そうして蓄積された情報は、たとえば暦の作成に応用され、神々との交流から農作業の管理や新生児の命名まで、生活の諸側面を律する。一五世紀末、アンデスではインカ帝国、メソアメリカではアステカ(メシーカ)王国がそれぞれ全盛期を迎えようとしていたのである。

同じころ、南北アメリカ大陸各地には、両極のあいだに多様な社会が存在していた。それらの違いは、たとえば集落の規模、食料生産・消費に占める農作物の割合、分業や階層化の度合いといったように、いくつかの指標の度合いによるものであり、両極のように明確なモデルを示すことは難しい。物差しでいえばカリフォルニア寄りの目盛りに、生産性の高くない定住農耕や焼き畑農業と狩猟・採集を組み合わせ、集落規模も小さく、分業や階層化が低く、共同祭祀を通じて成員を結びつける社会をイメージできる(モデル2)。物差しの反対の端、インカやアステカの手前の目盛りに、生産性の高い定住農耕を営み、土器や布を生産し、かなりの規模の人口や公共建造物を有する集落とそれを律する首長層とを備えた社会を想定しておけば十分だろう。首

表1　1492年時点の南北アメリカにおけるインディオ社会の諸類型(これはあくまで便宜上の分類で，すべての事例を正確に反映するものではない)

	狩猟・採集	農耕	定住性	道具	共同祭祀	階層性	集権性	交易	記念碑的建造物
モデル1	◎	×	×	石器	○	×	×	×	×
モデル2	○	△	△	土器 布	○	△	△	○	△
モデル3	△	◎	○	金属器 (非鉄)	◎	○	△	○	○
モデル4	△	◎	◎	金属器 (非鉄)	◎	◎	△	◎	◎

長層は地域の祭祀も主宰していた（モデル3）。

いまかりに四つの社会モデルを示したが、一四九二年以後、ヨーロッパ人たちはこれよりはるかに多様なインディオ社会と対峙することになる。共時的な多様性に対し、彼らは十分に敏感で、カリブ海の島々と、ユカタン半島のマヤ社会との違いにはすぐに気づき、数々の証言を残している。ところが、モデル1とモデル4が同時に存在する事態の説明には窮する。一九世紀後半に入ってもマヤ文明の起源を幻のアトランティスに求める考古学者がいた（Evans 2004: 113-114）のは、この困難を回避するためだったのかもしれない。

一九世紀末以降、新世界考古学は、四つの社会モデルを文明化過程の一般理論に位置付けようとしてきた。その結果、起点と終点についてはほぼ合意が成立しているのだが、経路に関してはその通りではない。農業生産性の向上に端を発する経済発展が文明化を先導するという、旧世界の経験から引き出された単線的発展段階論がいまだに根強い一方で、二〇世紀末以降、アンデス考古学の関雄二は複数の遺跡での発掘成果に基づき、共同祭祀の遂行こそが文明化の指標の一つとされる公共建造物の建設を引き起こし、そこには権力主体による余剰生産物の備蓄や労働管理の証拠はみられないと指摘してきた（関 二〇〇六：三一二〇頁）。近年はマヤ考古学の猪俣健も、南北アメリカでは公共建造物の建設が社会の階層化や中央集権的国家の成立に先立つと主張している（Inomata et al. 2013: 470）。現代考古学は、様々な最新の測定手法や機器を駆使してデータを分析するので、技術革新が別の見解を生むこともあるかもしれない。(1)そうだとしても、データに裏付けられた、新世界文明発生に関する新仮説の提示は、「認識としての世界史」に対して修正を迫るもので（関 二〇一五）、フンボルトのリストに対する批判は科学的な応答を得たといえようか。

なお、モデル1、2、3のインディオ社会は、カリブ海域やブラジルなど南北アメリカ大陸全域に分布していた。佐々木憲一が指摘しているように、現在の米国にも日本の古墳と比較するに足る大型墳丘墓や土塁を建設した社会が存在したのであり（佐々木 二〇二〇：一二〇頁）、モデル4の水準に達していたかどうかは、研究者の基準によるだろう。ただ、北アメリカ大西洋岸に入植した一七世紀初頭の時点で、ヨーロッパ人がモデル4水準のインディオ社会に出会わなかったのは確かである。

ここまで南北アメリカにおけるインディオ社会の、共時的／通時的な多様性を俯瞰してきた。最後に基本的な共通性を確認しておこう。最大のポイントは、旧世界において農耕や牧畜などが開始される以前に、旧世界との交流が途絶えたことである。その結果、新世界のインディオたちは、動植物の栽培化や土器、布の製作、金、銀、銅の採掘と使用、大規模建造物の建設技術などを独自に生み出さざるをえなかった。生態系上の条件は、彼らに農作業、運搬などにも活用できる大型家畜を与えず、遠洋航海に耐える船を開発することもなかった。情報伝達ではマヤ文明が文字の体系を発達させたのは例外で、彼らですら正確、迅速、大量の情報交換に適した技術は開発していない。

共通性のうちでダイアモンドが最も重視するのは、大型家畜の不在である。なぜなら、大型家畜との共生こそが感染症の発生に大きな役割を果したからであり(ダイアモンド 二〇〇〇：一五〇―一六三頁)、新世界はヨーロッパ人が恐れるような感染症を生み出せなかった。逆に、ヨーロッパ人は、家畜との共生および旧世界の他地域との交流を通じて各種の感染症を経験してきていた。そんな彼らが様々な感染症を持ち込んだとき、新世界のインディオたちは成すすべもなく病に倒れ、ほんの一握りのスペイン人がインカ帝国を短期間で征服できたのだという(ダイアモンド 二〇〇〇：一二一―一四八頁)。

一四九二年以後の南北アメリカの歴史はこうして、感染症に対する免疫の有無という単一の要因によって説明される。そこに先スペイン期のインディオ社会の多様性が介入する余地はなく、インディオたちは歴史の主体であることをやめるのだ。ダイアモンドの論理が極端に還元主義的であるのは否めないが、インディオを客体扱いする認識枠組み自体は一六世紀に遡るだけでなく、現代歴史学にも顔を出す。一四九二年以後の植民地社会の形成には複数の経路があると認める一方で、その複数性は本国社会の違いによるという図式は、いまだに根強い。イギリス領十三植民地は本国社会の移植により形成され、インディアンは抹殺の対象として描き出される(和田 一九九二：一五一―一七〇頁)。それに対し、スペイン領アメリカ植民地は法制上、スペイン帝国内のサルデーニャ、ナポリ、シチリア諸王国と同じ統治構造を有していたとされる(宮崎 二〇一八：一四六―一四七頁)か、レコンキスタ期の自治都市の創設とネットワーク化の延長線上に捉えられ、インディオは客体の地位に留め置かれる(宮野 一九九二：一〇四―一三四頁)。

南北アメリカを無主の地であるかのように描き出す立場に、私は違和感を禁じえない。本巻で北アメリカにおけるイギリス、フランス、オランダの植民地統治を比較している金井光太朗も同意見だろう。植民地社会が本国のコピーでしかなければ、歴史研究に値しない。一四九二年以後の植民地社会は、インディオ社会の多様性と西ヨーロッパ諸国の型のあいだのダイナミックな相互作用によって形成されると見るべきなのだ。型にしても、本質的なものではなく相互作用のなかで顕在化し、変化していく点も、忘れてはならない。

二、一四九二―一五一八年のカリブ海域

本巻で大峰真理が指摘するように、カリブ海の島々にフランスやイギリスが植民地を建設するのは一七世紀のことであった。それは、スペインがそれらの島々に植民できなかった結果、可能となった。一四九二年以後のカリブ海では何が起きたのか(2)。

時計の針を少し戻そう。東方貿易でヴェネツィアと競っていたジェノヴァは、ポルトガル、スペインに拠点を設け、大西洋へと乗り出す。一三一二年にジェノヴァ人がカナリア諸島に到達したのは、その最初期の事例である。ジェノヴァ人から技術や資金を導入したポルトガル王室は一五世紀、遠洋航海に耐えるカラベル船を開発し、アフリカ大陸南端を迂回してインドに到達する事業にこれを投入することで、航海・植民事業を主導した。事業を支えるための富

は胡椒、象牙、金、奴隷という四つの商品の入手とその西ヨーロッパでの販売から得ていたが、この貿易網を支えるための拠点としてマデイラ諸島に植民し、黒人奴隷による葡萄《ぶどう》、さとうきびなどの商品作物の栽培も手がけた(ペンローズ 二〇二〇:八五―一一三頁、金七 二〇〇四:七六―八七頁)。

隣国カスティーリャも香辛料産地への迂回路としての大西洋に関心を有していたが、一五世紀を通じ、内政が安定せず、国内にグラナダ王国というイスラーム勢力を抱えているせいで、ポルトガルに後れをとった。一四七九年にカスティーリャ女王イサベル、アラゴン国王フェルナンドが共同統治するスペイン王国が成立すると、ポルトガルとアルカソヴァス条約を結び、カナリア諸島の征服に乗り出した。同諸島での経済活動はジェノヴァ商人などの資金、技術による砂糖生産を主軸としていく(関・立石 一九九五:八―一二頁)。

ポルトガル、スペインの大西洋進出は国家事業の色彩を帯び、その資金源が金、胡椒に加えて黒人奴隷、砂糖にある点や、最終目的地をアジアに設定し、ジェノヴァ商人の技術や資金に依存する点などで、軌を一にしていた。一四九二年は、このような歴史的文脈において可能となった。ジェノヴァ生まれのコロンブスはポルトガルの国家事業に参加するうちに西回りでアジアに到達するというインディアスの事業に思い至り、まずポルトガル王室に計画を売り込んだ。すでにアフリカ南端を迂回する航路に莫大な額を投資し、目標到達を間近にしていたポルトガルはその採用を拒み、次にコロンブスはスペイン王室に打診する。スペインも一度は彼の提案を却下した。しかし、一四九二年一月にグラナダを攻略し、八世紀におよんだレコンキスタを終えると、両王は態度を変化させ、宮廷に食い込んでいたジェノヴァ商人も資金提供を申し入れる。その結果、両王は、王室主導によるインディアス事業の遂行と、その担当者としてのコロンブスの選任を決め、グラナダ攻略のため一四九一年に建設させた人工都市サンタ・フェでコロンブスと会見したのである。

国家事業としてのインディアス事業は、アジアへの航路の確立を目的とし、王室が資金と物資、人員の調達などで全面的に支援した。事業を独占的に委託されたコロンブスにとっては、イスラーム勢力から聖地イェルサレムを奪還するための資金を確保する一方で、家名と職、家産を後世に伝えるための手段だった。両者のずれは一四九三年の第二回航海中に顕在化する。両王がエスパニョラ島の植民——そのためにさとうきび等の作物や農耕馬に加え灌漑用水路技師の派遣を計画している(マダリアーガ 一九九三：二九九頁)——とインディオへの布教を重視したのに対し、総督コロンブスはそのための行政的努力を怠り、抵抗を口実としてのインディオの奴隷化や探検航海に時間を費やした。ここに、カナリア諸島で実施されたポルトガル型の国家事業モデルからの逸脱が顕在化する。王室はコロンブスによるインディアス事業の独占に制約を加え、統治権を手中におさめる一方で、探検、植民に資金を出さず、私人と協約を結び、その権利を付与する方向に舵を切っていく。

インディアス事業とレコンキスタ、あるいはカナリア諸島の征服との連続性を主張する研究者は多い。しかし、右の経緯をふまえるならば、コロンブスも王室も第二回航海まではポルトガル型を採用していたと見るべきではないか。ポルトガル型からの逸脱には複数の要因が絡んでいる。一つ目は、ポルトガルや他の西欧諸国に対して自らの権原を主張する必要性である。ローマ教皇は、新たに臣民となるインディオに対する布教を条件にスペインのインディアス統治を承認し、ポルトガル王室もそれを前提として一四九四年にトルデシリャス条約を結び、大西洋上の子午線でもって勢力圏を分割することとした。王室が、コロンブスによるインディオ奴隷化を容認できなかったのは理解できる。一四九六年一二月にローマ教皇から「カトリック両王」の称号を与えられた(Thomas 2010: 187)のだからなおさらのこと。ポルトガル型の方針を採用したことが新たな称号に傷をつけ、権利の放棄を迫られるなどしたら不都合きわまりない。

第二に、カナリア諸島との違いが挙げられる。カナリア諸島の場合、隣接するマデイラ諸島でのポルトガルの成功という前例があるため、ジェノヴァ商人、ドイツ商人、セビリア商人などが砂糖生産に投資をおこない、征服、植民はトップダウンで決定、実行された。アフリカ西岸から黒人奴隷を、マデイラ諸島からポルトガル人の農民や職人を導入することも可能だった（Thomas 2010: 195）。それに対し、エスパニョラ島の征服、植民はそうした環境を欠いていた。この違いがポルトガル型の計画を失敗させたのである。

三つ目は、下から自然発生的に生じた。スペイン人植民者中の民衆層はレコンキスタの成功者を真似し、武力でもって社会的上昇を果たすことしか考えず、短期的成功をもたらさない農業などに従事する気はなかった。早くから商売に慣れていたポルトガル人との違いは大きい。コロンブスが総督業務を適切にこなしたとしても、彼らを従順な植民者に脱皮させ、ポルトガル型の植民地を築くのは難しかったかもしれない。統治の破綻による飢えに苦しめられた民衆層には帰国という選択肢しか残されていなかった。コロンブスが一四九六年三月にスペインに向けて出帆した際、二二〇名が同行したのもやむをえまい（マダリアーガ 一九九三：三四三―三四四頁）。

しかし、最大の要因はスペイン側にはなかった。旧世界との交流がなかったエスパニョラ島のインディオたちは一四九二年以後、スペイン人たちによって持ち込まれる感染症で次々と死んでいく。その結果、彼らの軍事的抵抗は散発的で長続きせず、スペイン人民衆層に武勲をあげる機会はほぼなかった。そうした機会があったとしても、コロンブスと彼の取り巻きが独占してしまう。インディオ社会はモデル3の水準に達していたようだが、短期間で利益を上げたいスペイン人の要求する強度の労働、たとえばさとうきびプランテーションでの労働に従事するのは体力的に厳しく、文化的に理解できる範囲を超えていた。

中長期的な成功も見通せないスペイン人民衆層は一四九七年、町を脱出し、インディオ社会の首長層を取り込み、平民たちの労働の成果を消費しつつ、好きな女性と交わりながら「自由」に暮らすことを選んだ。彼らは、誰にも命令されず気ままに暮らすという「夢」を叶えたのである。そして、この段階では島のインディオ社会はある程度の負担に耐える余力を残しており、首長層にとり、彼らの力を借りて奴隷狩りを免れることができればまだましだったのかもしれない。

スペインの歴史家マダリアーガは、植民者反乱の指導者フランシスコ・ロルダンに関し、大陸部でのスペイン人とインディオの関係を予告するものだったと指摘した。「なぜなら彼のおかげで、エスパニョラ島に、アメリカの偉大な未来を予測する、インディオとの協力の一形態が出現したからである。つまり首長との取り決めによって組織された奉仕という協力形態である」(マダリアーガ 一九九三：三九三頁)。これが、後にラス・カサスによりインディオにとっての諸悪の根源として非難される、エンコミエンダの原型となる。

かくしてエスパニョラ島のインディアス事業は、コロンブスの統治能力不足を契機として、スペイン王室と現地に渡ったスペイン人民衆層双方の思惑が交差するなか、現地のインディオ社会(モデル3)を必要条件とし、ポルトガル型から逸脱していくこととなる。カリブ海域におけるスペイン領植民地は、右の二つのヴェクトルのせめぎあいに、王室と協約を結んで特定領域の探検、征服に乗り出すスペイン人エリート層の動きとが絡み合いながら、征服後のインディオ人口の減少という条件下に展開していく。

まず植民地統治の制度化について見ていこう。イサベル女王はコロンブスの第二回航海準備のために、カスティーリャ枢機会議のメンバーだったフォンセカを責任者に指名し、以後、インディアス事業を担当する部署が機能しはじめる。王室と私人の間の協約はここで練られることとなり、フォンセカはインディアス事業における実力者となる。この個人的な統治スタイルが、合議制による政策立案機関であるインディアス枢機会議に転換するのは一五二四年のことだった(ギブソン 一九八一：一〇一頁)。この後れは、諸課題に対処する王室にとってインディアスの優先順位が低かったことを示している。統治機構は具体的な問題への対処を通じて整備されるのであり、本国の制度の単なる移植ではなかった。

他方で、コロンブスの独占を排した王室は総督を派遣する。二代目総督ニコラス・デ・オバンド(在任一五〇二―一〇九年)はサント・ドミンゴ市を建設し、そこからエスパニョラ島全域のインディオ社会を征服するとともに、スペイン人植民者にインディオを割り当て、布教義務と引き換えに貢納、賦役を課す権利を認めるエンコミエンダ制を本格的に運用しはじめた。一五〇一年に年間三〇〇キロを記録した金生産に、エンコミエンダ制は拍車をかけ、インディオを組織的に動員しての金産業の急成長を可能にした。同時に、彼らを使役しての食料生産も軌道に乗りかけるオを組織的に動員しての金産業の急成長を可能にした。同時に、彼らを使役しての食料生産も軌道に乗りかける(Thomas 2010: 209-248)。エスパニョラ島の植民地社会はここに、インディオと雑居することで黒人奴隷に依存しない、新たなスペイン型に分岐したのである。なお、レコンキスタ期のスペインではイスラーム教徒、ユダヤ人を特定地区に隔離していたから、その伝統からの逸脱でもあった。

金生産に加え、カリブ海域で真珠の採取が始まると、多くのスペイン人が一攫千金を求めてカリブ海に殺到する。植民地側の需要と支払い能力の高まりにともなって新世界貿易が拡大すると、王室は人とモノの流れを管理する必要を認識し、一五〇三年、本国側の輸出港をセビリアに限定し、通商院という役所を新設するにいたった。通商院は人とモノ、カネの出入国管理に加え、海図・地図の作成、航海士の養成などを担当した。その詳細な記録が保管されているおかげで現代の歴史家はこれらの流れを追える。たとえば金の生産量はカリブ海全体で、一五〇三―一〇年は年平均四九五〇キロ、一五一一―二〇年は年平均九一五三キロ、一五二一―三〇年は年平均四八八九キロと推移し、以後は急激に減少したとわかる(増田 二〇一〇:一六五頁)。なお、プエルトリコ島、キューバ島、南米のダリエン地方などでも金山が見つかった(Thomas 2010: 478)。

金が一方通行だったのに対し、モノの流れは通常、双方向的だった。馬、牛、豚、羊、鶏などの家畜や小麦、米、オレンジ、葡萄などの栽培植物が新世界に運ばれる一方、じゃがいも、トウモロコシ、たばこ、トマトなどが旧世界にもたらされた。しかも、すでに指摘したとおり、無意識のうちに感染症、さらには雑草の類も大西洋を横断した。これだけ大規模かつ急激なモノの伝播は史上初のことで、これに人や文化要素を加え、クロスビーが「コロンブス交換」と命名し、世界史上の転換点としたのもうなずけよう(Crosby 2003)。

コロンブス時代にインディオ奴隷がスペインに「輸出」されたのを除くと、人の移住はほぼ東から西への一方通行となった。その急増を象徴するのはオバンドの一行で、総勢は一五〇〇名ほどに上った。その大半は、後のインカ帝国の征服者ピサロと同様、新参者だった。新参者が金探しに失敗したのに対し、コロンブス時代からカリブ海で暮らしてきたディエゴ・デ・アルバラードやディエゴ・ベラスケスら古参組が経験、知識、資金を活かして金産業を牛耳るのである。彼らこそが新参者の中から有望な者を選ぶ。たとえば、アルバラードは、後にアステカ征服で活躍する五人のおいを受け入れている。以後、探検、遠征は急増する。

コロンブスの独占が否定されて以降、カリブ海域での探検、遠征は、三つのパターンに分類できる。大規模な遠征は王室と協約を結んだうえでスペインから派遣された(A型)のに対し、中小規模の遠征は現地在住の王室役人との協約ないし許可のもとに実施された(B型)。他方で、必要に迫られた者たちが集まっての小規模なものは無許可で行われることもあった(C型)。

オバンドによる全域征服後のエスパニョラ島では、インディオたちに逃げ場はない。スペイン人の監督下、金山などでの過酷な労働を強いられ、疲弊したインディオたちが感染症で次々と死亡すると、金産業は存亡の危機に立たされる。それを防ぐには、やはりモデル3の水準に達しているインディオの暮らす別の島を征服して金産業か真珠採取業を軌道に乗せるか、モデル3水準の別の島からインディオを「移住」させるか、あるいは「高品質」だが「高価」な黒人奴隷を導入するか、しかない。

A型の形態を選べるのは、宮廷にコネがあり、資金をジェノヴァ商人などから調達できる有力者だけであった。コロンブス第二回航海に参加したアロンソ・デ・オヘーダは一五〇四年、死の直前のイサベル女王からダリエン地方の総督に任命され、〇八年にA型遠征に乗り出した。ピサロはエスパニョラ島でこの遠征に合流し、頭角を現し、社会的階梯を地道に昇っていく。B型の遠征も他島の征服を目的とする場合がある。オバンドの後任となったコロンブスの嫡男ディエゴ・コロンは一五一一年、ベラスケスにキューバ島征服を命じた。B型の遠征を任されるのも宮廷にコネがあり、カリブ海域で実績を積んだ有力者であり、〇四年に到着したコルテスのような新参者はベラスケスに取り入るほかなかった。

B型はしばしば、実質的にはモデル3のインディオ社会に攻撃を仕掛け、抵抗したインディオを奴隷としてエスパニョラ島で売りさばくために行われた。実際、一五〇九年、島の有力者たちは金山での労働力不足解消のため近隣の島のインディオを奴隷として連行する許可を国王フェルナンドに求め、いったんは許可された(Thomas 2010: 330-332)。ベラスケスのキューバ征服もこの動きと連動していたのだろう。

一攫千金を夢見てカリブ海域までやってきた民衆層は、相変わらず蚊帳の外におかれる。地道に社会的上昇を遂げるなどというのは、彼らの性に合わなかった。インディオは通説に反して執拗に抵抗し、多くのスペイン人を殺害したから、成功を手にする前に死ぬかもしれない。後に南の海すなわち太平洋を「発見」するバルボアは一五〇一年、ロドリーゴ・デ・バスティダスのA型遠征でカリブ海域に渡った新参者で、その後もうだつが上がらず借金が嵩む。一五〇八年、マルティン・フェルナンデス・デ・エンシソの船に密航し、結果的にオヘーダの遠征に合流したのは、取り立てから逃れるためだったともいう(Thomas 2010: 318)。これが新参者の標準的なキャリアであった。

この状況を打開すべく、民衆層の中から、C型の遠征を組織してインディオを奴隷化し、真珠採取を強いたり、エスパニョラ島の金山所有者に売りさばいたりすることで、富を得ようとする者が出てきた。おそらく彼らが成功をおさめたのは、モデル2に近いインディオ社会においてだけだったろう。そうした島の住民は抵抗するための軍事力を欠いていたからである。奴隷狩りはこうして飛び火していく。

アフリカ沖の海賊を掃討するためにエスパニョラ島の金を必要とする国王フェルナンドの思惑、一四九二年以来の投資を回収したいジェノヴァ商人らの打算、スペイン人植民者内部の格差、階層間のせめぎあいが交錯しながら、奴隷狩りの連鎖を生み、旧世界由来の感染症をカリブ海域の隅々にまで拡げた。しかしそれは、インディオ社会の一定の質を前提としていた。カリフォルニア半島に砂金が存在したとしても、モデル1のインディオ社会は安泰だったはずだ。モデル1から2、3への「進化」はインディオにとり、「コロンブス交換」を生き抜くうえで、有効な処方箋とはならなかった。一五一〇年を境にして、カリブ海域のスペイン型植民地社会第一世代は崩壊の危機を迎える。ラス・カサスらが一五一一年以降、スペイン人によるインディオへの非人道的扱いを告発し、国王フェルナンドが耳を傾けざるをえなかった背景には、このインディオ人口の激減があったのだ。

近隣の島での奴隷狩りを許可した国王フェルナンドは迷走し、代案を検討しはじめた。まず総督による個人的統治にともなう弊害を是正すべく、一五一一年に合議制の司法・行政機関である聴訴院(アウディエンシア)をサント・ドミンゴ市に設置した。一二年末にはブルゴス法を発布し、エンコミエンダを通じてのスペイン人とインディオの適切な関係を規定するにおよんだ(ギブソン 一九八一:五八頁)。並行してフェルナンドは一五一〇年、インディオ奴隷の代わりに黒人奴隷を島に送ると約束する。これを受け、ジェノヴァ商人がリスボンで一五〇名の黒人奴隷を買い付け、同年中にエスパニョラ島に送り込んだ。以後、インディオ労働力の減少を補うかたちで黒人人口は増え、一五一〇年代後半にジェノヴァ商人の資金、カナリア諸島の技術者により本格的に導入されるさとうきび栽培、砂糖生産でも主要な労働力となっていく(Thomas 2010: 332, 432)。

最新の研究は、一六世紀中にスペイン領アメリカ植民地に輸出された黒人奴隷は五万人強と推計しているが(布留川 二〇一九:二五頁)、一六世紀半ばまでその大半はカリブ海の島々に送られた。カリブ海の島々ではインディオが絶滅し、ここにスペイン型植民地社会第一世代は、一握りのスペイン人が黒人奴隷を搾取することで成り立つ、第二世代へと席を譲った。ポルトガル型への回帰ともいえようか。後述するように、一六世紀後半、スペイン人植民者と資金が大陸部に流出したことと、ブラジル砂糖産業との競争開始にともない、さとうきびプランテーションは衰退する。エスパニョラ島をはじめとし、多くの島が一部ないし全島、無人化するのはそのためである。多くの労働力を必要としない粗放な牧畜や、小農によるたばこ栽培が軌道に乗った地域もある(Zanetti 2013: 46-48)。

王室が主導するポルトガル型への回帰を象徴するのは、一五一四年にダリエン地方に派遣された遠征だろう。オヘーダのA型遠征をC型遠征に転換したバルボアが実質的に統治していたのに、イタリア戦争に従軍した経験のある高齢の貴族ペドラリアスが総督に任命された。王室はこのA型遠征に先立ち、インディオの奴隷化を制限——禁止ではない——する原則を定め、コロンブス第二回航海以来、久々に全面的に資金をまかなったのである(Thomas 2010: 373-375,386)。バルボアに排除されたエンシソの後ろ盾だったフォンセカにより実施された、報復措置だったのかもしれない。新総督任命の知らせを受けたバルボアは、急いでパナマ地峡を越え、太平洋を発見するなどして地位を固め、彼の到着を待つ。ペドラリアスはバルボアを処刑しようとするが、バルボアはその口実を与えない。一五一八年末、ペドラリアスはついにバルボアを逮捕し、翌年処刑した。バルボアを逮捕したのはほかならぬピサロだった。C型遠征を通じての成功の道は閉ざされかけた。しかし、一五一九年、ペドラリアスが植民地をパナマ市に移転することで、太平洋に賭けたバルボアの計画は次世代に受け継がれる。

三、カリブ海から大陸へ——一五一九—五〇年(3)

新世界からみると、「実体としての世界史」において一五一九年は二つの意味をもつ。まずこの年、スペイン王室は、費用の七割強を負担するポルトガル型探検事業としてポルトガル人のマゼラン一行を、西回りでモルッカ諸島に到達するというコロンブス以来の目的のために送り出した(Thomas 2010: 561)。一行は世界を一周することで、インディアスがアジアとは太平洋で隔てられた独立の大陸であることを証明するとともに、南北アメリカ大陸とアジアを結ぶ航路開拓の可能性を開く。

二つ目は、コルテスによるアステカ王国征服が始まったことである。スペインはついにモデル4のインディオ社会と対峙し、カリブ海域とは異質の、新たなスペイン型植民地社会が誕生する。この新型は、カリブ海域に暮らす多くのスペイン人を引き寄せることで、インディオ人口の激減と並び、多くの島を無人島化し、イギリス、オランダ、フランスがカリブ海域に進出するための環境を生み出すこととなろう。

ユカタン半島のマヤ社会に最初に接触したのはコルテスではない。キューバ総督となったベラスケスは一五一七年、インディオ労働力不足による窮乏化を懸念する島のスペイン人たちの要望を受け、遠征隊（C型とB型の混合型）を組織した。その遠征隊からマヤ社会の存在を聞くと、ベラスケスは王室と協約を結び、続けて二つの遠征隊を派遣する（A型）。その二つ目の遠征隊の指揮官に選ばれたのがコルテスだったのである。マヤ社会がモデル4に達する文明だと知ると、ベラスケスは交易の可能性を考慮し、コルテスに対し、征服せず、交易に専念するようにと指示した。しかし、コルテスは指示に従わなかった。

バルボアの二の舞を踏まないためにコルテスは、メキシコ湾岸からアステカ王国のある中央高原に向かって山岳地帯に分け入る前に、反ベラスケス派の複数の隊員に呼びかけ、ベラクルス市という都市の創設へと誘導した。これはレコンキスタ期の伝統をアメリカ大陸に接ぎ木する行為であるが、都市の創設は近隣の領主から独立し、国王に直属するベラクルス市参事会《カビルド》から征服の司令官に選ばれることで、ベラスケスとのしがらみを絶ったのだ。もちろん、それで身の安全を確保できるわけではなく、自分を支持する隊員の中から貴族階層に属する二名を選び、国王への事後報告と協約締結のために本国に派遣する念の入れようだった。A型から分岐し、C型へと姿を変えた遠征は、コルテスをトップとするA型への転換を視野に入れつつ、アステカ王国征服に向かうことになる。

アステカ王国は一五一九年時点で、現在のメキシコ中央部に約二〇万平方キロの領土と数百万の臣下を擁する国家であった。首都テノチティトランの人口は二〇万を超え、その周辺には人口一万人の都市が一二も存在していた。支配者集団はメシーカ人で、北方の狩猟採集民だったとされる。メキシコ中央盆地に移住したモデル1の集団が、唯一空いていたテスココ湖中の小島にテノチティトランを築き、モデル3ないし4の首長国の傭兵として頭角を現した。やがて彼らが奉仕していた首長国を倒し、周囲の首長国も次々と征服し、中央盆地外にまで勢力を拡げたのである。その領土内には言語の異なる集団が暮らしており、それらが形成する首長国を束ねる形で統治していたことから、研究者のあいだでは帝国的編成をとっていたとされる。ここでは日本での通例に従い、アステカ王国と呼ぶ。

カリブ海域のインディオ社会と異なり、強大な軍事力と経済力を備えていることは、遠征隊のスペイン人全員が認識していた。キューバにそれなりの財産を保有していたベラスケス派が内陸に入るのをためらったのはそのせいだった。逆に、失うものをもたない反ベラスケス派には、一気に社会的上昇を果たす好機と映る。だから彼らは内陸に入るべきと主張したのだ。以後、コルテスは、強敵に出会うたびに再燃する、撤退を主張する者たちと征服を貫徹すべきとする者たちの間の対立を巧みに抑え、スペイン人たちをまとめ、ときに万単位の敵を破り、一五一九年一一月初めテスココ湖岸に到達する。

我々にしても目に入るものすべてにただ驚嘆するばかりで、〔中略〕目の前にあるものが果たして現実なのかどうかも分からなかった。陸の方に目をやれば立派な町が立ち並び、湖の方はと見ればそこにもまたいくつもの町があり、しかも湖面は見渡すかぎりカヌーで一杯だった。堤道の途中には沢山の橋が掛かり、その前方にメシコ市〔テノチティトランのことである〕の偉容が望まれた。これに引き換え、我々の数は四五〇人にも満たなかった。

〔後略〕

これはコルテスの副官の一人が残した証言である(安村 二〇一六：一一頁)。いざ敵の姿を前にすると、話が違ったらしい。ところが、国王モクテスマ二世は一行を歓迎し、王宮に彼らを迎え入れた。コルテスはそこで国王を捕まえ、事実上の人質としたのである。モクテスマ二世はコルテスの傀儡《かいらい》となり、全国から集めた金銀財宝を差し出す一方で、王国の地理的情報まで提供するにおよんだ。

これだけの戦力差がありながら一握りのスペイン人がアステカ王国を征服できたのはなぜなのか。この問いに関しては長い間、スペイン人が鉄製の武器、火器、それに対応する防具、馬など軍事技術面で優位に立っていたからだと考えられていた。インディオ側については、国王モクテスマ二世が肌の白い祖先神がいつか戻ってくるという神話を信じ、コルテスを祖先神として歓迎したことですきを見せたからだという説明がなされてきた。そこに、スペインが勝ったのは当然だとみなすヨーロッパ中心主義、さらにいえば人間中心主義的偏向を見出し、異議を唱えたのが、クロスビーの「コロンブス交換」であった。彼は同名の著書の第二章に「コンキスタドール〔スペイン人征服者のこと〕と疫病」というタイトルを付け、新たな答えを提示した。新世界は孤立して発展したことで旧世界の感染症に対する免疫力を欠き、アステカもインカも新たな感染症に襲われ、社会全体が脆弱化していたためにスペイン人による速やかな征服が可能となったという(Crosby 2003: 35-63)。

クロスビーの意図は、人類の歴史を二分するとしたらいつが転換点なのかという大きな問いに答えることにあった。ダイアモンドもまた、大所高所から、当時のスペイン人とインカの間の技術的優劣ではピサロの勝利を説明できないとし、免疫の有無を決定的要因だとする。たしかに、一度は平和的に占拠したテノチティトランから一五二〇年六月、コルテスらがインディオによって武力で追い出された事実は、スペイン人の技術的優位では説明できない。しかし、「実体としての世界史」の再始動を理解するうえで、感染症によりかかりすぎるのは危険だろう。ひとびとの思考、行動様式の軽視につながりかねないからだ。

そこで私は、伝統的な図式とは違った角度から、文化的諸要因に光を当ててみたい。コルテスは征服の過程で数回、カリブ海域で活動するスペイン人たちを遠征隊に加えている。それに対し、アステカ側が海の向こうから新たな兵力を募ることはなかった。この差を生んだのは航海技術を含むコミュニケーション能力である。個々の局面でインディオが勝利をおさめることがあっても、この能力のおかげでコルテスはカリブの島々から人員、武器、弾薬を補給し、再起できるのだ。テノチティトランからコルテスらを追い出した後、アステカ側はスペイン人の追撃よりも首都の再建に注力したとされるが、おそらくそれは、スペイン人が当分立ち直るまいという彼らの「常識」のせいだろう。結果、彼らは十分な備えのないままに、反撃に出たコルテス一行を迎え撃つこととなる。

通訳の養成もポイントとなる。コロンブスが第一回航海に通訳を帯同させたことからわかるように、当時のスペイン人は通訳の大切さを理解していた。これはレコンキスタの伝統の継承でもある(黒田 二〇一六：七三頁)。スペイン人は以後、カリブ海域で捕らえたインディオから通訳を養成していくが、コルテスは、以前にユカタン半島に到達した遠征隊が捕らえたインディオを通訳として帯同した。ユカタン半島では、難破してマヤ社会で暮らしていたスペイン人一名をスペイン語・マヤ語通訳として採用し、タバスコ地方で首長から贈与された女奴隷――洗礼名はマリーナだがマリンチェとして広く知られる――がアステカ王国の公用語であるナワトル語に通じていることを知ると、自らの愛人とし、マヤ語・ナワトル語通訳として活用していく。コルテスは、中央高原に侵入する時点で、アステカ王国の住民と意思疎通できる態勢を整えていた。これに対し、アステカ側が通訳を養成した様子は見られない。モクテスマ二世がコルテスを歓迎したのも、情報不足を補うためしばらく観察しようと考えたからではないか。彼らは情報戦で負けていたのである。

通訳を通じてコルテスは、アステカ王国に様々な亀裂が走っていることを知る。アステカの戦争には、敵を生け捕りにし、テノチティトランの神殿に生贄として捧げるためという、宗教的目的もあった。戦争で負けようが、自主的に服属しようが、周辺国は生贄の提供を強いられる。身内を生贄に差し出さないためには、アステカ王国に服属していない近隣に戦争を仕掛け、敵を生け捕りにするしかない。アステカはこうやって領土を拡大することで、身内を生贄に差し出す人々を増やし、アステカ国王への恨みを蓄積させた。コルテスはアステカ王国拡大の裏面を知り、歴史によって生じた亀裂に目を付け、周辺の首長国を次々とアステカ王国から離反させ、テノチティトランを孤立させた。それに対し、モクテスマ二世の死後に即位した最後の二名の国王は、長年アステカ王国と戦争を繰り返してきた西方のタラスコ王国に使者を出し、同盟を呼び掛けたが、拒絶されてしまう(Martínez 2005: 111)。コルテスがインディオ社会の同時代史から多くを学び外交戦に活かしたのに対し、アステカ側は自らの同時代史を適切に評価できず、外交戦にも失敗したのだ。

最後になるが、メソアメリカ文明圏における社会「進化」の観点から検討を加えておく。ここでは諸文明が興亡を繰り返し、アステカ王国を生み出したわけだが、モデル1～4は定向進化の段階ではなかった。アステカ王国に叛旗を翻した首長国は、モデル4から離脱し、3へと移行することを選んだ。コルテスとの同盟はその手段だった。コルテスを頂点にいただく新たなモデル4の社会の方がましだと考えた可能性もある。叛旗を翻さなかった首長国にしても、テノチティトランが灰燼に帰したからといって悲嘆にくれること(4)はなかっただろう。中央集権的に見えた王国は多数の首長国の連邦にすぎなかったのだから。

たとえば、テノチティトランと同盟を結び、アステカ王国発展の礎を築くのに貢献した首長国の一つであるトラコパンは、一五五二年、彼らのエンコメンデーロ——エンコミエンダ受領者を指す——の苛斂誅求を告発するラテン語の文書を、カール五世に送った。そのなかでトラコパン側は、エンコメンデーロの妻のイサベル・モクテスマのことも厳しく指弾している(Martínez 2006: 134-135)。イサベルはモクテスマ二世の娘であるが、この文書からは自分たちが繁栄に貢献したアステカ王国への哀惜と、もはや自分たちをパートナーと見なさず抑圧するイサベルへの恨みを読み取れる。イサベルの子孫の多くはスペインに移住し、授爵しており、イサベル自身が父の代までのパートナーよりもスペイン人貴族層との関係を重視していた可能性も高い（Chipman 2005）。アステカ王国支配層ですら三〇年で王国への特別な感情を断ち切っていたとすれば、その他多くの首長国の住民がコルテスと同盟する際、アイデンティティの危機を経験することがなかったとしても、不思議はない。

一五二一年に戻ろう。一五一九年以来の同盟者であるインディオ首長国トラスカラで、コルテスたちは英気を養った。テノチティトランからの逃避行にもかかわらず、カリブ海域からは新たな人員、武器、弾薬、馬などが続々と到着する一方、コルテスは近隣の首長国と同盟を結ぶ。その上で、スペイン人と反アステカの連合軍はテノチティトランを攻囲し、街区ごとに破壊していく方針をとった。食料や淡水の補給を断たれたテノチティトランでは疫病も発生し、七五日間の籠城の末、八月、最後の王クアウテモクは降伏した。コルテスは以後、ヌエバ・エスパーニャ（新スペイン）と命名した植民地の実質上の統治者として振る舞い、手始めにテノチティトランの廃墟の上に、あのグラナダ近郊の人工都市サンタ・フェと同様に格子状の街路で整然と区画されたスペイン人都市、メキシコ市を創設した。都市計画にはパナマから合流したアロンソ・ガルシア・ブラボも協力したとされる。

画期としての一五一九年の意義についてあらためて考察しておく。カリブ海植民地ではインディオ人口の激減による金産業の衰退が懸念されるにつれ、一攫千金を夢見て故郷を離れた民衆層、小貴族層の見通しは暗くなるばかり。コルテス一行がまだキューバ島にとどまっていたころ、コルテスの意向に疑念を抱いたベラスケスは遠征中止を命じるが、ベラスケス派までが命令を無視して島を離れたのも、将来に対する不安を感じていたからだろう。この不安は各地の総督たちも共有していた。ベラスケスについてはすでに述べた。ジャマイカ島総督フランシスコ・デ・ガライは数回、コルテス一行への合流を試み、ベラクルス市滞在中の一行に数名が合流している。ペドラリアスはダリエン地方に見切りをつけパナマへの植民地移転を進めていたが、そこから離脱してコルテスに合流した者もいた。

この不安は閉塞感ともいえる。新参者の出世頭バルボアは、本国にコネのある、貴族出身のペドラリアスに処刑された。民衆層からすれば、アステカ王国征服はこの閉塞感を払拭する絶好の機会であり、それゆえにC型遠征を組織して合流した。コルテスの成功は、多くのスペイン人をメキシコに引き寄せ、カリブ海植民地のスペイン人人口の減少と多くの島の無人島化のきっかけとなる。コルテスはこの状況を前にして、彼らが不満分子に転化するのを防ぐには成功の夢を見させ続ける必要があると考えたのだろう。そこで目をつけた空間の一つが南の海だった。コルテスは太平洋岸アカプルコ西方のサカトゥーラに造船所を建設し、次なる探検航海に備えたのである。

一五一九年の世界史的意義を探るなか、ようやく私たちは太平洋に戻ってきた。マゼランの航海について確認すべきは、すでに毎年九〇〇〇キロほどの金を算出していたにもかかわらず、カトリック両王の孫にあたる新国王カルロス一世にとり、カリブ海植民地は重要ではなかったということである。ポルトガルがアジアとの香辛料貿易で得ている収入と比べれば微々たるもので、それゆえカルロスは、祖母の代からのインディアス事業責任者であるフォンセカに同意し、ドイツのフッガー家から融資を受けてまでこの遠征に資金を出したのだ。ポルトガル型の呪縛はそれほどまでに強かった。ただ、アジアからのアメリカ大陸への復路開拓は失敗が続き、一五二九年、スペイン王室はポルトガルとサラゴサ条約を結び、現金と引き換えにモルッカ諸島に対する権利を放棄する(増田 一九八四：一三八―一四四頁)。太平洋航路に見切りをつけ、この現金をウィーン救援に充てたのだろう。

太平洋航路は王室だけの関心事ではない。菅谷成子は、一五三〇年以降も新世界からフィリピン諸島を目指す試みが続いたと指摘する(菅谷 一九九五：二〇五頁)。たしかに、コルテスはこれであきらめるような人物ではなく、一五三〇年代を通じ数回、南の海への遠征を組織した。南北アメリカ大陸が大西洋と太平洋をつなぐという世界史的役割を果たすには、A型以外の遠征も必要とされたのだ。

テノチティトラン攻略後のヌエバ・エスパーニャ植民地に戻ろう。インディオ社会はモデル4に達しており、カリブ海植民地と異質であることは、コルテスもスペイン王室もただちに認識した。では、カリブ海域での反省を踏まえると、いかなる政策をとるべきなのか。前例のない事態を前に混迷は深まり、征服に参加したスペイン人たちとその後に流入するスペイン人植民者のせめぎあいも、植民地統治の制度化を難しくする。

王室は一五二二年一〇月、コルテスをヌエバ・エスパーニャ総督、総司令官、首席判事に任命する。インディアス事業の責任者フォンセカはオヘーダ、オバンド、ペドラリアス、マゼランに加え、キューバ総督ベラスケスの後ろ盾でもあり、コルテスの総督任命を妨害していたが、その専横をとがめられて引退させられた(Martínez 1997: 372-377)。フォンセカの罷免と一五二四年のインディアス枢機会議創設とは連関していたのだろう。これでコルテスのC型遠征はA型への転換を公認されたのだが、すぐに王室と衝突する。

衝突の原因はエンコミエンダの扱いにあった。コルテスはカリブ海植民地におけるインディオ人口激減の直接の原因をエンコミエンダに求めなかった。彼によれば、エンコミエンダが世襲でなかったせいでエンコメンデーロたちは短期間で巨万の富を築くべくインディオたちを極限まで働かせた。その結果がインディオ人口の激減だという。それに対し、エンコミエンダを世襲にすれば、家名と所領を永続させるべく、エンコメンデーロたちはインディオたちを過度に搾取せず、スペイン人とインディオの共生が可能となるだろう。彼は総督任命前から、功績をあげた部下たちにエンコミエンダを授与しはじめた。

ところがフォンセカが失脚したいま、インディオを守るためにはエンコミエンダを廃止するしかないと主張するドミニコ修道会士ラス・カサスが本国で影響力を増し、枢機会議に圧力をかけはじめる。エンコメンデーロたちが、スペインでの中央集権化に抵抗した大貴族と同様の封建領主に転化するのを防ぐという、政治的理由も大きかった。以後、王室は二〇年近くをかけてコルテスから公的権限を奪うと同時に、エンコミエンダを王室直轄領に転換すべく、「改革」を進めていく。スペイン本国からやってくるエリート層はその分け前にあずかり、王室が導入する新たな統治機関、聴訴院に職を得る。コルテスとともに征服に参加したコンキスタドールたちは納得しない。C型遠征として始まった征服に王室は貢献しておらず、彼らの功業に感謝すべきなのに、恩を仇で返そうとしているのだから。本巻で横山和加子が扱う、コルテスの嫡子マルティン・コルテスの反乱未遂事件は、ヌエバ・エスパーニャ植民地で生まれ育ったスペイン人クリオーリョ第一世代による、王室が父親たちに負っているこの「負債」を取り立てようとする行為だったのだ。

コンキスタドールたちにしても一枚岩ではなかった。エンコミエンダを持続可能な形で運用するにはインディオたちを首長国単位で分配する必要があった。そうしないとインディオへの負担が過大になってしまう。テノチティトラン攻略には一〇〇〇人を超えるスペイン人が参加したが、そのうち彼らの理想にふさわしい規模のエンコミエンダが与えられたのはごく少数だった。残りは副業で補塡するか、成功者の邸宅に寄食するかして次の機会を待つしかない。これはコルテスによるえこひいきのせいだとされ、彼に対する不満が渦巻いた。成功者にしても、スペイン風の大邸宅を建設し、スペインからの輸入品で飾り立て、庇護を求める者は拒まず、スペイン風の食事を大盤振る舞いする理想の生活様式(Lockhart 1982: 32-33)を貫くには限度があり、非成功者をどうにかする必要があった。非成功者の不満が自分たちに向くのは避けねばならない。しかし、彼らが満足しそうな官職はしばしば征服後に到着したスペイン人に与えられる。ほかに打つ手はないのだろうか。

コルテスは統治体制を整えるかわりに各地に遠征隊を派遣したり、彼自身が遠征隊を指揮してメキシコ市を長期間不在にしたりすることで、混乱を招いたと批判される。しかし、彼は、コンキスタドールに加え、流入するスペイン人の不満を抑えるには自らB型遠征を組織すべきだと考えたのかもしれない。彼らがロルダンのようにC型遠征を繰り返せば、カリブ海植民地の二の舞となりかねなかった。それよりはB型遠征に参加させた方が、スペイン人の不満を抑えつつインディオ社会を持続させられるだろう、という訳である。もちろん、B型だけで植民者全員を抑えるのは不可能で、C型も継続した。混血層の増加はそこに起因している。

なお、この争点がタイプ4のインディオ社会を前提としていることを忘れてはならない。本国における王室と貴族層の争い、ないし王室とそれを構成するヨーロッパ内諸王国の関係とは次元を異にしているのだ。コルテスはモクテスマ二世の娘イサベルを愛人とするが、この行為は自分こそがピラミッド型の統治機構を有するアステカ王国の頂点に立ったことをインディオたちに知らしめるための、象徴的行為だった。モクテスマ二世のあとに王となったクイトラウアク、クアウテモクがイサベルを妻としたのを、模倣したのだろう。ホンジュラス遠征時、同行させていたクアウテモクを、反乱を企てたかどで処刑したのは、この件に関してインディオの目を気にしたからかもしれない。なお、イサベルを愛人とするにあたり、コルテスは征服に貢献した愛人マリーナを部下の一人と結婚させている。

二つ目の争点はキリスト教の布教である。コルテスは、厳格な規律を守ることで知られるフランシスコ修道会に宣教師の派遣を要請し、一五二三年、フランシスコ修道会の宣教師たちが布教に着手したのに続き、ドミニコ修道会は二六年、アウグスティヌス修道会は三三年に布教を開始した。旧アステカ王国の中心部は主としてフランシスコ修道会が布教し、インディオ教区を創設する。フランシスコ修道会は、スペイン人のインディオに対する非道な振る舞いを非難し、原因の一つがエンコミエンダだとし、インディオを真のキリスト教徒に育てるためには民族隔離が必要だと唱えていくのだが、自分たちを招いたコルテスとは良好な関係を維持した。彼の影響力なしでの平和的布教は考えられなかったからだろう。コルテスがエンコミエンダを導入したことには目をつぶった。民族隔離は、宣教師たちがインディオ言語を学び、その言語で福音を伝えることを意味する。これを徹底すれば、真のキリスト教徒になってもインディオはスペイン語を話せないわけで、スペイン人植民者や役人は彼らにアクセスできなくなってしまう(安村二〇一四:二七二―二七六頁)。

政治面で絶大な影響力をもつコルテスと、宗教面で尊敬を集めるフランシスコ修道会とが連携し、インディオたちを動員すれば、王室にとってさえ大きな脅威となろう。コルテスに忠誠を尽くした首長国トラスカラはそれと引き換えに、領内にエンコミエンダが設けられず王室直轄領とされた。総督コルテスが直接統治をおこなっていたわけである。しかも、布教面ではフランシスコ修道会がインディオ首長層と協調して改宗を進める。国王フェルナンドは早くも一五〇八年、ローマ教皇からアメリカ植民地における聖職推挙権などを含む国王特権を獲得していた。しかし、この特権は在俗教会にしか適用されず、国王が修道会内部の人事に介入することはできない。そこで王室は一五二五年、トラスカラに司教区を設け、初代司教フリアン・ガルセスを推挙した。ヌエバ・エスパーニャ植民地最初の司教である。ローマ教皇に承認され、着任したのは二年後であった。

フランシスコ修道会はコルテスの後ろ盾を得て、トラスカラへのスペイン人の入植を防ごうとしていた。カール五世はこれを問題視し、ガルセスを送り込んだと思われる。在俗教会の長としてガルセスもこれが面白くない。インディオは宣教師たちのいうことしか聞かないから、司教は飾り物にすぎなかった。そこで彼は司教区へのスペイン人の入植を進めようとするが、コルテス、フランシスコ修道会、インディオ首長層たちに阻止される。一五三二年、小麦生産に活路を見出そうとしていたスペイン人たちは司教区の南端にスペイン人都市プエブラを創設し、ガルセスら在俗聖職者たちもそこに移り住む。かくして、フランシスコ修道会が管轄下においたインディオたちは、同じ司教区に属しながら、スペイン人植民者とは隔離された暮らしを送ることとなる。他地域のインディオはエンコメンデーロの搾取に苦しめられていたから、トラスカラがコルテスとフランシスコ修道会に感謝したとしても不思議はないし、王室や在俗教会、植民者たちが不満を抱くのも理解できる。

ヌエバ・エスパーニャ植民地は、単純な型に収斂《しゅうれん》するカリブ海植民地とは異なり、複雑化せざるをえなかった。すでに触れただけでも、六、七つの利害集団が駆け引きを繰り広げたのだから当然だろう。メキシコ市が拡大するにつれ、大西洋貿易も活発化し、港町ベラクルス市とメキシコ市をつなぐ街道が複数整備されていく。トラスカラはそうした街道に近接しているがゆえに、スペイン人植民者たちが狙いをつけた地域でもあった。街道があれば出荷が容易だからである。インディオ人口が減少し、遊休地が増えると、市場向けの農業生産に従事する植民者たちが現れ、土地と労働力をめぐってインディオや宣教師だけでなくエンコメンデーロたちとも衝突する。状況はコルテスの手に負えなくなり、王室は一五二七年、メキシコ司教にファン・デ・スマラガを推挙するとともにコルテスを本国に召還し、二八年、メキシコ市に聴訴院を創設することで、統制を強めようとした。しかし、人選を誤ったことで、聴訴院は混乱を深化させ、統治の基盤が溶解する危機が迫る。それでもメキシコ市周辺のインディオたちが蜂起しなかったのは、リーダーシップをとる存在が欠けていたせいだろう。モクテスマ二世の娘がスペイン人と結婚してしまうのだから。

一五三〇年代はヌエバ・エスパーニャにおける植民地社会が、征服後の混乱を脱け出し、安定への道筋を見出す、転換期と見なせる。王室からすれば、コルテスを徐々に公職から排除するのはその一つの契機であり、三〇年にメキシコに戻った彼はもはや最大のエンコメンデーロにすぎなかった。混乱を助長した聴訴院のメンバーを一新し、インディオに対する搾取を裁判によって抑制しようとする。先に触れたトラコパンのインディオたちがカール五世にイサベル・モクテスマを告発する文書を送付できたのはそのおかげであった。王室は、インディオからの告発を契機としてエンコミエンダを停止し、王領に転換することもあれば、非エンコメンデーロにも土地を下賜し、農業経営を間接的に支援することもあった。

インディアス枢機会議が一五三〇年代に改革を打ち出した背景に、ラス・カサスらの人道主義的性格を帯びた政治活動があったのは確かである。しかし、別の事情も存在した。三〇年代には南アメリカでインカ帝国が征服され、ヌエバ・エスパーニャで成功を望めなかったスペイン人たちがアンデスへと向かう。その引力は、ヌエバ・エスパーニャ生まれのメスティーソまでがピサロの軍勢に参加するほど大きかった(Lockhart 1982: 211)。特定の個人、集団だけが利益を享受するのを放置すれば、人口流出を防げず、残ったスペイン人によるインディオの搾取が加速し、インディオは絶滅するかもしれない。王室にとり、エンコメンデーロ階層の強大化こそが最大の不安定化要因であり、ラス・カサスらは彼らを抑え込むための有効な手段と見なされたのである。フランシスコ修道会も同様である。しかし、ラス・カサスらの独走は認められない。インディオと宣教師しか暮らさない植民地は、本国の財源としての機能を停止しかねないから。そこで、在俗教会に彼らを抑制する役割を与える。

ヌエバ・エスパーニャの複雑化に対処するには、様々な改革が必要とされる。それらを構想し、円滑に実施するには、国王の権威を帯びた名代を現地に派遣しなければいけない。そこで導入されたのが、中世後期アラゴン王国の飛び地に派遣された副王という制度であった。しかし、初代ヌエバ・エスパーニャ副王アントニオ・デ・メンドーサに与えられた職務が、同時期のシチリア副王のそれと異質であることは、右の記述から明らかだろう。メンドーサはカスティーリャ王国でも指折りの軍事貴族の出身で、父はグラナダ王国征服で功績をあげ、征服後は総司令官職を与えられ、父亡きあとは兄が職を継承している。メンドーサはグラナダで、キリスト教への改宗を強いられたイスラーム教徒、モリスコと隣り合わせで育ち、軍人および外交官として成功をおさめたが(Thomas 2011: 430)、後者の経験は異文化理解力をさらに高めただろう。誰もが一目置かざるをえない人物だった。

メンドーサは一五三五年に着任し、五〇年に離任するまでの間に、植民地統治の枠組みを明確にした。カール五世は一五四二年、エンコミエンダ規制などのためにアメリカ植民地全体に適用される「新法」を発布するが、ヌエバ・エスパーニャではその多くが先行して議論され、多様な見解が本国にフィードバックされた。「新法」以降も現地と本国で意見交換がなされ、エンコミエンダの相続が認められる一方で、エンコメンデーロがインディオから賦役を徴収する権利は否定される。四〇年代、制度化は着実に進んだ。

一六世紀半ばのヌエバ・エスパーニャ植民地の特徴をまとめると、以下のようになる。インディオとスペイン人の居住空間は隔離する。インディオは小規模な首長国単位で村落共同体として再編し、選挙で選ばれる村長と参事会《カビルド》が自治を担うとともに、貢納と賦役を定期的にスペイン人に提供する。その土地は共有とし、村人は用益権を与えられる。中心部は碁盤状に区画され、広場と教会が設けられ、教会でのミサはインディオ固有の言語で行われる。担当するのは主として諸修道会である。

スペイン人は原則、新たに創設される市か町に暮らすことを義務付けられる。エンコメンデーロであっても、エンコミエンダに定住することは認められない。王室が任命する郡長官(アルカルデ・マヨールと呼ばれることもあれば、コレヒドールと呼ばれることもある)が駐在する町からインディオの自治を監督し、貢納をメキシコ市に送り、そこから王室と各エンコメンデーロに分配される。つまり、法制上、エンコミエンダは年金を受け取る権利に転化したのである。実態にばらつきがあったのは言うまでもない。主要なスペイン人都市を中心に司教区が設けられ、各都市には在俗司祭が管轄するスペイン人教区が置かれた。在俗教会は当面スペイン人の司牧を担当し、徐々にインディオ教区も管轄していくとされた。これを在俗化というが、本格化するのは一七世紀に入ってからのことである。

スペイン人による経済活動はインディオ労働力ぬきには機能しない。農場、牧場、鉱山などの所有者は要望をアルカルデ・マヨールに伝え、アルカルデ・マヨールは各村長に数と期間を割り振る。そしてインディオたちは交代でスペイン人の下で働き、賃金を得るものとする。その前提は、各地で銀山が開発されたのを受け、メンドーサが着任直後に創設を命じた銀貨鋳造所の稼働である。やがて、貢納も現金払いとされていくが、インディオは村の外で働くことで現金を稼いだ。王室は、インディオを隔離することでラス・カサスらの要望に応えつつ、インディオ労働力をより「人道的」にスペイン人経済部門に投入するこの回路を通じ、ヨーロッパでの外交、戦争のための財源を確保しようとしたのだ。

スペイン人都市にはエンコメンデーロ層やその家人、寄宿人、手工業者、商人、聖職者、役人などが暮らし、選挙によって構成される参事会が自治を担う。ベラクルス市とメキシコ市に加え、街道沿いや遠方に新たな都市が創設され、都市ネットワークは現在の米国南西部にまで及んでいく。それは種々の遠征の結果だが、メンドーサが組織、許可した遠征も含まれる。ヌエバ・エスパーニャ中央部ではアステカ時代以来の金山、銀山の開発が始まっており、北方への遠征は鉱山探索の性格を有し、成果を挙げはじめた。銀生産の増大による購買力の向上は、カリブ海が独占していた黒人奴隷も引き寄せ、都市部の手工業や家内労働、さらには毛織物マニュファクチュアなどで働くようになる。メキシコ市は副王庁と聴訴院の所在地として都市ネットワークの中心に位置し、かつ本国と植民地のあいだの独占貿易の拠点としても機能した。諸修道会も本部をそこに置き、フランシスコ修道会はインディオ専用の高等教育機関トラテロルコ学院を創設し、ナワトル語のアルファベットによる読み書きからキリスト教の教義、さらにはラテン語までを教えていた。トラコパンのラテン語陳情書を作成したのはその卒業生だろう。メキシコ市に暮らすインディオの多くはかつてのテノチティトランの住民であり、特定の街区に集住させられる一方、自前の参事会を有し、自治を認められた。

これはあくまで理念型にすぎない。実際には農村部に移り住むスペイン人は少なくなく、混血が進む。感染症拡大による人口減少が進むと、一人あたりの貢納、賦役の増大を嫌って村から逃げるインディオも出てくる。彼らはスペイン人の所有する農場や牧場、鉱山、あるいは都市へと移住する。逆に、スペイン人との接触を避けるべく、植民地統治のおよばない地域へ逃げる場合もあろう。スペイン人の遠征に同行し、村単位で遠方に植民することさえあった。これに、アフリカからの黒人奴隷も加わることで、図柄はさらに混沌とする。こうしてヌエバ・エスパーニャは、スペイン人とインディオのあいだの境界線、かつての定住農耕地帯と狩猟採集地帯のあいだの境界線を曖昧にしながらも、それらの要素が完全に混ざり合うわけではなく、明確なコントラストとそのあいだの微妙なグラデーションからなる、独特の型の植民地社会を形成していくのである。

ここまでスペイン側の諸条件が植民地社会の型を生み出す過程を検討してきたが、この過程はモデル4の先住民社会を前提としていた。アステカ王国内とその外部にはモデル1から3までの社会も存在しており、ヌエバ・エスパーニャ中央の型が遠征を通じて拡大しうるのはモデル4の場合のみだった。現在のメキシコ中西部のタラスコ王国や南東部に広がるマヤ文明圏グアテマラへの遠征が速やかな征服につながったのに対し、モデル2や3が主体でかつ北に行くほどモデル1が優位となる北部への遠征は征服につながらず、拠点を築いてもチチメカと総称される狩猟採集民の襲撃を受けてしばしば放棄された。

たとえば、コルテスの副官ペドロ・デ・アルバラードは、トラスカラをはじめとするインディオ同盟軍の力を借りたこともあり、速やかにグアテマラのマヤ人を征服し、一五二六年、王室にグアテマラ総督就任を承認された。それに対し、タラスコ王国の北側に広がるヌエバ・ガリシア地方のインディオ社会は、いったんスペイン人の支配を受け入れたが、他人のために働くことを理解できないうえに、メキシコ市からの統制が効かずエンコメンデーロの苛斂誅求に耐えきれず、先祖伝来の神々のお告げにしたがって武装蜂起する。メンドーサはこれを北部植民への脅威と受け止め、アジアへの探検航海を準備中のアルバラードに救援を要請するが、自らの軍歴を過信したアルバラードは単独でインディオたちと戦い、一五四一年六月、戦死した。中心都市グアダラハラは彼らに包囲され、副王自ら指揮をとり、スペインでカスティーリャ語を解さない国王の取り巻きに反撥してカスティーリャ諸都市が起こしたコムニダーデスの乱の鎮圧にあたったとき以来二〇年ぶりに戦場に出ることで、ようやく勝利した。これをミシュトン戦争と呼ぶが、メンドーサと懇意にしていたメシーカ人貴族たちが大いに活躍したとされる(Thomas 2011: 441-444)。グラナダでの幼少期に身体にしみこんだ異文化理解力の賜物だろう。グアダラハラに聴訴院が設けられるのは一五四八年のことだった。

インディオ社会の違いが北部植民地社会に、中央部とは異なる性質を刻印する。モデル1のインディオ社会が優位に立つ北方への進出は、一五四〇年代から相次いで発見、開発されるグアナファアト、サン・ルイス・ポトシ、サカテカスといった一連の銀山と銀山、銀山とメキシコ市を結ぶ街道の整備を通じて可能となった。それはメキシコ市周辺の定住農耕民ぬきには不可能だった。狩猟採集民は鉱山やそこに食料を供給する近郊の農園や牧場での労働に耐えられず、捕らえられたとしても最初の機会に逃亡するからである。定住農耕民の植民は、トラスカラの場合のようにインディオ村落共同体が募集し、遠征に参加させる場合と、村落共同体とのきずなを断ち、農場や牧場、スペイン人都市で暮らしていたインディオが個人で参加する場合とがあった。また、母方のインディオ社会にも、父方のスペイン人社会にもなじめないメスティーソや、いつまで経ってもうだつの上がらないスペイン人が、新たな可能性を求めて銀山へと向かう。主要な貿易品である銀に惹かれ、スペイン人商人も往来する。街道上には守備兵の駐屯地が設けられるが、その程度ではチチメカの襲撃を防げない。襲撃のおそれがあるかぎり、食料自給を可能とする規模の農業生産は望めず、南方からの食料補給が生命線となる。メキシコ市は食料に加え、大西洋貿易の拠点として植民地で生産できない商品を輸入し、運転資金とあわせて銀山へと供給する。

こうした状況下に生まれる北部植民地社会が、メキシコ市周辺の植民地社会と型を異にするのは当然だろう。これらの異なる型が、銀と大西洋貿易、後には太平洋貿易も契機としつつ有機的に連関し、ヌエバ・エスパーニャ植民地を形成したのである。経済史家の松井透は、この時期のポルトガル商業帝国と比較し、「スペインの新世界経営はヨーロッパ産物のずっと大量かつ継続的な供給によって支えられ、ヨーロッパ産業による大きな裏打ちのあることが必要だった」と指摘している(松井 一九九一：八〇頁)が、たしかにメンドーサによる統治の制度化には経営の性格が見て取れる。この「経営」モデルはどこまで汎用性があったのかを、ペルー植民地との比較を通じて検討していこう。

一般に、アステカ王国とインカ帝国の拡大、スペインによる征服および植民地統治の制度化については、類似点が強調されることが多い。一五世紀に入り、ローカルな首長国が急速に領土を拡大し、帝国に転化する経過や、国王が簡単にスペイン人の人質となるなど、類似点は少なくなかった。銀生産が経済の機軸をなし、それにともなう購買力の高さが多くの黒人奴隷の輸入につながったのも、共通している。しかし、コルテスにとって新たなフロンティアだった太平洋が、ピサロにとって出発点だった点をはじめ、相違点も見逃せない。それらのうちまず第一に感染症の役割を検討していきたい。ピサロがペルー海岸に到着する以前、インカ帝国では感染症が猛威をふるい、皇帝ワイナ・カパックは現エクアドルのキトで死亡した。これがなければ、キトを拠点とする弟アタワルパとクスコに暮らす兄ワスカルの間で帝国を二分する内戦は起きず、ピサロは征服に失敗しただろうというのは、当時もいまもよく指摘される。コルテスが到達したとき、アステカ王国が感染症で苦しんでいた様子はなく、初期条件が異なっていた。

第二に、コルテスはほぼ手探りでモデル4のインディオ社会を征服するための方法を編み出したのに対し、ピサロにはアステカ征服という手本があった。総督ペドラリアスの下、パナマ植民地から太平洋岸を南下する遠征を繰り返したピサロは、南方の山中にアステカ王国に匹敵する王国が存在することを確信すると、スペインに帰国し、その地域を征服するための協約を王室と結ぶ。コルテスがC型遠征からA型遠征への転換に三年を費やしたのを知っており、バルボアの処刑に関与した経験もまた、ピサロをより慎重にさせた。カハマルカでアタワルパを人質にしたのはコルテスを手本にしたと見るべきだろう。なお、通訳の活用は、二人がそれぞれレコンキスタの伝統から学んだものと思われる。

第三に、一〇年余りのタイミングのずれがある。コルテスが征服を遂行したのは、神聖ローマ帝国皇帝位をめぐる選挙やヴォルムスの帝国議会へのルターの召喚、コムニダーデスの乱などでカルロス一世/カール五世は多忙を極め、アメリカ植民地への関心が最も低かった時期である。それに対し、一五三〇年代に入ると、インディアス枢機会議が植民地統治の諸問題に取り組みだした。コルテスが享受しえた行動の自由の幅と、統治者としての試行錯誤の余地は、ピサロには与えられない。

第四に、インディオ社会の質にも違いを見出せる。インカ帝国のエリート層はクスコとキトのあいだで分裂していたから、ピサロが一五三三年にクスコを攻略し、インカ王族の傀儡を立ててもキト派は降伏しない。カハマルカでピサロがアタワルパから黄金を搾り取ったと聞いたアルバラードがグアテマラから軍勢を率いて現エクアドルに到着したという知らせを受け、手柄を横取りされかねないと判断したピサロの副官ベナルカサルは慌てて出立し、激しい戦闘ののちにようやくキトを攻略した。ところが、傀儡だったはずのマンコ・インカはピサロの弟たちの非道な振る舞いに反発し、クスコを脱け出すと、三六年、一〇万人を超すインディオ軍を率い、クスコとリマを包囲する。自ら創設したリマで街の整備に着手していたピサロが、グアテマラに戻っていたアルバラードに救援要請の手紙を送るほどの危機だった。結局、マンコは包囲を解き、ビルカバンバの山中にこもって抵抗を続ける。一五七二年、第五代ペルー副王フランシスコ・デ・トレド(在任一五六九-八一年)によって最後の皇帝トゥパク・アマルが処刑されるまで、この新インカ帝国は存続した。インディオ民衆は征服後もインカを支援したのである。インカの領土拡大もときに残虐行為をともなった。たとえばエクアドルのカニャリ人はこうした残虐行為を忘れず、ベナルカサルによるキト攻略に協力した。けれども、インカの故地であるクスコ周辺のインディオ民衆は、スペイン人の非道な振る舞いに苦しめられるなか、インカの統治を理想化して記憶し続けた。アステカ王国が速やかに忘れ去られるのとは大違いである。

これら四つの相違点がペルーの辿る経路に固有の特徴を与えた。第一点と第二点がクスコ攻略までをより容易にしたのはいうまでもない。第三点についてはコンキスタドール内部の対立から見ていかねばならない。カハマルカで入手した黄金の分配直後から、ピサロ一行はピサロ派とアルマグロ派に分裂する。アルマグロ派はカハマルカの戦いに間に合わず、黄金の分配に与かれなかったのだ。クスコ攻略後のエンコミエンダの分配や新たな遠征隊長の選定をめぐるピサロの方針は分裂を決定付け、マンコ・インカがビルカバンバに撤退すると、ピサロ派とアルマグロ派は一五三八年に内戦状態に突入し、アルマグロは処刑された。アルマグロ派は報復として四一年にピサロを暗殺する。ペルーではエンコミエンダは命をかけて守るか、奪うかするものだった。そこに、「新法」を携えて初代ペルー副王が着任した。彼はカール五世の命令に従い、いきなり「新法」を公布し、コンキスタドール全員の反発を招き、内戦を再燃させてしまう。その最中の四六年、着任して二年目の副王はピサロの弟ゴンサーロに殺害されてしまう。

それに対し、ヌエバ・エスパーニャではエンコミエンダをめぐる試行錯誤がすでに二〇年近く繰り広げられたのに加え、現地の情勢を熟知し、諸勢力の信頼を勝ち得ていたメンドーサが「新法」の公布を控え、自らの見解を本国に送付する。以後、公的回路を通じ、大西洋を越えての交渉が展開され、賦役を禁止する方向に特化した形で「新法」は読み替えられ、適用されていく。タイミングのずれが二つの植民地が辿る経路を分岐させたのである。

四、アメリカ植民地の建設か、三角貿易か——一五五一—一六〇〇年

タイミングのずれは第四点ともリンクする。内戦の後遺症と新インカ帝国の脅威は布教の遅れをもたらした。その挽回は在俗教会に委ねられる。本巻で網野徹哉が述べるように、一五六七年に開催された第二回リマ教会会議は、トレント公会議の方針に従い、インディオ諸語での布教の必要性を強調する。これはリマの大司教が打ち出した方針である。

それに対し、輪切りの世界史的な視点に立てば同一の時間を生きているはずなのに、ヌエバ・エスパーニャの在俗教会内ではインディオのカスティーリャ語化を主張する勢力が優勢だった。同時代史のゆえだろう。そこでは諸修道会がインディオ諸語で布教を進め、在俗教会は布教に関与できなかった。修道会側は担当する教区で話される諸言語を研究し、次世代の修道士に諸言語を教える体制を確立していたが、在俗教会にはそのノウハウがない。修道会側は先スペイン期の歴史も研究することで、インディオをより深く理解し、魂の救済を徹底しようとする。彼らによれば宣教は終わっていない。在俗教会がインディオ教区を管轄下に置きたいと思ったら、インディオはすでに完全なキリスト教徒であるから特別待遇は必要ないと主張し、彼らをカスティーリャ語化した上で在俗化するしかない。加えて、

アステカ王国の復活はありえないからインディオ諸語で反乱の芽を摘む必要もない。一六世紀後半、在俗教会がカスティーリャ語化を強く主張する一方、一大政治勢力に成長した諸修道会の独走を警戒したフェリーペ二世が一五七七年に先スペイン期の歴史研究を禁止したのは、同時代史とインディオ社会の質的相違を背景としていた(安村 二〇一七：二五—三二頁)。

一五六〇年代、新インカ帝国は実在していたのだから、インディオの魂にインカへの畏敬の念が潜んでいて、それが反乱の芽となりかねないと考える者が在俗教会にいても不思議はない。同時代史とインディオ社会の質の違いが、ペルーでは在俗教会にインディオ諸語使用を選ばせたという面も否めまい。反乱の芽を摘むのにカスティーリャ語が不適切なのは明らかだったから。反乱の芽を摘む発想は、教会会議後にリマに着任した第五代副王トレドにも共通していた。彼は内戦やインカの反乱で長らく不安定だったペルー植民地の制度化を任された。制度化にはインカ帝国による統治が圧制であり、スペインはそこからインディオを救い出したという「歴史」が必要だと考えた彼は、そうした視点からのインカ史の書き換えを依頼するにおよんだ。ペドロ・サルミエント・デ・ガンボアは依頼を受け、一五七二年に『インカの歴史』を上梓したが、インカの専制が帝国内の分裂を招き、そのおかげで神の福音がペルーに届いたと主張している(Serrera 2013: 72-73)。

ローマ・カトリック世界全体に共通する方針がスペイン帝国中枢から新世界に伝えられるとき、受け止める側の植民地社会が辿ってきた同時代史とインディオ社会の質が異なるがゆえに、言語政策をめぐり在俗教会と修道会の立場が逆転したわけである。

世俗面ではインディオ労働力の調達問題を挙げられる。トレドの功績の一つは、植民地経済の原動力たるポトシ銀山の労働力不足を周辺のインディオ村落共同体からの交代制の賦役、ミタによって解消したことである。ミタを機能させるためにエンコメンデーロが勝手にインディオを使役するのを禁止する一方で、散居しがちなうえに人口減少の進むインディオたちをコンパクトにまとまった村落共同体に集住させることで、スペイン人地方役人による管理を容易にする必要がある。この強制的集住政策をレドゥクシオン／集住化と呼ぶが、トレドはこれを強行し、アンデスの風景を一変させた（網野 二〇〇八：二二五―二二七頁）(5)。

ところがアンデスより先スペイン期の人口規模が大きく、一五二〇年代から減少が始まっていたヌエバ・エスパーニャで、メンドーサは画一的な集住化を実施していない。複数の銀山がモデル1のインディオ社会しか存在しない北部に集中していたことが、ミタのような交代制の動員のための集住化を不可能とし、かつ別の労働力調達法が機能している以上、宣教師らが状況に応じて個別に実施するレドゥクシオンで十分だった。植民地全域で強制的集住化が試みられるのは一五五〇年代と一六世紀末から一七世紀初頭にかけての二度だが、インディオの抵抗により失敗したとされる。トレドの本気度とは比べようもない。一五九〇年にトラスカラが副王との協定によって実施した北部銀山への集団移住は、強制ではなく共同体側の主体的選択であった（安村 二〇一四：二七八―二八四頁）。ヌエバ・エスパーニャ中央部のインディオは状況次第で移住を厭わない柔軟性を備えてもいた。

こうしてみると、モデル4のインディオ社会を基盤として形成されたヌエバ・エスパーニャ植民地とペルー植民地とでは、インディオ労働力を基盤として銀を生産し、スペイン本国に輸出するという面での共通性が見られるものの、一六世紀後半を通じ、経路と細部には違いがあることを確認できる。メンドーサとトレドの経営モデルを比べると、後者の複雑性は低いといえよう。スペイン領アメリカ植民地の型を固定的、かつ単数形で語りがちな通説がいかに危ういかは明らかだろう。

タイミングのずれは、ラテン・アメリカ全般の特徴とされる混血にも影響を与えた。ヌエバ・エスパーニャではスペイン人女性が圧倒的に少なかったがゆえに、コンキスタドールたちはしばしばインディオ女性と結婚した。それに対し、コルテスの成功がスペイン人女性をアメリカ植民地に惹きつけて一〇年あまりが経っていたペルーでは、本国だけではなく他のアメリカ植民地からもスペイン人女性が移住した。たとえば、早くも一五三〇年代にエスパニョラ島生まれのスペイン人女性の一団がペルーに到着している(Lockhart 1983: 211)。結果、男女比率が早期に改善され、有力者たちがインディオ女性と結婚するのはまれだった。一時期コルテスの愛人とされたイサベル・モクテスマは三人、マリーナも一人のスペイン人と結婚したのに対し、インカ・ガルシラソ・デ・ラ・ベガの母はインカの皇女だったのにスペイン人コンキスタドールの父と結婚できなかった。スペイン人女性のアメリカ植民地への渡航の歴史におけるどのタイミングで征服されるかが、違いを生んだと見るべきなのだ。メスティーソが正規の結婚から生まれたのか、それとも庶子だったのかが、その後の植民地社会の展開にどう影響したのかは、今後の課題となろう。

ここまでカリブ海植民地における三つの型の変遷と、ヌエバ・エスパーニャ植民地、ペルー植民地の型の共通点と相違点をみてきた。これ以外にも、容易に満足しようとしないスペイン人たちは南北アメリカを縦横に駆け巡り、インディオ社会の条件が整っている地域では植民地を建設した。ユカタン半島、ヌエバ・グラナダ、チリ北部やボリビア、パラグアイやラ・プラタといった諸地域には組み合わせの異なる条件が備わっており、様々なグラデーションの植民地社会が成立する。条件が整っていなければ植民地は建設できない。たとえば、ピサロの副官ソトはペルーでの成功に飽き足らず、フロリダ征服に乗り出したが、彷徨の末、命を落としている。

一六世紀末のスペイン帝国が諸植民地の寄せ集め以上の政治体であるとしたら、銀の流れとそれを可能にするネットワークのおかげだったといえる。たとえばラ・プラタやチリ北部は小麦をペルーに輸出することで銀を入手し、ペルーに入荷する様々な商品を購入した。では、この現実を前にして西ヨーロッパ諸国はどう対応したのだろうか。

一五〇〇年に偶然ブラジルを発見したポルトガルは植民地建設に着手しなかった。ポルトガル王室はアフリカ沿岸、インド洋、東南アジア、東アジアに商業帝国を築くのに忙しく、モデル1か2の水準のインディオ社会しかないブラジルでは貿易できなかったからである。当初の産業は染料を抽出できる蘇芳《すおう》材の伐採と輸出程度であった。一五三〇年代から砂糖産業を導入するが、インディオ奴隷に頼るさとうきび栽培の生産性は低く、ポルトガル人はなかなか移住しない。間隙をぬってフランスの商船がブラジル沖に出没するようになる。本巻で大峰真理もその役割を重視している、ノルマンディの港町ディエップの商人たちは、アフリカ西岸で胡椒を入手したのち、ブラジルで蘇芳材を積み込み、母港に戻るという三角貿易に従事していたのである。植民地喪失を恐れたポルトガル王室は一五四九年、総督を派遣し、統治体制を整えた。そのおかげか、コリニー提督の主導により一五五五年にリオデジャネイロに入植したフランスのユグノーたちを、六七年までに排除した。同じころからポルトガルのマデイラ型への移行がはじまり、さとうきび栽培部門のためにアフリカから黒人奴隷が投入されていく(ペンローズ 二〇二〇:二五一―二五二頁)。技術、資金、物資を提供したのは、多くの場合、一四九七年の強制改宗令によってユダヤ教を捨てさせられた改宗者たちで、彼らのネットワークがブラジル砂糖産業の成長を支え、一七世紀の黄金時代を準備するそのかたわらで、カリブ海域と同様、たばこ栽培や牧畜も展開していく(Lockhart & Schwartz 1983: 212-213, 225-227)。

ポルトガルがスペインと異なるのは、本巻コラムで鈴木が指摘するように、アフリカに交易拠点を有し、黒人奴隷を自前で入手し、需要があればスペイン領アメリカ植民地に輸出できた点にある。たとえばアフリカ西岸のアンゴラを一五七五年に植民地化し、ブラジル同様のプランテーション型社会に発展させていくが、アンゴラは同時にブラジルやスペイン領への奴隷供給地でもあった(増田 一九八四:一七四―一八〇頁)。一六世紀後半のスペイン領アメリカ植民地では奴隷制プランテーションにかわり、銀の購買力を頼みとして都市部で黒人奴隷需要が拡大しており、供給力の向上と需要の増大が一致する。おまけに一五八〇年にフェリーペ二世がポルトガル国王を兼ねると、ポルトガルの奴隷商人は合法的にスペイン領アメリカ植民地を市場にできた。スペイン王室は一五九五年以降、アメリカ植民地への奴隷供給の権利を一括で付与するアシエント契約を採用するが、以後四〇年ほどポルトガル人商人が受注する。彼らはブラジル南部からラ・プラタ地方を経てポトシ、リマに向かう一方、カリブ海にも進出する。これらの条件が揃ったから、アンゴラ植民地建設は軌道に乗り、ブラジル砂糖産業の競争力を生む一方で、いわゆるメキシコ銀へのアクセスを確保したのである。

スペイン領アメリカ植民地が生み出す富に目をつけたのはポルトガルだけではない。フランスは一六世紀初頭から大西洋上でスペイン船を襲い、積み荷を奪う私掠活動を展開していた。コルテスが送りだしたモクテスマ二世の秘宝を一五二二年に大西洋上で奪取したのは、フランソワ一世の許可を得て私掠活動を展開していたジャン・ド・フレリだった(Thomas 2010: 581)。以後、フランスの私掠船は次第にカリブ海まで活動範囲を広げていく。スペインが一五四三年、大西洋貿易に関し、護衛艦の率いる船団での航海を制度化したのは、私掠船対策なのだ。イギリスは後れて一六世紀後半にカリブ海に進出した。ウィリアム・ホーキンズはアフリカの黒人奴隷をスペイン領アメリカ植民地に輸出して銀を入手する三角貿易に従事し、フランシス・ドレークもホーキンズの下でカリブ経験を積んだ。彼らが私掠活動に重点を移すのは、密貿易を黙認していたスペイン当局がベラクルス港に緊急避難しようとしていた彼らの船に突然、砲撃を加えてきて以後のことである(増田 一九八四：二〇一―二一二頁)。ウォルター・ローリーは私掠活動からスタートしたが、三人にはカリブ海で容易に銀を入手できたという共通の成功体験があった。

しかし、私掠活動と植民地建設は別次元の話である。本巻中のコラムで細川道久は一七世紀中のフランス領カナダ植民地の建設を扱うが、それには前史があった。一六世紀の間、そのカナダやフロリダにおいてフランスは植民地建設に失敗していたのだ。ディエップは海図作成で定評があり、フランスは地理情報をもっていた。しかし、それはイギリスも同じで、スペインの経験という手本があったのにハンフリー・ギルバートもローリーも北アメリカでの植民に失敗した(ペンローズ 二〇二〇：四六三―四七五頁)。成否の鍵はヨーロッパ文明の優越性や国民気質などといったものにはない。植民地建設には諸条件が揃わなければならなかった。なかでも重要なのが入植地域のインディオ社会の質と、計画実施のタイミングだったことは、コルテスとピサロが教えてくれている。

後者について、先行者の優位は大きい。スペインがアフリカでポルトガルと競うことを避けたのはそれを認識していたからだろう。それゆえ、メキシコ銀のおかげで大国となっても、西回りでのアジア到達にこだわったのだ。先行者になることが肝心なのである。先行者のスペインを無視し、フロリダに植民しようとしたフランスは無謀だった。

スペインによる征服と植民地経営の成功には、入植地域の諸条件に合わせ、柔軟に対応し、ネットワークを構築することが不可欠だった。手探りで、時間はかかるが、これにも利点があった。ピサロのように、地道に努力することの大切さを学べたからである。アステカ王国の征服前、スペイン人植民者の夢が小さいうちはこれが可能だった。だからこそ、ヌエバ・エスパーニャで努力する道を選ぶ植民者もおり、植民地は成立しえた。しかし、コルテスやピサロの成功は後続者たちの夢を肥大させ、ベナルカサルはキトの次にヌエバ・グラナダへと旅立つ。彼らは生半可な成功では満足できず、彷徨《さまよ》い続ける。皮肉なことに、スペイン領アメリカ植民地の拡大は速度を落とす。到達地点でスペイン人がインカ帝国に再び出会うことはなく、植民地建設に着手しなくなるから。銀山開発には多額の元手と運転資金が必要だから、一握りのスペイン人しか乗り出せない。ヌエバ・エスパーニャ北部であれば、手軽に開発できる、若干の資源がある地点での町の建設と、町同士と、さらにはメキシコ市をつなぐ街道の確保が関の山となる。米国南西部はその典型である。それも、その地に暮らすプエブロ・インディオの人びとがモデル4に近いインディオ社会を形成していたからこそ可能となったことを、忘れてはならない。

フランス人もイギリス人も、コルテスやピサロ級の成功を夢見るからこそ、到達地点で植民地社会の建設に着手するかわりに、あっさり本国に戻る。ソトとギルバートの間には、インカ帝国がピサロに与えた富と名声の大きさを知っているという、意外な共通点があるのだ。しかも彼らは、ピサロがカリブ海、太平洋で三〇年間、地道に努力した事実——これはソトが歩んだ道でもある——を思い出さない。ローリーの場合、私掠で甘い汁を吸っていた経験が忍耐の欠如を生んだと考えられる。安易に銀を入手できるのに数年も我慢するのは無理だった。後続者には、先行者とは異質の壁が立ちはだかっていたようだ。

けれども、ソトやベナルカサルを引き合いに出し、ピサロ以降のスペイン人は忍耐力を失ったと一般化するならば、「実体としての世界史」を大きく見誤ることになる。なぜなら、西回りでアジアと貿易するという夢に関し、スペイン人は異様なまでの粘り強さを示したからである。一五四二年、太平洋を横断してフィリピンを目指すルイ・ロペス・デ・ビリャロボスの遠征隊はヌエバ・エスパーニャから船出したが、それは副王メンドーサの命令によるものだった（Thomas 2011: 444-445）。ヌエバ・エスパーニャ、さらには南方のペルーがスペインに大きな富をもたらすことが判明しているのに、外交官でもある彼はなぜサラゴサ条約を無視し、カール五世に叱責されてまで、ポルトガルの勢力圏に割って入ろうとしたのだろうか。

スペイン人植民者の不満をそらすという政治的動機だけでは不十分だろう。やはり、一六世紀のスペイン人にとり、アジアこそが最終目的地だったのだ。彼らの生活を彩るにふさわしい威信財は先進地域たるアジアにしかないから。現地で生産している砂糖やたばこは奢侈品であっても威信財足りえない。アジアに憧れる彼らにしてみれば、モデル4のインディオ社会では代役は務まらない。ピサロがインカの黄金の装飾品を延べ棒にしてしまったのは、その一つの現れである。それに加え、アジアとの貿易で得られる利益は、一〇年単位の時間が必要な植民地経営と比べると、ずっと短期間で実現できる。しかも、いまや手元にはアジア貿易用の決済手段である銀がある。太平洋を横断して輸入すれば、アジア産品の価格はスペイン経由より大幅に低下する。そうすれば、メキシコ市やリマに暮らしながら、スペインの王侯貴族と同様の威信財に囲まれながら暮らすことも夢ではない。メンドーサは、植民地に暮らすスペイン人たちの夢を代弁していたのである。

この夢こそが、太平洋航路開拓のための遠征に資金、人員、船を惹きつけ続けたのだ。一五六五年、フェリーペ二世の命令で前年にアカプルコを出帆したミゲル・ロペス・デ・レガスピとアンドレス・デ・ウルダネタがフィリピンからアカプルコに戻る航路の開拓に成功すると、新世界と旧世界を結ぶネットワークは、「実体としての世界史」を本格的な軌道に乗せる。以後、アカプルコとマニラを結ぶマニラ・ガレオン船貿易が、大西洋貿易と同様、船団を組んで定期的に運航されていくが、それを支えるための統治機構も整備される。フィリピン総督領——日本近世史ではルソン総督領と表記される——が創設されるのは一五七四年、マニラ司教区が設けられるのは七九年、聴訴院が開かれるのは八五年であった。なお、フィリピン総督領は食料、生活物資の面で自給を達成することはなく中国からの輸入に依存していたが、それを可能にしたのはアメリカ植民地で鋳造された大量の八レアル銀貨であった。ヌエバ・エスパーニャ植民地への全面的な依存は、行政面でフィリピンをヌエバ・エスパーニャ副王の管轄下に置くとする王室の決定につながった(菅谷 一九九五：二〇五—二〇九頁)。

ヌエバ・エスパーニャへの服属は、一五四二年に下されたインディオ奴隷化の禁令がフィリピンにも適用されることを意味した。マニラに暮らすスペイン人たちは家内労働力の調達に困り、そこに目を付けたポルトガル人奴隷商人たちは、インド、東南アジア、中国、日本などで奴隷を入手し、マニラに供給する。[6] ポルトガルはアジアでも三角貿易を展開していく。奴隷の一部はガレオン船でアカプルコ、リマにまで転売されていた(平山 二〇一九：六〇—七一頁)。こうして南北アメリカは太平洋航路を通じ、アジア系奴隷、中国の絹織物、生糸、陶磁器や、日本の陶磁器、屏風、インド産の家具などを入手する。対価として銀のほかにトウモロコシやさつまいも、唐辛子といった新世界原産の作物が西に運ばれたが、貿易収支の赤字を埋めるにはほど遠かった。これらの作物は後に、アジアの人口増加に貢献するという、実体としての世界史上重要な役割を果たすことになる。

本巻中の川田玲子のコラムと関連し、注目すべきは屏風である。屏風がメキシコ市で流行すると、わが街の様子を描いた屏風を飾りたいという欲求が高まり、注文主はマニラ経由で銅版画を日本の工房に送り、製作を依頼する。それを見て屏風に仕上げた日本の絵師は、意図せず遠近法に触れたのである。日本とスペインの国交断絶後も、メキシコ市での屏風熱は冷めなかった。エリート層は、多くがインディオやムラート——スペイン人と黒人の混血——である地元の絵師たちに屏風を見せ、その技法を学ばせることで、好みの図柄の屏風を入手しようとする。たとえば、メキシコ市フランツ・マイヤー博物館に所蔵されている屏風は一六六三年ごろに生まれた絵師の作品だが、表に当時のメキシコ市を俯瞰した図柄、裏にコルテスらとアステカ側とが激しくぶつかり合う征服の場面を描くことで、クリオーリョ——アメリカ植民地で生まれ育ったスペイン人——のアイデンティティに形を与える。絵師たちはそのために、油絵に螺鈿細工を施し、両面彩色するという独自の技法を開発した(Rishel et al. 2007: 104-105, 125)。ここまでしなければ、スペイン人エリート層を満足させる、輸入代替の水準に達することはできなかったのだ。これを支えたのは、太平洋の東西に位置する植民地間の、王室の禁令を無視しての密貿易の拡大であり、メキシコ銀の流れであった。周縁は帝国中枢の意向に反し、中国の銀需要に応じていく。

　フィリピンに戻ると、本巻のコラムで菅谷成子が強調するように、ごく少数のスペイン人と多数の中国人が暮らす一方、アジア系奴隷が彼らを支えるマニラを、モデル4以下の「インディオ」社会が取り囲むという、特異な型の植民地社会が成立した。これは、モデル4を大きく超える現地社会に取り囲まれたゴアやマカオで生まれたポルトガル型に近い。スペイン領アメリカ植民地が示すグラデーション中の極点を、ここに見いだせよう。

　ようやく私たちは、一六世紀中に「認識としての世界史」に南北アメリカの古代史が組み込まれなかった理由を推測できる地点に立った。当時のヨーロッパ人はアジアに対する劣等感を拭えず、それを南北アメリカへの優越感で代償しようとしたのではないか。アジアに対する劣等感を構成する要因の一つは中国文明の旧さであったから、自らの優越感の根拠たる南北アメリカの劣性を信じるには、先スペイン期文明の旧さや独自性をア・プリオリに否定するしかない。モンテーニュはラス・カサスに共鳴し、インディオの人間性を認めたとされる一方で、「この世界——アメリカ大陸を指す——は〔中略〕あまりにも新しく、あまりにも子供で、いまだにＡＢＣを教わっている」と記す。アメリカ大陸を子供扱いすることで、彼はヨーロッパ中心主義的世界史を延命させたのだ(岡崎 一九九六：一四一―一四二頁)。南北アメリカに暮らすスペイン人のアジア産品への憧れも、同じ論理で説明できるのだろう。

一八世紀に入ると、ビュフォン、ヒューム、ヴォルテール、レナール、ドゥ・ポーといった啓蒙主義者たちが、南北アメリカではその「若さ」や気候のせいで、動植物だけでなく人間までもが旧世界と比べて劣等であると主張した(Gerbi 1993: 7-101)。南北アメリカをヨーロッパに教えを乞うべき「未成熟」のカテゴリーに囲い込むことで、若い大陸を文明化する義務と権利を正当化するイデオロギーをアメリカニズムと名付けると、アメリカニズムこそ近代オリエンタリズムの原種といえるのではないか(Taboada 2004: 215-232)。それゆえに、南北アメリカの古代文明を組み込んで世界史を書き換えることが阻まれたのだ。「新世界」という呼称には、旧世界がその歴史を奪うためのメカニズムが秘められていた。スペイン王室による先スペイン期研究の禁止令はその一端にすぎない。

五、周縁で世界史を生きるということ

「実体としての世界史」に戻ろう。ここまで、南北アメリカにおけるインディオ社会の多様性を起点とし、スペイン、ポルトガル、フランス、イギリスが相互に参照し合いながら、対立と協調を通じて植民地社会の形成を試みる過程を見てきた。それゆえ、周縁化された人々が変化にどう対応したかに関する記述は乏しかった。以下ではその面を補うことにしたい。

インディオ社会は、征服と感染症を前にして立ちすくむか、自殺するか、絶望のあまり蜂起するか、ヨーロッパ文明を唯々諾々と受け入れるか、いずれかを選ばざるをえなかったとされることが多い。たしかにスペイン人による征服は暴力的であり、神々の否定は生きる意味の喪失であり、疫病には為す術がなかっただろう。しかし、茫然自失の

期間が過ぎると、インディオたちは新しい条件下、主体的に生きていく。

たとえば、メキシコ中西部の旧タラスコ王国に暮らすインディオたちは、征服後の人口カーブが最低点に達したとされる一七世紀前半、村の教会堂を建設するブームを迎えた。タラスコ王国を構成していた複数の首長国がインディオ村落共同体として再編され、ときにそれがさらに細分化し、ときに集住化される過程で、彼らは新たな村のアイデンティティの中核を成す教会堂の建設に資金、人員を投入し、隣村に負けない象徴を創り出した(横山 二〇〇四:四一二―四一三頁)。これを西欧建築の模倣で片付けるとしたら、アメリカニズムのそしりを免れまい。大越翼は本巻中、ユカタン半島マヤの村落共同体の街路設計がときに、スペインの導入した格子状のプランから逸脱している事実に先スペイン期の伝統の再生を見出すと同時に、未征服地のインディオまでもが輸入品である鉄製マチェテ(山刀)を生活に取り入れたと指摘するが、「実体としての世界史」が再始動した時空で生きるとは、こういうことなのだろう。

たしかにインディオが大西洋や太平洋を横断することは少なかった。しかしそれは、彼らが「実体としての世界史」を認識するのを妨げない。たとえば、一五七九年にメキシコ盆地南東部で生まれ、メキシコ市の教会に暮らしたインディオ、チマルパインは、アルファベット表記のナワトル語で多数の著作を残したことで知られる。その『日記』にはビベロとともにメキシコ市にやってきた徳川家康の外交使節団の様子や、支倉常長一行がメキシコ市の大聖堂で大司教により受洗した様子などが西暦により記載されている。本巻で清水有子はアカプルコでの日本人使節団員による騒動に言及しているが、チマルパインはその際のビスカイノの負傷にまで言及している。なお、この『日記』を検討した井上幸孝によれば、長崎での二十六聖人の殉教は一〇カ月後、フランス国王アンリ四世暗殺は四カ月後にメキシコ市に到達したという(井上 二〇一四:二一一―二一三頁)。チマルパインはおそらく、同時期のヨーロッパや日本の知識人よりも、「実体としての世界史」、それも同時代史に通じていた。しかも彼は西暦を使用することで、メソアメリカの「世界史」にキリスト教文化圏の「世界史」を接ぎ木し、より包括的な「認識としての世界史」の扉を開こうとしていた。

スペイン領アメリカ植民地の北限に位置するヌエボ・メヒコ——現在の米国ニューメキシコ——は、ジャクソン・ターナーの古典的フロンティア理論からすれば無主の地であり、それに挑んだハーバード・ボルトンにとってはスペイン帝国の最前線だった。ヌエボ・メヒコは一五九八年に始まり、一六八〇年のプエブロ・インディオの反乱によって一時的に放棄される。この経緯は、フランシスコ修道会の宣教師とインディオによる理想郷建設の願望と、モデル4に近いインディオ社会を支配して自給自足的で閉鎖的な生活を営もうとするスペイン人植民者の欲望の対立で説明されがちであった。それに対してトリッグは一次史料、考古学の発掘成果、人類学・社会学の実践理論を組み合わせ、ヌエボ・メヒコを複数のアクターが織り成す複合的な時空として描き出す。植民者の世帯レベルの経済、植民地の凝集性を生む地域経済、さらには鉄製品や東アジアの陶磁器を輸入する世界経済の三層の相互作用が、植民者間と彼らとインディオの関係をどう構築し、変化させたのかという問いに迫っていく(Trigg 2005: 10)。

プエブロの反乱から逃れた植民地総督は、反乱で破壊される直前の植民地社会の状況を調査させた。報告書によれば、総督の世帯には合わせて三〇人が暮らしていたが、そのなかには黒人もインディオもいた。プエブロが家事労働を強いられたのは確実である。スペイン人とともにトラスカラからの一団も植民したから、彼らも召使い、女中として通っていたかもしれない。彼らは故郷の伝統にのっとり、独立の居住区を形成していたのである。総督以外の世帯も規模は大きめだったが、そうした世帯は人種横断的で、多文化が交錯する空間として機能する。一個の経営体として大規模化した面もあり、多くのスペイン人女性は家で羊毛を紡ぎ、男たちは布を織っていた。織物は自家消費以外に、プエブロの製作する土器との物々交換や教会への十分の一税の物納にも充てられたという(Trigg 2005: 89-92, 124-125)。最果ての植民地社会はここに、インディオの労働力と生産物に依存しながらスペイン貴族風の大世帯を営む、ヌエバ・エスパーニャ中央部の初期植民地社会の型を小規模に再現したといえよう。なお、スペイン人女性が少ないため、プエブロ女性とのあいだでメスティーソが多数生まれており、父親に認知されたメスティーソがスペイン人として総督に任命されることもあったらしい(Trigg 2005: 196)。

インディオは植民地社会で周縁化されるが、そのなかでも女性たちは不可視化されがちであった。そんな彼女たちの声を聞くべく、私は長年、訴訟文書に出てくるインディオ女性の証言に着目し、それらをエゴ・ドキュメントとして分析してきた(安村 二〇二〇：六三―六六頁)。あるインディオ女性呪術師がスペイン人女性に治療を施し、患者はアルマジロを排出して快方に向かったなどという証言に出会い、その意味を探ってきたのだが(安村 二〇〇二：一四八頁)、欧米の研究者もようやく訴訟文書に着目しつつある。そのうちの一人であるソウサは、「妻はジャガーに変身した」という、妻殺しの嫌疑をかけられた夫の証言を突破口とし、ジェンダー規範と実態のずれや、インディオ社会で持続する伝統的な諸観念の役割を検討していく(Sousa 2017: 8-9)。本巻中のコラムで佐藤正樹が紹介している裁判所付属文書館には、この類いの文書が眠っていることであろう。

周縁に位置すべき存在が目立ちすぎると、植民地当局から目をつけられる。ポルトガル系改宗者であるシモン・バエスはメキシコ市で貿易商として大成功をおさめた。彼の活動には本稿「はじめに」でも触れているが、インディオの村々で行商していた改宗者がイスミキルパン村で逮捕されると、芋づる式に逮捕が続き、バエスも一六四〇年、異端審問に召喚された(Wachtel 2007: 22-23)。その際に没収された帳簿を分析した伏見岳志は、王室により統一された商業簿記の書式とバエスの帳簿の間には乖離があったと指摘する(伏見 二〇一九：三二〇―三二一頁)。これは、スペイン帝国に進出したポルトガル系改宗者に共通する特徴なのか、それともバエス個人のスタイルなのか。二つの航路が接続する時空では帳簿までがエゴ・ドキュメントの相貌を帯びたのかもしれない。

おわりに——オランダの覇権と太平洋

ポルトガル系改宗者は、南北アメリカで接続する大西洋航路と太平洋航路を活用し、地球規模のネットワークを築き上げた。「はじめに」に登場したモンテシノスもそれを活用し、エクアドルの山中に到達し、その後、アムステルダムに渡った。アムステルダムはポルトガル系改宗者の拠点だったのだ。いわゆるオランダの覇権はこの事実と関係していた。

一五八一年のオランダ独立宣言をスペイン帝国衰退の起点、逆から見ればオランダの国際商業における覇権の始まりと見なす見解はいまだに根強い。しかし、ポルトガルとスペインが構築したグローバルな貿易ネットワークへのオランダの新規参入が加速するのは、ヨーロッパ近世史家のジョナサン・イスラエルによれば一五九〇年以降のことだという。フランス、イギリスに後れをとったのは明白だろうそれは、フェルナン・ブローデルの見解に反し、フェリーペ二世がオランダに対する禁輸を解除するという政治的事件の産物だった。つまり、オランダはスペインの繁栄の分け前に合法的にアクセスすることから覇権への道を歩み始めたのである(Israel 1989: 38)。

フェリーペ二世による禁輸解除はオランダに対してだけで、イギリスへの禁輸は続いた。禁輸解除はオランダとの緊張を緩和し、オランダとの戦いに動員されていた兵力をフランスへの軍事介入に振り向けるための措置であった。フェリーペ二世はフランス国王の座についたアンリ四世の打倒を優先したのである(和田 二〇一九:二一九—二三一頁)。オランダはこの隙をつき、陸上でスペイン軍に占領されていた地域を回復するとともに、海上ではアントウェルペンに対する封鎖を強化できたのである。その結果、国際商業上のライヴァル足りえるイギリス、フランス、南ネーデルラントを抑えながら、スペインおよびアメリカ植民地との貿易を急拡大し、メキシコ銀を入手して東インド貿易への参入をうかがうにおよんだ。東インドへの進出は西インドへの進出を前提としていたのである。

他方で、フェリーペ二世は一五八〇年にポルトガル国王も兼ねたから、オランダはポルトガルとブラジルにもアクセスできるようになり、ブラジル産砂糖のヨーロッパにおける独占的中継基地へと成長する。このつながりはオランダに、ポルトガルからの多くの改宗者を引き寄せることとなり、さとうきび栽培と砂糖精製の技術、国際商業上の人材や情報、さらには彼らのネットワークをもたらしたのである(Israel 1989: 39-73)。

一五九八年、スペインはオランダに対する禁輸を再開するが、手遅れだった。オランダは東・西インド貿易のための基盤を築きつつあったのである。オランダが奢侈品貿易で大きな利益をあげるにあたり、南北アメリカは重要な位置を占めていた。カリブ海の島々、南アメリカ大陸の北岸、ブラジル沿岸部でスペイン、ポルトガルの防衛体制が弱い地点に進出し、たとえばガイアナのインディオからたばこを入手したり、スペイン人植民者との密貿易に手を染めたり、さらには砂糖生産にまで乗り出していく。一つ一つは短期間で莫大な利益をもたらすことはないが、スペイン領アメリカ植民地の最大の輸出品である八レアル銀貨を入手するうえでカリブ海に拠点を築くのは不可欠だった(Israel 1989: 62-66)。そのためには利益がわずかでも、スペイン当局に取り締まられても、すぐには諦めない。一七世紀初頭のオランダ人の行動様式は、スペイン人とは異なる型の植民地社会の形成につながることを予想させるものだった。貿易拠点のネットワーク化という点でポルトガル型に近く、ベネズエラ沖のキュラソー島などはその典型だろう。

奢侈品貿易に狙いを定めたオランダは一六一四年、ビーバーの毛皮取引のために北ネーデルラント会社を設立し、北アメリカへの植民を開始する一方、二一年にはカリブ海での貿易を促進するために西インド会社を創設する。西インド会社は西アフリカとの三角貿易を独占する特権も与えられた(Israel 1989: 109-110, 156-171)。オランダの南北アメリカへの植民は、メキシコ銀をどう入手するかをつねに念頭に置くとともに、スペインとの衝突をできるかぎり避

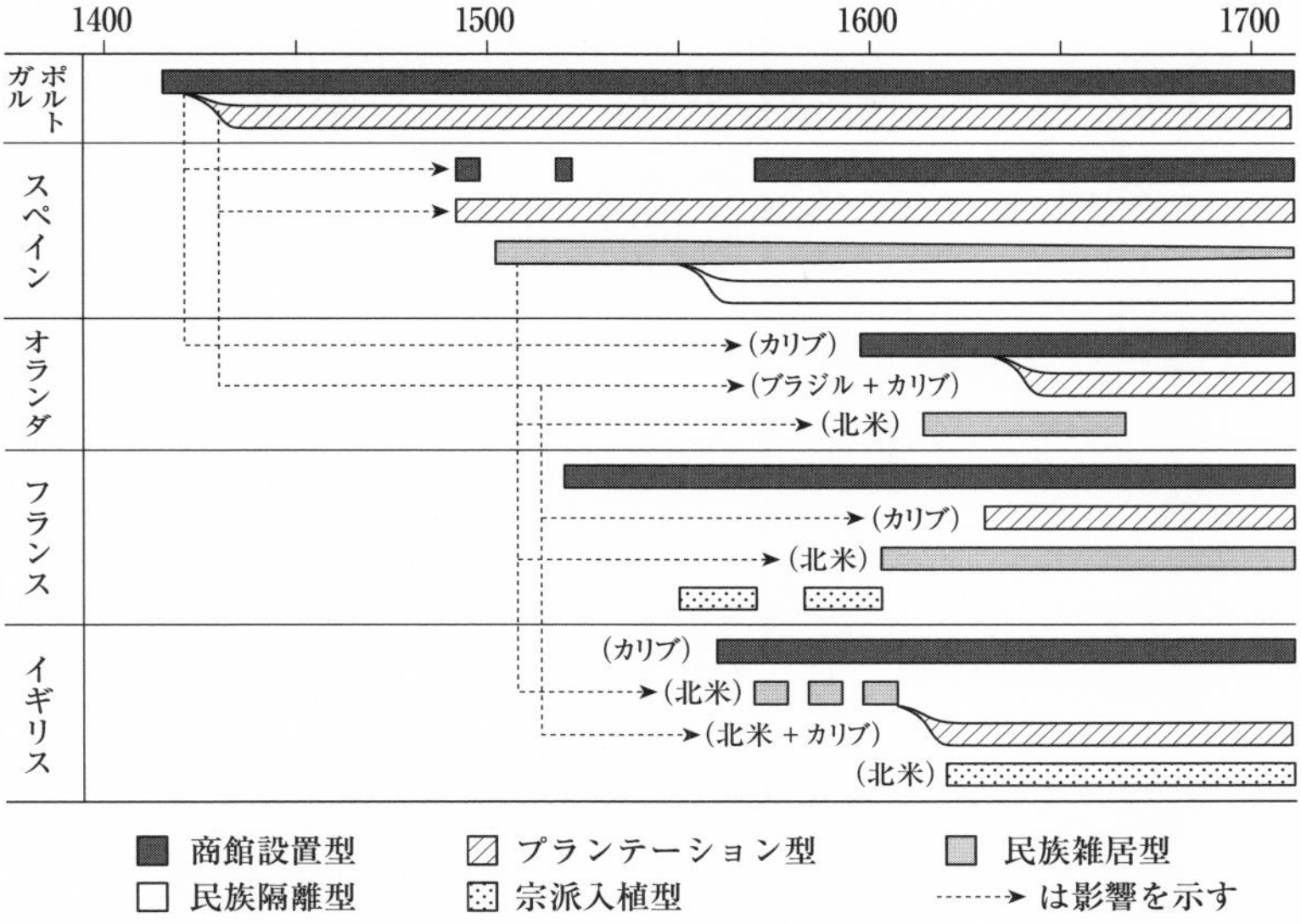

図 1　ヨーロッパ諸国の南北アメリカへの進出のパターン
(これはあくまで概念図で，すべての事例にあてはまるものではない)

け、現地での奢侈品入手の条件に合わせて進められた。西インド会社が情報収集に努め、正確な地図の作成に精力を傾けたのは、経済合理的な植民地経営のためだったのである。一六三〇年のブラジル北東部の占領は、その延長線上に実行された(Sutton 2015: 73-99)。独立戦争の一幕という理解では不十分だろう。

この姿勢は、スペインがオランダの独立を承認した一六四八年以降、スペイン王室との奴隷輸出独占契約であるアシエントを得た奴隷商人たちから、西インド会社が奴隷の運搬を請け負ったことにも見て取れる。ハレアル銀貨を入手できるのであれば、スペイン領アメリカ植民地の繁栄に貢献することも、奴隷たちをカトリックに改宗させるためにカトリック司祭を手配することも厭わなかった。オランダはスペイン領への中継基地としてキュラソー島を活用したが、この拠点はフランス領マルティニクやイギリス領ジャマイカとの競争に直面する。一七世紀後半、アシエントは西ヨーロッパ諸国間の外交戦における重要な争点と化す(Israel 1989: 240, 319-321)。後にスペイン継承戦争に勝利したイギリスがスペインからのアシエントにこだわり、アシエントを請け負った南海会社がバブルを引き起こす事実は、合法的にメキシコ銀を入手することの重要性を示している。

南北アメリカへの進出でオランダに追い越されたイギリス、フランスは一七世紀を通じ、スペイン領における銀生産を所与の前提として受け入れつつ、オランダの経験を参照する一方でオランダと対抗するという歴史的文脈の中で、カリブ海域における植民地社会を建設する。イギリス型もフランス型もア・プリオリに存在していたわけではなく、カリブ海・大西洋のネットワークにおける役割に応じて輪郭を定めていくのだ。

カリブ海が西ヨーロッパ諸国の草刈り場になりかねない事態を前に、スペイン王室は主要な島の植民地にてこ入れした。フィリピンを持続可能にすべくヌエバ・エスパーニャに負担させていた支援金を、エスパニョラ島、キューバ、プエルトリコなどにも支出することで、スペイン人人口の減少を抑える。島により事情は異なるが、そうした資金が建築業、造船業などに回されて労働者の数が増えると、サービス業、生活物資、とくに奢侈品に対する需要を刺激し、それに応じてさとうきびやたばこの栽培面積が拡大した(Zanetti 2013: 46-49)。植民地間の貿易も盛んとなり、徐々にカリブ海植民地は成長軌道に乗り、第二節で成立過程を検討した、一握りのスペイン人と多数の黒人奴隷から成る植民地社会はここに命脈を保った。ただし、エスパニョラ島では王室の思惑に反し、スペイン人エリート層がこの資金の多くを密貿易に回すことで外国人の定着を促し、結果として島西部でのフランス領サン＝ドマング植民地の成立に「貢献」するにおよんだ(Ponce 2020: 172-262)。周縁での生き残り戦略はここでも帝国の命運を左右する。

一七世紀を通じ、スペイン以外の北アメリカ植民地はカリブ海での動静の従属変数という側面を有していた。けれども、インディオ社会が重要な役割を果たしたことを忘れてはならない。留意すべきは、一七世紀のインディオ社会は一六世紀中のスペイン人による彷徨の産物の場合もあるという点である。プエブロ・インディオは、本巻で佐々木憲一が指摘するように、メソアメリカとの交流を通じてモデル4に近い社会を築いていたが、そのせいでスペイン人の植民地建設に巻き込まれた。フランス人、オランダ人、イギリス人が出会うインディオ社会は、程度の差こそあれ、スペインとのこうした接触の産物であり、その同時代史が北アメリカ植民地社会の型を左右するのだ(7)。本巻中の金井光太朗や細川道久の記述は、この初期条件を前提としている。

南北アメリカからは、一七世紀オランダの覇権は、南北アメリカ中核地域へのアクセスをめぐる争いに勝利したことで達成されたと見える。しかし、ヨーロッパ諸国は同時代史における新世界の重要性を認められない。植民地／周縁が宗主国／中心を規定するなどありえない。だから、アメリカニズムを一四九二年以降にも適用し、「認識としての世界史」から排除しようとしたのだ。これが、「はじめに」で設定した二つ目の問いへの答えである。

なお、オランダが覇権を握ったからといってスペインが急速に窮乏化したわけではない。メキシコ銀はスペインにとどまらず国外に流出してしまったという通説に反し、本国社会は分不相応な贅沢ができていた。たとえば、一七世紀前半を通じ、スペインは多数のフランス人移民を受け入れていた。一六四二年、北東部サラゴサ市の住民中、フランス人は一六パーセントを占めていた。その要因は多くの耕作放棄地の存在と高賃金だった。しかも、一六二〇年ごろまで賃金は銀貨で支払われており、フランス人移民は貯金をもって帰国するか、それで耕作放棄地を購入して定住するかを選べたのである。逆に、本国のスペイン人は八レアル銀貨にアクセスさえできれば、額に汗することなく高い生活水準を享受できた(Bennassar 2010: 139-140)。本巻で小原正が明らかにするように、画家ベラスケスが役人として過ごしたスペイン宮廷には、アメリカ植民地の恩給化したエンコミエンダから送られるメキシコ銀に依存する侍女が存在した。メキシコ銀は一定期間本国経済を潤したうえで、国外に流出したと見るべきだろう。

「おわりに」の記述はカリブ海、大西洋を中心に据えたものだったが、私は南北アメリカを大西洋世界に閉じ込めるつもりはない。スペイン近世史家のエリオットが指摘するように、ヌエバ・エスパーニャ植民地やペルー植民地は太平洋世界を抜きにしては理解できないからである(エリオット 二〇一七：二〇四－二〇九頁)。南北アメリカの世界史的役割は、すでに述べたとおり、大西洋と太平洋を接続する点にこそ求めるべきなのだ。イギリスにしても、フランスにしても、北アメリカの北岸を通ってアジアに到達する北西航路開拓のために、当初は探検航海を実施した。ところが、西回りでのアジア市場への参入を真っ先に実現したのは、スペイン領アメリカ植民地だった。その地理的条件と銀生産とが、アジアの威信財へのアクセスにおける先行を可能とする。一七世紀を通じてアメリカ植民地からスペイン本国へ送られる銀の総量が減り、それがスペイン経済の後退を招いたとされるが、それはむしろ太平洋航路を活用できたアメリカ植民地の経済的自立化と見るべきだろう。ヌエバ・エスパーニャにおいて屛風製作が現地化され、中国から輸入される生糸を使用した絹織物生産が発展する(平山 二〇一八:五六―五七頁)など、アジア産品の輸入代替工業化に成功したのはその一例である。(8) 先行者たるアメリカ植民地へのアクセスをめぐり、オランダ、イギリス、フランス、そしてスペインがカリブ海でしのぎを削ったのは、向こう側にアジアを見ていたからなのだ。太平洋がヨーロッパ諸国の草刈り場となるのは時間の問題であった。

ヌエボ・メヒコ植民地の首都は、コロンブスがカトリック両王と謁見した人工都市にちなんでサンタ・フェと命名された。その遺跡からはわずかながら中国製の陶磁器のかけらも出土するという。三人の夢が実現した痕跡といえようか。もちろん、スペイン領アメリカ植民地がすべての住民にとりバラ色の時空だったわけではない。さとうきびプランテーションによる土壌の侵食と黒人奴隷の導入は、カリブ海域に黄熱病やマラリアを定着させ、インディオの絶滅を早めるとともに、長期的にはトゥサン・ルヴェルテュールによるナポレオン軍への勝利につながったとされる(McNeil 2010)。ヌエバ・エスパーニャ中央部は、土壌の侵食に加え、小氷期による気温の低下と降水量の増大により洪水が頻発し、インディオたちは生存の危機に見舞われると同時に、主体的な創造性を発揮しつつ粘り強くコロンブス交換に立ち向かったという(Skopyk 2020)。

これは、南北アメリカから見えてくる、一四九二年に再始動した実体としての世界史の光と影の一端にすぎない。

注

(1) マヤ考古学において技術革新が果たす役割については、(鈴木 二〇二〇)が有益である。

(2) 本節の記述はおおむね(安村 二〇一六:一一―一九頁)に拠る。それに出てくる主要な人名は姓だけを記す。新たに加えた諸事実中、概説書にほとんど出てこないものについては適宜、参照した文献を記す。

(3) 以下、アステカ王国、インカ帝国、およびそれらの征服に関する記述はおおむね(安村 二〇一六:二〇―八二頁)に拠る。補足した諸事実中、概説書に出てこないものについては参照した文献を示す。

(4) 悲嘆にくれるインディオの様子は(レオン=ポルティーリャ 一九九四)に詳しい。

(5) 国際共同研究を組織し、その成果をスペイン語で公刊するなど、集住化に関する研究での日本人の活躍は目覚ましい(Saito & Rosas 2017)。

(6) ヌエバ・エスパーニャに送られたインド系女性奴隷の生涯については別稿で紹介した(安村 二〇二二)。

(7) 南北アメリカ史における型を問題にする論争の一つに、南北比較奴隷制研究がある。鈴木茂はこの論争を紹介するにあたり、北アメリカ、南アメリカにそれぞれ固有の型がア・プリオリに存在するという発想を排し、大西洋史という文脈のなかで歴史的に型が析出するとした(鈴木 一九九二:一八四―一八五頁)。私は鈴木と同意見である。

(8) カルロス二世は、先に言及した絵師がほぼ同じ構図で製作した屏風を入手した(García 1999: 113)。メキシコ市の職人たちは威信財の輸出にまで成功したのである。

参考文献

青木康征編訳(一九九三)『完訳 コロンブス航海誌』平凡社。

網野徹哉(二〇〇八)『インカとスペイン帝国の交錯』講談社。

井上幸孝(二〇一四)「ヌエバ・エスパーニャの先住民記録に見る日本とアジア――チマルパインの『日記』を中心に」『スペイン史研究』二八号。

エリオット・J・H(二〇一七)『歴史ができるまで――トランスナショナル・ヒストリーの方法』立石博高・竹下和亮訳、岩波現代全書。

岡崎勝世(一九九六)『聖書vs.世界史――キリスト教的歴史観とは何か』講談社現代新書。

岡崎勝世(二〇〇三)『世界史とヨーロッパ――ヘロドトスからウォーラーステインまで』講談社現代新書。

小川幸司(二〇二一)「〈私たち〉の世界史へ」『岩波講座 世界歴史 世界史とは何か』第一巻、岩波書店。

金七紀男(二〇〇四)『エンリケ航海王子――大航海時代の先駆者とその時代』刀水書房。

キブソン、チャールズ(一九八一)『イスパノアメリカ――植民地時代』染田秀藤訳、平凡社。

クラストル、ピエール(一九八七)『国家に抗する社会――政治人類学研究』渡辺公三訳、書肆風の薔薇。

黒田祐我(二〇一六)『レコンキスタの実像――中世後期カスティーリャ・グラナダ間における戦争と平和』刀水書房。

佐々木憲一(二〇二〇)「北アメリカ先史時代のモニュメント」松木武彦ほか編『日本の古墳はなぜ巨大なのか――古代モニュメントの比較考古学』吉川弘文館。

佐藤正幸(二〇二一)「人は歴史的時間をいかに構築してきたか」『岩波講座 世界歴史 世界史とは何か』第一巻、岩波書店。

菅谷成子(一九九五)「フィリピンとメキシコ」歴史学研究会編『世界史とは何か』〈講座世界史〉1、東京大学出版会、二〇三―二二八頁。

スコット、ジェームズ(二〇一九)『反穀物の人類史――国家誕生のディープヒストリー』立木勝訳、みすず書房。

鈴木茂(一九九二)「ラテンアメリカの奴隷制社会」歴史学研究会編『南北アメリカの五〇〇年〈他者〉との遭遇』第一巻、青木書店。

鈴木真太郎(二〇二〇)『古代マヤ文明――栄華と衰亡の三〇〇〇年』中公新書。

関哲行・立石博高編訳(一九九五)『大航海の時代――スペインと新大陸』同文館。

関雄二(二〇〇六)『古代アンデス――権力の考古学』京都大学学術出版会。

関雄二編(二〇一五)『古代文明アンデスと西アジア――神殿と権力の生成』朝日選書。

ダイアモンド、ジャレド(二〇一二)『銃・病原菌・鉄――一万三〇〇〇年にわたる人類史の謎』上・下、倉骨彰訳、草思社文庫。

平山篤子(二〇一九)「スペインのマニラ建設」岸本美緒編『一五七一年――銀の大流通と国家統合』〈歴史の転換期〉6、山川出版社。

伏見岳志(二〇一九)「スペイン領メキシコにおける簿記行為――シモン・バエスの帳簿を中心に」吉江貴文編『近代ヒスパニック世界と文書ネットワーク』悠書館。

布留川正博(二〇一九)『奴隷船の世界史』岩波新書。

ペンローズ、ボイス(二〇二〇/英語版初版は一九五二)『大航海時代――旅と発見の二世紀』荒尾克己訳、ちくま学芸文庫。

増田義郎(一九八四)『大航海時代』講談社。

増田義郎(二〇一〇/初版は一九九七)『黄金の世界史』講談社学術文庫。

マダリアーガ、サルバドール・デ(一九九三/スペイン語版初版は一九四〇)『コロンブス正伝』増田義郎・齋藤文子訳、角川書店。

松井透(一九九一)『世界市場の形成』岩波書店。

宮﨑和夫(二〇一八)「インディアス諸王国――スペイン領アメリカは〈植民地〉だったか?」立石博高編著『スペイン帝国と複合君主政』昭和堂。

宮野啓二(一九九二)「スペイン人都市とインディオ社会」歴史学研究会編『「他者」との遭遇』〈南北アメリカの五〇〇年〉1、青木書店。

安村直己(二〇〇二)「交通空間としてのスペイン帝国における文化的混淆と〈政治的なるもの〉」『思想』九三七号。

安村直己(二〇一四)「スペイン帝国とネイション形成――植民地期メキシコ先住民の経験を中心に」渡辺節夫編『近代国家の形成とエスニシティ――比較史的研究』勁草書房。

安村直己(二〇一六)『コルテスとピサロ――遍歴と定住のはざまで生きた征服者』〈世界史リブレット〉、山川出版社。

安村直己(二〇一七)「スペイン帝国における言語をめぐる政治――ネブリッハの夢と現実」平田雅博・原聖編『帝国・国民・言語――辺境という視点から』三元社。

安村直己(二〇二〇)「エゴ・ドキュメントの〈厚い〉読解――ラテン・アメリカ史研究の経験から」長谷川貴彦編『エゴ・ドキュメントの歴史学』岩波書店。

安村直己(二〇二二)「カタリーナ・デ・サン・フアン、あるいはチーナ・ポブラーナの軌跡」『図書』二月号。

横山和加子(二〇〇四)『メキシコ先住民社会と教会建築――植民地期タラスコ地域の村落から』慶應義塾大学出版会。

レオン゠ポルティーリャ、ミゲル編(一九九四)『インディオの挽歌――アステカから見たメキシコ征服史』山崎眞次訳、成文堂。

和田光司（二〇一九）「宗教戦争と国家統合」岸本美緒編『一五七一年――銀の大流通と国家統合』〈歴史の転換期〉6、山川出版社。
和田光弘（一九九二）「北米植民地の形成　2　イギリス植民地」歴史学研究会編『「他者」との遭遇』〈南北アメリカの五〇〇年〉1、青木書店。

Beck, Hanno (1968), "Alexander von Humboldt", *International Encyclopedia of the Social Sciences,* vol. 6, New York: Macmillan.

Bennassar, Bartolomé (2010 フランス語初版は 1985), *La España de los Áustrias (1516-1700),* Barcelona: Crítica.

Crosby Jr., Alfred (2003), *The Columbian exchange. Biological and cultural consequences of 1492,* 30th anniversary edition, Westport: Praeger.

Chipman, Donald (2006), *Moctezuma's children. Aztec royalty under Spanish rule, 1520-1700,* Austin: University of Texas Press.

Del Río, Ignacio (1984), *Conquista y aculturación en la California jesuítica, 1698-1768,* México: Instituto de Investigaciones Históricas, 1984.

Evans, R. Tripp (2004), *Romancing the Maya: Mexican antiquity in the American Imagination, 1820-1915,* Austin: University of Texas Press.

García Sáiz, María Concepción (1999), "La conquista militar y los enconchados. Las pecularidades de un patrocinio indiano" en *Los pinceles de la historia. El origen del la reino de Nueva España,* 1680-1750, México: MUNAL.

Gerbi, Antonello (1993 イタリア語初版は 1955) *La disputa del Nuevo Mundo. Historia de una polémica, 1750-1900,* México: Fondo de Cultura Económica.

Inomata, Takeshi et al. (2013) "Early ceremonial constructions at Ceibal, Guatemala, and the origins of lowland Maya Civilization", *Science,* 26 April, vol. 340.

Israel, Jonathan I. (1989), *Dutch primacy in world trade, 1585-1740,* Clarendon: Oxford University Press.

Lockhart, James (1982 英語版は 1968), *El mundo hispanoperuano, 1532-1560,* México: Fondo de Cultura Económica.

Lockhart, James & S. B. Schwartz (1983), *Early Latin America. A history of colonial Spanish America and Brazil,* Cambridge: Cambridge University Press.

Martínez, José Luis (1997), *Hernán Cortés,* México: Fondo de Cultura Económica.

Martínez Baracs, Rodrigo (2005), *Convivencia y utopía. El gobierno indio y español de la "ciudad de Mechuacan", 1521-1580,* México: Fondo de Cultura Económica.

Martínez Baracs, Rodrigo (2006), *La perdida Relación de la Nueva España y su conquista de Juan Cano,* México: Instituto Nacional de

Antropología e Historia.

McNeill, J. R. (2010), *Mosquito empires. Ecology and war in the greater Caribbean, 1620–1914*, Cambridge: Cambridge University Press.

Nadler, Steven (2018), *Menasseh Ben Israel. Rabbi of Amsterdam*, New Haven: Yale University Press.

Ponce Vázquez, Juan José (2020), *Islanders and empire. Smuggling and political defiance in Hispaniola, 1580–1690*, Cambridge: Cambridge University Press.

Rishel, Joseph y Suzanne Stratton-Pruitt, compil. (2007), *Revelaciones. Las artes en América Latina, 1492–1820*, México: Fondo de Cultura Económica.

Saito, Akira y Claudia Rosas Lauro (2017), *Reducciones. La concentración forzada de las poblaciones indígenas en el virreinato del Perú*, Osaka: National Museum of Ethnology.

Salin, Edgar & René L. Frey (1968), "Friedrich List", *International Encyclopedia of the Social Sciences*, vol. 9, New York: Macmillan.

Serrera, Ramón María (2011), *La América de los Habsburgo (1517–1700)*, Sevilla: Universidad de Sevilla.

Skopyk, Bradley (2020), *Colonial cataclysms. Climate, landscape, and memory in Mexico's Little Ice Age*, Tucson: University of Arizona University.

Sutton, Elizabeth A. (2015), *Capitalism and cartography in the Dutch golden age*, Chicago: University of Chicago Press.

Sousa, Lisa (2017), *The woman who turned into a jaguar, and other narratives of native women in archives of colonial Mexico*, Stanford: Stanford University Press.

Taboada, Hernán (2004) *La sombra del Islam en la conquista de América*, México: Fondo de Cultura Económica.

Thomas, Hugh (2010), *Rivers of gold. The rise of the Spanish Empire*, London: Penguin Books.

Thomas, Hugh (2011), *The Golden Age. The Spanish Empire of Charles V*, London: Penguin Books.

Trigg, Heather B. (2005), *From household to empire. Society and economy in early colonial New Mexico*, Tucson: University of Arizona Press.

Wachtel, Nathan (2007 フランス語初版は 2001), *La fe del recuerdo. Laberintos marranos*, México: Fondo de Cultura Económica.

Watson, Mathew (2012), "Friedrich List's Adam Smith historiography and the contested origins of development policy", *Third World Quarterly*, vol. 31, no. 3.

Zanetti, Óscar (2013), *Historia mínima de Cuba*, México: Colegio de México.

コラム｜*Column*

大海を越える情報ネットワーク

——一七世紀メキシコのクリオーリョ・アイデンティティ

川田玲子

慶長一四年(一六〇九)、フィリピン臨時総督の任を終えたメキシコ出身のR・デ・ビベロは祖国への帰路に遭難、日本に漂着し、徳川家康、秀忠との面会の後、無事帰還した。一般的にはこれが日墨交流のはじまりとされる。この出来事は、慶長一八年(一六一三)に伊達政宗の決断で日本をたち、ローマへ向かった支倉常長率いる慶長遣欧使節へとつながった。彼らは、一五六四年にスペイン人M・レガスピらにより発見され、以後、マニラ—アカプルコ間をガレオン船が就航する太平洋航路と、コロンブスにより確立された大西洋航路を往復したのである。

ところが、このビベロ遭難の一三年前に当たる慶長元年(一五九六)秋、フィリピンからメキシコへ向かった船が台風に遭い土佐の浦戸に漂着している。いわゆるサン・フェリーペ号漂着事件である。この船には、ビベロ同様、メキシコ生まれのスペイン人一名が乗船していた。名をフェリーペ・デ・ヘススといい、一五九一年にフィリピンに渡り、同地のフランシスコ会に入会した青年だ。サン・フェリーペ号に乗船したのはメキシコでの叙階式に臨むためであった。

この出来事は単なる漂着事件で終わらなかった。太閤秀吉による船荷没収事件、さらに翌年二月五日、漂着者フェリーペと、日本滞在中のフランシスコ会修道士五名及び日本人信者二〇名(キリシタン)、合計二六名の長崎での殉教事件に至った。実はフェリーペは漂着直後で最初の捕縛者名簿にその名がなく、本人の意志で捕縛されたと言われる。この事件の処刑方法がキリストの磔刑と同様であったとされたことからヨーロッパで殉教及び日本への関心が高まったのは、まさに地球規模の情報ネットワークの産物といえよう。

さて、この一連の事象に関してフェリーペの生国ではどのような反応があったのであろうか。一五九七年末、殉教の知らせは太平洋航路でメキシコに伝えられた。しかしこの出来事がフランシスコ会の外部で話題になることはなかった。その後二六名の列福が請願され、一六一六年、教皇庁は列福の可否を決めるための調査をメキシコでも実施するよう指示した。それでもフェリーペの殉教情報は教会上層部(後述するクリオーリョのエリート)の間で共有されるにとどまった。ところが、一六二七年に事態は急転する。教皇ウルバヌス八世が殉教者二六名を列福したのだ。

列福の知らせが大西洋を越えて伝わると、メキシコ生まれのスペイン人らが反応した。殉教者のひとりに同胞がいたことを強調し始めたのだ。彼らはクリオーリョと呼ばれ、植民地生まれという理由で、スペイン本国人に差別されていた。

そのコンプレックスをはねかえすべく、福者フェリーペに対する崇敬がはじまった。フェリーペは「聖人クリオーリョ《santo criollo》」と呼ばれ、殉教の日である二月五日は「聖」フェリーペの祝日としてカトリック宗教暦に記され、毎年盛大な祝典が開催された。メキシコ市大聖堂にフェリーペの名を冠する礼拝堂が設置され、その後聖遺物礼拝堂にはフェリーペの遺物も納められた。この頃のメキシコ市参事会議事録を見ると、「日本で殉教したフェリーペの遺物を取り寄せて欲しい」という請願と、「次のガレオン船で取り寄せるよう、手配する」という回答が記されている。さらに、磔刑に処されたフェリーペには、他でもない、キリストのイメージが重ねられた。こうしてフェリーペの聖性が高められ、「クリオーリョであれば誰でもいつでも第二のフェリーペになれる」といった標語を通じ、「日本における最初の殉教者」であるフェリーペがクリオーリョのアイデンティティ形成に利用されたのである。対外的には教皇庁に対し、彼を列聖すべく、請願を繰り返すこととなろう。

「聖」フェリーペ・デ・ヘスス磔刑図．18世紀（推定）．サカテカス州グアダルーペミュージアム（旧グアダルーペ修道院）所蔵．

　一方、クリオーリョ以外にも崇敬を広めんと、様々な手段がとられた。教会美術はそのひとつである。版画や絵画（聖画）などでフェリーペの磔刑場面も描かれた。これらは崇敬をより浸透させる役割を担ったと言える。同時に「日本」という未知の国を紹介することにもなるが、見知らぬ国の特徴を描こうとする苦心が作品に窺われる（図参照）。これらの描写には、太平洋航路でメキシコまで運ばれた数多くの日本の屏風《biombo》の影響もみてとれる。またミサの説教では長崎という地名とともに、フェリーペを処刑した秀吉の「残忍な日本の統治者」というヨーロッパ生まれのイメージが繰り返し語られた。これらの手段を通じ、日本における最初の殉教者フェリーペ崇敬は広くメキシコ領土内に階層、人種を超えて普及していった。

　一八二一年にメキシコは独立するが、独立後も政権内にとどまったクリオーリョらのおかげで「聖」フェリーペ崇敬が消滅することはなかった。一八六二年、二六名は列聖され、福者から聖人になった。メキシコの聖フェリーペ崇敬は太平洋、大西洋そして四〇〇年の時を超え、今なお続いているのである。

問題群 | *Inquiry*

北アメリカにおける先史時代社会の諸相

佐々木憲一

本稿は、一四九二年のコロンブスによるアメリカ大陸到達以前の、北アメリカにおける先住民社会の諸相に考古学の視点から迫るものである。[1] グリーンランドは政治的にはデンマーク領であるが、地理的には北アメリカ大陸の延長であるため、本稿でも触れる。

北アメリカ大陸は非常に広大である。考古学的に確実に知られる最古の文化であるパレオ・インディアン文化を除き、北アメリカ大陸における先住民社会・文化は地域的差異が大きい。例えば、土器の使用が始まった時期、食糧生産経済が導入された時期が地域によって非常に異なる。極北圏・亜極北圏や北西沿岸（現カナダのブリティッシュコロンビア州とアメリカ合衆国ワシントン州）、あるいはロッキー山脈東麓では、ヨーロッパ人が北アメリカ大陸各地に入植した時点でも狩猟採集経済を営んでいた。

したがって本稿では、北アメリカ大陸を極北 Arctic、亜極北 Sub-Arctic、北西沿岸 Northwest Coast、高原 Plateau、大盆地 Great Basin、カリフォルニア California、大平原（ロッキー山脈東麓）Great Plains、北東部 Northeast、南東部 Southeast、南西部 Southwestに分けて記述する[2]［**図1**］。

図1　北アメリカ大陸の文化的地理的区分と本稿で言及する遺跡の位置
①極北　②亜極北　③大平原　④北西沿岸　⑤高原　⑥大盆地　⑦カリフォルニア　⑧南西部　⑨北東部　⑩南東部
A ホグップ　B メサ・ヴェルデ　C チャコ・キャニオン　D サーパント・マウンド　E カホキア　F プヴァティ・ポイント　G ワトソン・ブレーク
(Waldman 2009に基づき著者作成)

北アメリカ大陸への人の移住とパレオ・インディアン文化(一万二八〇〇年前以前)

アメリカ大陸へは現在のベーリング海峡が陸地であった氷河期末期に、シベリアから現生人類が大型哺乳類を追いかけて移動してきたというのが、アメリカ考古学界のほぼ一致した見解である。しかしながらその最初の移住の時期については、氷河期が終わる一万五〇〇〇年前よりもだいぶ前であったという立場と、一万五〇〇〇年前頃であったという立場に、学界で意見が分かれている(Meltzer 2009: Ch. 4)。後述する槍先形尖頭器の形態的類似性に基づき、二万二〇〇〇年前の最終氷期にヨーロッパ北部から流氷を伝って小舟で海獣を狩猟しながら北アメリカに到達したという「ソリュートレ・コネクション Solutrean Connection 論」(Stanford and Bradley 2012)は、アメリカ合衆国の多くの考古学者から否定されている。

パレオ・インディアン文化を代表する物質文化は、特徴的な有樋尖頭器 fluted point で、これが使われた文化をクロヴァス Clovis 文化という。放射性炭素年代測定により、一万三〇五〇年前から一万二八〇〇年前の二五〇年間、現在のアメリカ合衆国ほぼ全域で存続した。クロヴァス文化以前の、有樋尖頭器出現以前の「プレ・クロヴァス Pre-Clovis 文化」と総称される遺跡も少数発掘されているが、まだ証拠は断片的である(ケリー 二〇一四:八〇-八二頁、荒川 二〇一九:八二-八三頁)。

クロヴァス文化の担い手たちはマンモス、バイソンなどの大型哺乳類の狩猟で、移動の生活を送っていたと推定できる。マンモスの狩猟は個人個人で行ったのか、集団で組織的に行ったのかはわからない。有樋尖頭器とは、槍先形尖頭器の基部の両表面に、基部から打撃を加えて縦長の剝片を剝離し、浅い溝を設けるもので、大平原地域か南西部で発明されたと推定されている。それがアラスカ州も含めた北アメリカ大陸各地に拡散した。石器の他、骨角器も使っていた。石器の石材としては、チャート、ジャスパー(玉髄)、黒曜石が好まれた。特定の石材は遠隔地からも獲得されたようで、コロラド州北東部の遺跡で出土したクロヴァス型尖頭器は五〇〇キロメートル以上離れたテキサス州最北部パンハンドル Panhandle 地方で採集されたドロマイトで製作されたことがわかっている(Fagan 2019: 62)。

クロヴァス型尖頭器は北アメリカ大陸各地で散発的に発見されることから、人口密度は非常に低かった(Meltzer 2009: 234-236)。また、自然環境が地域的に多様であったから、食物が確保しやすい場所から場所へ移動した(Anderson and Gilliam 2000)。クロヴァス型尖頭器消滅以降、北アメリカ大陸のなかでは、以下、右の**図1**の①~⑩に基づいて概観していく大きな文化圏ごとの地域的差異が明瞭となる。

一、極北 Arctic

極北は、アメリカ合衆国アラスカ州北部からカナダ北部、さらにグリーンランド沿岸地域まで東西四〇〇〇キロ以上に及ぶ。民族学的・言語学的に、この地域に居住するのはアレウト Aleut 族とイヌイト Inuit 族である。この地域ではヨーロッパ人入植まで、海獣やカリブー、海鳥の狩猟と若干の漁労を生業としていた(Waldman 2009: 63-65)。この地域における最古の文化は「古極北文化」Paleo-Arctic Tradition と呼称され、約一万年前から七〇〇〇年前あるいはそれ以後も続いた(West 1996)。この文化出現直前の一万五〇〇〇年前までには、ベーリング海峡が形成されていたようである(Meltzer 2009: Fig. 6)。この時期の人々の生活は、現在のアラスカ州域、特にベーリング海峡に面した地域にほぼ限定されていたと推定されている。グリーンランドを含む極北東部域で人々が生活を始めたのは紀元前二五〇〇年頃である。古極北文化の石器は東シベリアのデュクタイ Diuktai 文化に共通する細石刃、楔形細石刃核を特徴とする。細石刃は骨器を軸として、そこに鋸歯上に幅数ミリ、長さ一センチ前後の細石刃を横に埋め込んで、狩猟具とするものである。

七〇〇〇年前頃からアラスカ州域のなかでの地域差が一部の地域で顕在化してくる。アラスカ州南岸の太平洋に浮かぶコディアック Kodiak 島では、オーシャン・ベイ Ocean Bay 文化がほとんど変化することなく紀元一〇世紀頃まで続いた。この文化の担い手たちは海獣の狩猟を生業活動の柱としており、そのために長さ一五センチに及ぶ大型打製尖頭器を製作した。紀元前一八〇〇年頃、オーシャン・ベイ文化からケチマック Kachemak 文化が派生する。この文化では磨製尖頭器が発明され、また気候がより冷涼、湿潤になったため、竪穴住居での生活を開始した。この文化は近代まで存続した。

紀元前二五〇〇年頃、アラスカ州ベーリング海峡沿岸域で「極北スモール・トゥール Arctic Small Tool 文化」が生まれた。その名の通り、長さ五センチに満たない小型の石器の製作・使用で特徴づけられる(Dumond 1987)。この種の小型の石器はカリブーやその他の動物の狩猟には効果的であったという。この文化の担い手は北アメリカ大陸北辺を北東へ、北東へ移動し、グリーンランドにまで到達した。グリーンランドにおける人の居住の始まりである。グリーンランド東岸部の文化をサカック Saqqaq、極北北部の文化をインディペンデンスI、極北南部の文化をプレ・ドーセット Pre-Dorset と呼ぶ(Maxwell 1985)。サカック文化の担い手たちは、カヤック(革製の小舟)を操り、離頭銛などで海獣を狩猟していた。インディペンデンスI文化の人々の狩猟の対象はジャコウウシとカリブーであり、哺乳類を追いかけての遊動生活を送っていた。プレ・ドーセット文化の担い手たちは、アザラシを中心に多様な生物を狩猟していた。狩猟具として、後のドーセット文化に継承される骨製の凝った銛を多数製作、使用していた(Fitzhugh 1984)。

その後、極北西部、ベーリング海峡沿岸地域では、極北スモール・トゥール文化が紀元前一五〇〇年頃に一度衰退し、紀元前一〇〇〇年頃にノートン Norton 文化が出現する。この文化の担い手たちは、離頭銛を駆使した高度な海獣狩猟民であったと同時に、サケが遡上する河川流域に住居を構え、定住に近い生活を送っていた。紀元前七〇〇年頃から、地域によってはノートン文化が近代まで存続するチューレ Thule 文化へと変容する。チューレ文化では捕鯨が生活の柱となった。その物質文化は、大型海獣の牙製や哺乳類の骨製の銛、彫刻品で象徴される。また大きな技術革新として鉄器を使用し始めたのも、この文化である。

極北東部では紀元前二〇〇年頃から、チューレ文化の担い手たちが東部に進出する九―一〇世紀頃まで、ドーセット文化が栄えた(Maxwell 1985: Ch. 6, 7)。彼らの狩猟具は棍棒、銛、石鏃《せきぞく》だけで、弓矢や犬ぞりを保持していなかった。にもかかわらず、海獣の牙製や木製の彼らによる彫刻品は極めて写実的・芸術的であり、世界的に有名である。

二、亜極北 Sub-Arctic

亜極北圏は、カナダとアメリカ合衆国アラスカ州の内陸部全域を含む、極めて広大な地域である。一万五〇〇〇年前まではこの地域全体をローレンタイド Laurentide 氷床が覆っており、氷河期が終わってから徐々に縮小を始めた。氷床が縮小した後の地面は、タイガと呼ばれる寒帯針葉樹林で覆われるようになり、今日に至っている。氷床の縮小に伴って先住民たちの活動領域が、氷床の周囲から中心に向かって徐々に広がっていった(Fagan 2005: 187)。

この広大な地域には、民族学的・言語学的に、クリー Cree 族、インヌ Innu 族、アサバスカン Athabascan 諸語族など複数の先住民種族が知られるが、考古学的にはアーケイック Archaic 文化がヨーロッパ人入植時まで続いた。アーケイック文化は、小型の尖頭器の出現で定義づけられる。ただ、パレオ・インディアン文化以来の狩猟採集経済は続いていた。その狩猟の対象が地域によって異なったため、そしてその適応として小型尖頭器の形態も地域的差異が認められるため、このアーケイック文化は大きく三つに分けられる。北極海沿岸地域では、六〇〇〇年以上前にパレオ・インディアン文化から、カリブーと水鳥の狩猟を柱とするノーザン・アーケイック文化に移行した(Noble 1971)。ニューファンドランド島域など沿岸部では、海獣の狩猟のおかげで栄えたマリタイム Maritime(海洋性)・アーケイック文化がおよそ九〇〇〇年前に出現し、近代まで続いた(Fitzhugh 1984)。内陸の森林地帯では、アメリカヘラジカ(ムース)、ワピチ(エルク)、シカを狩り、魚介類を獲っていたシールド・アーケイック Shield Archaic 文化がヨーロッパ人入植まで続いた(Dumond 1987)。

三、大平原 Great Plains(3)

大平原(グレート・プレインズ)地域はロッキー山脈の東麓のノースダコタ、サウスダコタ、ネブラスカ、カンザス州の全域、モンタナ、ミネソタ、アイオワ、ミズーリ、アーカンソー、オクラホマ、テキサス州のほぼ全域、カナダのアルバータ、サスカチュワン准州、マニトバ州、合衆国のワイオミング、コロラド州の一部、ウィスコンシン、ニューメキシコ、ミシシッピ州のごく一部にまたがる広大な地域を指す。アメリカ・インディアンというとプレインズ・インディアンを暗黙のうちに意味するほど、大平原地域に居住した諸部族が有名なのは、一九世紀末という比較的遅い時期まで、彼ら独特の生活習慣を維持していたからであろう。この地域では三〇ほどの言語が使われていた。スー Sioux 族など大平原の先住民部族の多くは、狩猟のための移動生活を送っていた。バイソンの革で衣類を作り、バイソンの肉を食べ、バイソンの革で作られたティピ tipi と呼ばれるテントに住んでいた(Waldman 2006: 225-228)。

一万二八〇〇年前頃に、クロヴァス文化はフォルサム Folsom 文化へと変化する。フォルサム型尖頭器は、その中央の樋の部分の面積が大きくなったもので、その出現と相前後して狩猟対象となる哺乳類がバイソンに特化した。それは、氷河期のマンモスなどの大型哺乳類がこの頃までに絶滅してしまったからでもある。クロヴァス期には獲物一頭ずつを忍び寄って狩っていたものが、フォルサム期になると、バイソンの群れを崖や窪地、あるいは人工の柵囲いに向かって風下から追いたて、一気に数十から一〇〇頭以上のバイソンを仕留める技術を持っていた。バイソンはこの地域で主食であり続け、集団でバイソンを狩る技術はさらに向上するが、紀元前六〇〇〇年頃、フォルサム文化はアーケイック文化に変化する。この時期、石鏃、つまり弓矢はまだ出現しておらず、様々な型式の槍先形尖頭器が使われ続けた。この文化(時期)を特徴づけるのは、また、磨石・石皿が各地で使用されるようになった。これらは、種子や実を擂《す》り潰すための道具であり、植物資源への依存度が高まったことを示す(Kornfeld, Frison and Larson 2010: 114-117)。紀元五〇〇年頃、弓矢が導入され、後述する北東部から土器も伝わって、生活は変化した。しかし、大平原北西部、現在のモンタナ州、ワイオミング州、コロラド州では相変わらず、バイソンを狩りながら遊動の生活を送っており、この遊動生活は一六世紀まで変わらなかった。なお、ヨーロッパ人との接触まで、大平原地域の人々は乗馬の技術は有していなかった。

標高が高くない大平原東部、現在のノースダコタ州、サウスダコタ州、アイオワ州北西部、ネブラスカ州、カンザス州では紀元一世紀頃から、限定的であるが、メイズ(トウモロコシの祖先)、カボチャ、テマリカンボクの栽培を開始した。この文化をプレインズ・ウッドランド Plains Woodland 文化と呼ぶ。この文化のなかで、弓矢と土器の使用、さらに埋葬の習俗も始まった。これらの変化は在地での発展なのか、あるいは北東部からの人の移住の結果なのかはわからない(Johnson and Johnson 1998)。

この大平原東部地域では、紀元一〇世紀頃から農耕への依存度がさらに高まり、定住生活を開始する。この文化をプレインズ・ヴィレッジ Plains Village 文化と呼ぶ。この文化の担い手たちは、多数の人々が居住できるような、半ば恒久的な構造の住居を建て、バイソンの肩甲骨を刃とした鍬で畑を耕し、メイズ、カボチャ、テマリカンボク、ヒマワリ、マメ、ヒョウタンなどを栽培した。この文化は住居と集落構造の違いにより一四世紀までは中部、現在のネブラスカ州東部とカンザス州北東部のセントラル・プレインズ Central Plains 伝統(Steinacher and Carlson 1998)と北部、現在のノースダコタ州、サウスダコタ州、アイオワ州北西部のミドル・ミズーリ Middle Missouri 伝統(Winham and Calabrese 1998)に区別される。

しかし一四世紀以降、この二つの伝統は融合しコーレッセント Coalescent 伝統(Johnson 1998)となる。現在知られるマンダン Mandan 族、ヒダッサ Hidatsa 族インディアンはミドル・ミズーリ伝統の担い手たちの直系の子孫であり、アリカラ Arikara 族、ポーニー Pawnee 族インディアンはセントラル・プレインズ伝統を継承した人々である。

四、北西沿岸 Northwest Coast (4)

北西沿岸地域は、アメリカ合衆国アラスカ州南端からカリフォルニア州北端まで三二〇〇キロと南北に細長い地域で、その東西幅は広いところでも二四〇キロしかない。これは、海岸のすぐ背後にまで山脈が迫っており、山間部はその違った生活習慣ゆえ、別の文化的地理区分に属してしまうからである。この地域には、カナダのブリティッシュコロンビア州、アメリカ合衆国ワシントン州、オレゴン州の各西部が含まれる。さらに、ヴァンクーヴァー島、クィーン・シャーロット島を始めとして、島が多いことも特色である。高緯度の割には、暖流のおかげで比較的温暖であり、またサケなど海の幸に大変恵まれていた(Waldman 2006: 200)。

この地域では紀元前一万五〇〇〇年頃にはアーケイック期に突入し、それは紀元前四四〇〇年頃まで続くが、様相はよくわからない。というのは、気候変動のため、当該期の多くの遺跡が現在海中に水没しているからである。狩猟採集に加えて、漁労活動が生活の大きな柱であったことが推定されている。漁労活動の場も、海、海岸、内陸の川辺・湖岸と様々であった。漁労活動の証拠として、網の錘や逆刺のある尖頭器がこの時期の遺跡から検出されている。また、後述する高原地域に特徴的なウィンダスト Windust 型尖頭器がコロンビア川流域から河口部、そして現在のアメリカ合衆国内の北西沿岸地域にまで分布していることから、高原地域と同様、ヘラジカ、シカ、アンテロープ、バイソン、ウサギなどいろいろな哺乳類を狩猟していたと推定される。動物遺存体として確認されているのは、ウサギ、ビーバー、シカ、カリブー、オットセイ、トドなどである。コロンビア川流域ではサケ漁の証拠も発見されているが、この時期貯蔵をしていた証拠はない。この時期の貝塚は小規模で、貝層も薄く不連続である(エイムス、マシュナー 二

○一六：一二四―一二六頁)。

この時代の石器を特徴づけるのは尖頭器と細石刃であるが、その使用方法は非常に柔軟であった。これも高原地域での考古学的知見に基づくが、異なる種類の尖頭器が投げ槍の矢柄に装着されていた。北西沿岸では、内陸と海岸部の動物に特化した道具が発見されないので、単一の道具の先端をバイソンの狩猟用の石の尖頭器と、サケ・海獣用の銛となる逆刺のついた骨製尖頭器に付け替えて使用した可能性がある(エイムス、マシュナー 二〇一六：一二六頁)。

アーケイック期に続くパシフィック Pacific 期は、天然痘が北西沿岸を襲った一七七五年頃までの六二〇〇年間を指し、前期(紀元前一八〇〇年まで)、中期(紀元二〇〇または五〇〇年頃まで)、後期に分けられる。前期には竪穴住居と大型の貝塚が現れる。そして貝塚には人が埋葬されるようになる。細石器が消滅し、多様な骨角器が導入され、磨製石器も出現する。もちろん、骨角器の製作・使用はアーケイック期に始まっていたが、前期パシフィック期に道具の主役の座を占めるようになった。陸、川、浅瀬の資源はもちろんであるが、逆刺のついた銛頭の存在は、外洋の海獣、大型魚も獲っていたことを物語る。この地域で最初に登場した磨製石器は粘板岩製のヤスと槍先形尖頭器である。粘板岩は脆いものの、磨製であれば、脂肪の詰まった海獣の皮を突き通しやすいという利点がある。この時期、石斧も磨製のものが出現した(エイムス、マシュナー 二〇一六：八四―八八頁)。

中期になると、多くの地域でサケ漁に特化した貯蔵を基礎とする経済活動が強化され、定住化が進んだ(板壁の家と村の出現)。貯蔵穴が発見されているだけでなく、網の錘が一般的になり漁獲量が増えたことを推測させる。またアラスカ州南東部では簗《やな》が複数の遺跡で見つかっている。この時期に起こった、円形あるいは不正円形の竪穴住居から長方形の板壁平地住居の変化は、床面積の増大も伴っている。この種の長方形板壁住居はヨーロッパ人入植当時、食糧加工と食糧貯蔵に使われていた。土器は作られなかったが、木製の曲げ物の棺がこの時期に出現しており、エイムスとマシュナーは、木製容器としてそれが利用されていた可能性を推定している(エイムス、マシュナー 二〇一六：一三四一一三五頁)。

また、北部において唇飾りを装着した人々、南部において頭蓋変形を受けた人々は、その副葬品の豊かさから、社会的に高位の人々であったと推定されている。つまり、社会的不平等が発生したのである。と同時に北部の海岸地域では戦争の証拠がみられるようになった。この証拠とは、暴力的な傷を負った人骨で、北部の埋葬人骨の三二%に外傷が見られる。最後に、一九世紀北西海岸美術に共通する多くのデザインがこの時期の棍棒などに施されるようになる。この地域独特の美術様式の出現である(エイムス、マシュナー 二〇一六:七—九章)。

紀元五〇〇年頃、中部と南部において打製石器が稀になり骨角器にほとんど完全にとって代わられた。中部では同時に、陸に軸足を置いていた経済が北西沿岸のほかの地域と同様、海の経済へと変化した。後期パシフィック期の始まりである。紀元五〇〇—一〇〇〇年頃に、前期初頭以来の貝塚での埋葬行為が途絶え、土葬、火葬、風葬といった多様な習俗が現れた。これと相前後して、広域にわたり戦争が激化し、唇飾りの装着が男性から女性に移行し、北部と中部では、おそらく首長の家と思われる大きな家が集落の中に出現した。また人口が激増し、紀元一〇〇〇—一一〇〇年頃ピークを迎え、その後減少する。ヨーロッパ人がこの地を初めて訪れたときには、首長・貴族・平民・奴隷という社会的な階層分化も存在していた(エイムス、マシュナー 二〇一六:五—七章)。

五、高原 Plateau(5)

高原地域とは、コロンビア高地のことで、その範囲は、カスケード山脈とロッキー山脈に挟まれ、北はカナダのフレーザー川、南は大盆地で区切られる。現在のブリティッシュコロンビア州南東部、ワシントン州西部、オレゴン州北東部と中部、アイダホ州北部、モンタナ州西部とカリフォルニア州北部のごく一部が含まれる(Waldman 2009: 53)。

この地域は、紀元前八五〇〇年以降、ヨーロッパ人が接触するまでの間、狩猟採集経済を柱とするアーケイック文化が続いた。この地域の南部にはコロンビア川、北部にはフレーザー川という、支流を伴う大きな河川が流れており、漁労は重要であったと同時に、様々な動植物を食料としていた(Ames et al. 1998)。人々は竪穴住居に住んでいた。紀元前一五〇〇年頃から、大量のサケの捕獲・乾燥・貯蔵により、半ば恒久的な、ベースキャンプ的な集落も出現した。紀元前後から一〇世紀の間に、複数の集団がまとまり、竪穴住居村落はどんどん大規模化した。この変化は人口密度の増加、暴力の増加、集落構造の複雑化を伴った。また弓矢が導入されたのも、この期間である(スミス、モーガン 二〇一五:六三頁)。紀元前一〇〇〇年頃から長距離交易も行われ、海岸部からは貝、大盆地や南西部からトルコ石が搬入された。ただ、高原地域でもさらに東部(内陸)では狩猟採集経済を営み、遊動生活が続いた(Fagan 2019: 127-128)。

六、大盆地 Great Basin

大盆地は、東をロッキー山脈、西をシエラ・ネヴァダ山脈、北をコロンビア高地、南をコロラド高地に囲まれた、砂漠の盆地である。この地域の先住民族たちは部族の違いがあれ、基本的におなじ生活習慣を維持していた。現在のネヴァダ、ユタとアイダホ、オレゴン、ワイオミング、コロラド、カリフォルニア州の一部、アリゾナ、ニューメキシコ、モンタナ州のごく一部を含む(Waldman 2009: 51)。

高原地域と同様、この地域も狩猟採集経済を基盤とするアーケイック文化がヨーロッパ人との接触まで続いた。この地域のアーケイック文化を特にデザート Desert(砂漠)・アーケイックと呼ぶ(Jennings 1957)ように、非常に乾燥した環境のおかげで、例えばユタ州ホグップ Hogup 洞穴遺跡(**図1**のA)では三二種の小型哺乳類と三四種の鳥の骨、さらに縄と網が出土した。つまり、網でウサギなどの小動物を狩っていたことが推定できる(Aikens 1970)。そのほか、ミュールジカ、エダヅノレイヨウ、オオツノヒツジといった偶蹄類の狩猟に依存した遊動生活を送っていた(スミス、モーガン 二〇一五:六三頁)。

しかし、大盆地東部での生活は若干異なっていた。一五〇〇年前に弓矢が導入されたこともあり、狩猟採集経済は維持していた。同時に、二二〇〇年前頃にメイズがこの地域に持ち込まれ、紀元六世紀から一五世紀の間に、大規模集落での小規模園芸・栽培が定着したのである(スミス、モーガン 二〇一五:六三頁)。

七、カリフォルニア(6)

カリフォルニアは、現在のアメリカ合衆国カリフォルニア州だけではなく、現在メキシコ領のカリフォルニア半島全域も含まれる(Waldman 2009: 57)。逆に、カリフォルニア州背後のシエラ・ネヴァダ山脈は大盆地に含まれる。この地域には二〇以上の先住民族が知られ、人口密度も北アメリカ大陸の他の地域の三－四倍高かった。言語も多様で、極北・亜極北で使われた言語以外のほとんど、六〇以上の言語がカリフォルニアでは使われていた。また、個々の集団の規模が小さく、一七六九年のヨーロッパ人による植民以前は、部族というより「トライブレット」tribelet(小部族の意味)とよばれる村落の集中が六五〇以上、モザイク状に分布していた(フル 二〇一五)。

これらの小地域社会の最大公約数的特徴として、ヨーロッパ人入植時まで狩猟採集経済を営んでいたことである。ドングリは内陸だけではなく、太平洋岸でも重要な食料資源であった。さらに沿岸地域、特にサンフランシスコ湾岸では貝類も重要であった。カリフォルニア州北部では紀元前四五〇〇年前頃から近代にいたるまでウィンドミラーWindmiller文化が続いた。ウィンドミラー文化の担い手たちはチョウザメやサケを槍や網で捕獲し、陸上ではドングリなどを採集し、それらを擂り潰すために石皿・磨石を使用した(Ragir 1972)。

サンフランシスコ湾岸に限っては、紀元前四〇〇〇年以降、別の部族が移住してきて、バークレー Berkeley 地域文化が出現する。貝類や水鳥など広範囲の食料資源を捕獲し、定住化が進み、集落を営んだ。この文化は紀元四世紀にオーガスティン Augustine 地域文化に徐々に進化した。オーガスティン文化は弓矢の導入、喫煙具(パイプ)、埋葬前に副葬品を燃やすという変わった習俗で区別される(Lightfoot et al. 2015)。

南カリフォルニアで文化的に栄えていたのは、三五〇〇年前頃に太平洋岸に興ったチュマッシ Chumash 文化である(Gamble 2008)。チュマッシ文化の担い手たちはトモル tomol と呼ばれるカヌーを操り、カジキなど海の深いところに生息する魚類までも捕獲した。ドングリなどの貯蔵用のバスケットを発明し、また岩壁には壁画を残した。人口が一〇〇〇人以上と推定される大集落を営み、その地位が代々継承される「首長」の社会的地位も形成された。首長は戦争指導者であり、大規模な儀礼を司った。

八、南西部 Southwest

コロラド州メサ・ヴェルデ Mesa Verde(「メサ」は台地の意味)遺跡群(図1のB)、ニューメキシコ州チャコ・キャニオン Chaco Canyon 遺跡群(図1のC)の二つのユネスコ世界文化遺産を擁する南西部は、現在のアメリカ合衆国アリゾナ、ニューメキシコ州の大半と、カリフォルニア、ユタ、コロラド、テキサス州の一部、さらにメキシコ合衆国北部の大半を含む。この広大な地域は自然地理学的にも多様で、森林を伴う高山地帯、植物がほとんど生息しない台地、そして砂漠が存在する(Waldman 2009: 49)。この地域はまた、六〇〇〇年前頃に農耕が始まったメソアメリカに隣接するため、四〇〇〇年前頃にはこの地域にメイズが伝わった。この時期は七五〇〇年前から紀元前後まで続いたアーケイック期に属する(Plog 2008: Ch. 3; Cordell and McBrinn 2012: Ch. 5)。この時期、先住民たちはまだ狩猟採集経済を営んでいたが、石皿・磨石が多数出土することから、この頃すでに種子、木の実などの植物食への依存が高まっていたのであろう(荒川、ヴァリアン、コーラー 二〇一六:八五頁)。

アーケイック期にメイズが伝わってすぐに生業活動が激変したわけではなく、紀元前四〇〇〇年頃から紀元六〇〇年頃になってやっと、コーラーとヴァリアン(Kohler and Varien 2010)が定義する「全面的新石器パッケージ」full Neo-lithic package が南西部各地に定着する。「全面的新石器パッケージ」とは、定住し、大量の食物貯蔵を伴うメイズ農耕に依存し、より生産性が高く灌漑農耕に適したメイズの品種を開発し、マメとカボチャを栽培種に加え、弓矢を導入し、土器を容器として使用することを意味する。土器は南西部では紀元三〇〇年頃に出現するが、広くいきわたるようになるのは紀元六〇〇年頃である。定着後、七面鳥が先史時代唯一の動物として家畜化される。この頃の集落を構成する竪穴住居には、規模の大小があって、大規模な竪穴住居は公共の集会所またはリーダーの住居と考えられている(Plog 2008: 63)。

農業は前述のような異なった自然環境下で根付いたために、紀元七世紀以降、考古学的に区別できる違った文化伝統が南西部のなかで生まれることになった。建築様式と土器型式(土器出現以前は尖頭器型式)によって定義づけられる南西部の主要な文化は、アリゾナ州中部のホホカム Hohokam、ニューメキシコ州からアリゾナ州東部、そしてメキシコ合衆国北部にまで広がるモゴヨン Mogollon と、ニューメキシコ州北部とユタ、コロラド州南部の先プエブロ Ancestral Pueblo(直訳すると「プエブロ族の祖先」、アナサジ Anasazi 文化とも言う)である(荒川 二〇一九:八四-八五頁)。ホホカム文化の担い手たちは現在のオーダム O'odham 人の、先プエブロ文化の担い手たちは現在のリオ・グランデ川水系に居住するプエブロ族とズニ Zuni 族の祖先であると考えられている(荒川、ヴァリアン、コーラー 二〇一六:八三-八四頁)。また一部のズニ族の人々の祖先はモゴヨン文化の担い手であったという(Waldman 2009: 50)。

ホホカム文化はアリゾナ州のフェニックス Phoenix 盆地、ツーソン Tucson 盆地とその周辺の山地で発展した。この文化をモゴヨン、先プエブロ文化と区別するのは、砂漠に建設された大規模灌漑・運河システムと、メソアメリカから伝わった球技場と墳頂部が平らなマウンド(塚)の存在によってである。マウンドは祭祀施設と推定されているが、一部のマウンドは防御柵 palisade で囲まれており、秘儀が行われた可能性を示唆する。灌漑水路・運河はフェニックス盆地南郊を流れるジャイラ川、フェニックス盆地を東西に貫流するソルト川流域に沿って築かれ、川から二〇キロメートル離れた場所にまで到達していた。栽培していた作物は南西部全域に共通するメイズ、マメ、カボチャに加えて、綿花やリュウゼツランも栽培していた。さらにウサギ、シカを狩猟し、サボテン類のフルーツを採集していた(Plog 2008: 73)。

集落には規模の違いがあって、大規模集落はこういった水路・運河の近くに営まれるから、大規模集落が水利権を掌握していた可能性を荒川ら(二〇一六:八七頁)は指摘する。実際、集落の規模の違いは、社会における階層差が生まれていた可能性を示唆し、水路・運河建設のための共同工事を遂行するためには、それなりの社会組織がすでに存在していたはずである。球技場は八世紀に出現し、紀元一〇〇〇年頃までには二五カ所以上建造され、最終的に二二五カ所の球技場が知られる。球技場は、現在のフェニックス市近郊に位置するスネークタウン遺跡を中心に、半径一〇〇キロメートル以内に分布し、二二五カ所の四〇%がフェニックス盆地に立地する。球技場の分布が密なジャイラ川、ソルト川、北からソルト川にフェニックス盆地で合流するヴェルデ川の流域がホホカム文化の核地と考えられている。数千知られるホホカム文化の遺跡のなかで球技場を伴う集落遺跡は二二五カ所であるから、球技場でおそらく行われた大規模祭祀は複数の共同体の成員たちが参加したと推定されている(Plog 2008: 81-87; Cordell and McBrinn 2012: 180-181, 202-208)。

モゴヨン文化の諸集団は紀元一〇〇〇年頃までは竪穴住居に住んでいたが、その後、石と日干しレンガを使って地上に集合住宅を建造するようになった。モゴヨン文化初期の集落は一〇棟くらいの住居だけで構成されていた。彼らの大半は乾燥地と氾濫原で農業を行ったが、ホホカム文化を特徴づける灌漑水路は建造しなかった。農耕に加えて、マツの実、セイヨウビャクシン、サボテンのフルーツなどを採集し、多様な動物を狩っていた。祭祀はキヴァKivaと呼ばれる、南西部モゴヨン文化、先プエブロ文化特有の地下式祭祀施設で行われた。キヴァは円形のものが多いが、稀に方形のものもある。大型のものはグレート・キヴァとして区別される(Plog 2008: 76-78)。ちなみにキヴァは現在でもプエブロ族先住民の社会で、一般公開はしていないが祭祀場として機能している。

白地に黒い紋様が施される美しい土器で知られるミンブレMimbres文化(LeBlanc 1983; レ・ブランク 二〇一二)はモゴヨン文化の一伝統として紀元一〇世紀から一一五〇年頃まで栄えた。一一五〇年以降、土器には複数の色が加えられるようになった。ミンブレ文化の集合住宅は最大一五〇の床面長方形の一階建ての「部屋」から構成され、ほかのモゴヨン文化と同様、日干しレンガで築造された。

ホホカムに文化的に非常に近いのが先プエブロ文化である。先プエブロ文化を特徴づけるのは、先述のユネスコ世界文化遺産チャコ・キャニオン遺跡群とメサ・ヴェルデ遺跡群である。チャコ・キャニオン遺跡群は三時期、プエブロⅠ(紀元七五〇―九二〇年)、プエブロⅡ(九二〇―一〇二〇年)、クラシック・ボニトClassic Bonito(一〇二〇―一一二〇年)に分けられ、一二〇〇年までに住民は他地域、おそらくメサ・ヴェルデ遺跡群とその周辺へ移住した。チャコ・キャニオン遺跡群は先プエブロ文化の祭祀センター、交易の拠点であり、チャコから各地に道路が延びていた。すべての道はチャコに通ず、である(Plog 2008: 95-111; Cordell and McBrinn 2012: 185-202)。交易のネットワークは遠くメキシコまで延びており、オウム、トルコ石、黒曜石がメキシコからもたらされた(ケリー 二〇一四:八四頁)。現在、チャコ・キャニオン遺跡群に居住していたプエブロ族の子孫たち(7)は他地域で生活しているものの、彼らにとって、この遺跡群は聖地、祭祀センターとして使われている(遺跡群の周囲は別のナヴァホ族居留地)。

キャニオンという名が示すとおり、遺跡群は自然渓谷内に立地する。北側は祭祀遺跡、南側は居住遺跡に分かれている。北側の個々の遺跡の構造は「グレート・ハウス」と呼ばれる独特なもので、特徴的な煉瓦積みによる複数階の、計画された大規模公共施設と、煉瓦で構築された半地下構造のキヴァから成り立つ(Plog 2008: 95-111)。南側の居住遺跡は小規模で、北側の大規模祭祀遺跡と異なり、煉瓦の表面に漆喰は塗られていない。大規模なキヴァがチャコ・キャニオン遺跡群には多数存在するため、チャコ・キャニオン遺跡群が周辺諸地域に影響を及ぼしたのが、その宗教的権威によるものか、あるいは政治権力によるものかで論争がある(Lekson 2006)。非常にまれな食人の習慣も含めて、暴力の考古学的証拠が顕著なため(LeBlanc 1999: Ch. 5)、ケリー(二〇一四:八四頁)は、政治権力的基盤がチャコ・キャニオン遺跡群に存在したことを想定する。

次のメサ・ヴェルデ遺跡群を特徴づけるのは「崖住居」である(荒川・佐々木 二〇一四)。国立公園に指定されている遺跡群の南部に位置するチャピン・メサ Chapin Mesa 地域には、クリフ・パレス Cliff Palace、スプルース・トゥリー・ハウス Spruce Tree House、スクエア・タワー・ハウス Square Tower House といった崖住居遺跡が残っている。これらはみな一三世紀の先プエブロ文化の担い手たちの集合住居、アパートの跡である。最大の崖住居であるクリフ・パレスには、チャピン・メサ地域の平地住居でそれまで生活していた人々の約半分が移ってきたと推測されている。恐らく、防御の目的であろう。考古学的な戦争の証拠は発見されていないが、岩棚へ寄せ付けないような石壁や、石壁に開けられた狭間(銃眼)が、その目的を示唆する。それでも、平地住居に居住する人々も同時にいたのであるが、一三世紀の九四の部屋から成るマグ・ハウス Mug House 遺跡の調査成果によれば、崖住居で生活する人々とその周辺の平地住居で生活する人々の間での社会的格差は見られなかったという(Plog 2008: 123-134; Cordell and McBrinn 2012: 208-215)。

そのほか、先プエブロ文化を担っていたプエブロ族先住民の一部が、霜の降りない日数が限られ、降水量も少ないという非常に厳しい気候条件のコロラド高地でも、狩猟採集と並行して農業を営んでいたこと(Lyneis 1995; 酒井 二〇二一)は特筆に値する。「農業を営む」ということが彼らのこだわりであったのだろうか。

九、北東部 Northeast

北東部は、東は大西洋岸からミシシッピ川を西端とし、北は五大湖からオハイオ峡谷を南端とする広大な地域である。現在のメイン、ヴァーモント、ニューハンプシャー、マサチューセッツ、ロードアイランド、コネチカット、ニューヨーク、ニュージャージー、ペンシルヴァニア、デラウェア、オハイオ、インディアナ、イリノイ、ミシガン州全域と、メリーランド、ウェストヴァージニア、ケンタッキー、ウィスコンシン州の大半、ヴァージニア、ノースキャロライナ、ミズーリ、アイオワ、ミネソタ州のごく一部を含む。またカナダのノヴァスコシア、ニューブランズウィック、プリンス・エドワード・アイランドの全域と、ケベック、オンタリオ州の一部、そしてマニトバ準州のごく一部も含まれる。この地域の大半は森林で覆われているため、この地域をウッドランド Woodland とも言う。一口に森林というが、北部はタイガの寒帯針葉樹林、ニューヨーク、ペンシルヴァニア州は落葉樹と針葉樹、さらにオハイオ州は草原、と地形も植生も様々であった。ゆえに先住民の生活も多様であった。言語的には、ほとんどがアルゴンキン諸語族に属する(Waldman 2006: 198-200)。

この地域では紀元前八〇〇〇年頃にアーケイック文化が出現し、紀元前一〇世紀まで長い間継続する。アーケイック期は前期(紀元前六〇〇〇年前まで)、中期(紀元前四〇〇〇年前まで)、後期に分けられる。ヨーロッパ人入植以前の北アメリカ大陸先住民は金属器の鋳造技術を有することはなかったが、自然銅の塊を叩いて成形し、道具を作ることはできた。ウィスコンシン州北西部スペリオル湖沿岸地域では、豊富な自然銅を採掘でき、後期アーケイック期の紀元前三〇〇〇年頃から紀元前二五〇〇年頃まで、オールド・コッパー Old Copper 文化が出現した。作られた槍先などの道具は形態的に近隣のアーケイック文化の打製尖頭器と似通っており、文字通り、銅の塊を石の代わりの素材として使ったと考えられる(Halsey 1996)。この自然銅の採掘と利用は後のウッドランド時代を通じて継続し、それらは交易され、ウッドランド時代には五〇〇キロメートル南まで搬出されている。

紀元前一〇世紀頃、この地域で土器の使用が始まり、紀元一六世紀まで続くウッドランド時代に移行する。この時代も前期(紀元前後まで)、中期(紀元六世紀まで)、後期に分けられる。土器の出現を「容器革命」Container Revolutionと呼び、定住化が起こったからこそ、土器製作が容易になったとスミス(Smith 1986)は主張する。土器の使用の開始はこの地域と南東部において、それほど大きな変革であった。相前後して農耕も始まったとかつては考えられていた。若干の種子植物を育てていたことは確からしいが、ウッドランド前期を通じて先住民たちは基本的に狩猟採集民であった(Smith and Yarnell 2009)。またロビンソン(二〇一五:八六頁)は、人口もこの時期縮小したと考えている。

ウッドラウンド前期には、オハイオ州南部、インディアナ州南東部、ケンタッキー州北部では、墳丘墓を築造する習俗が現れた。これをアデナ祭祀複合Adena Ceremonial Complexと呼ぶ。これは埋葬習俗だけの地域性なので、「文化」とまでは扱われない。以前に建っていた掘立柱建物を解体した後に墳丘墓を築造したようである。追葬を繰り返す過程で、墳丘も大きなものが出現した。紀元前一世紀までにこの習俗は消滅した(Milner 2004: 56-61)。

ウッドランド中期でも狩猟採集経済は継続するが、多くの変化が起こった。まず、メイズ栽培を主体とし(Hart and Brumbach 2007)、特に五大湖以南の地域では定住した農耕社会が基盤となった。次に、中期後葉にはこの地域で弓矢の使用が始まった(Seeman 1992)。

五大湖南岸のオハイオ州とイリノイ州の限られた地域ではホプウェルHopewell文化が紀元前一世紀から紀元三世紀頃まで栄えた。ウッドランド中期の諸地域文化からホプウェル文化が区別されるのは、この文化の先住民たちが墳丘墓の築造に精魂を傾けたからであり、また西はロッキー山脈東麓、東は大西洋沿岸、北は五大湖地方、南はメキシコ湾岸にかけての広大な諸地域と交易活動を行っていたからである。ホプウェル文化圏の外のウッドランド中期の先住民たちは、このような広範囲の交易ネットワークに参画していなかった点でも特異である。

ホプウェル文化の墳丘墓のなかには、稀にオハイオ州サイプ・マウンドSeip Moundのように、高さ九・一メートル、長さ七六・二メートル、幅四五・七メートルの規模を有するものもあるが、このように大きな墳丘墓は一〇〇名以上の被葬者の追葬を重ねた結果大規模化したものである。大多数は直径十数メートルの「円墳」で、親族が協力し合って築ける小規模な墳丘墓ばかりである。彼らの葬送儀礼は複雑で、火葬した遺体を地下に埋めて、その上に小規模なマウンドを築く例が多い(Brown 1979)。ホプウェル文化では、「土塁」earthworkと呼ばれる大規模土盛建造物も築造される。これら大規模土塁は共同体全体の「公共工事」として築かれたと推定できるが、それらに比べて、墳丘墓はマイナーな存在である。したがって、この時期には社会の階層分化はまだ起こっていなかったと考えられる(佐々木 二〇二〇)。

紀元六世紀にウッドランド後期に移行する。次に詳述するミシシッピ文化(一一―一六世紀)が南東部とこの地域南西部で栄えた時期を単に「先史時代後期」と呼称する場合もある(Snow 1980: Ch. 8)。便宜上、北東部の南西地域(オハイオ州南部とイリノイ州南部)に分布するミシシッピ文化の遺跡については、次節で紹介する。この時期までに、冬の気温が零下二〇度を下回る北東部の北半部でも本格的なメイズ農耕が始まった。ウッドランド中期に比べて、遺跡の数・密度も増加した。ミシガン州のような寒い地域では、春の後半から秋の初めのメイズの収穫までは集落で定住するが、秋の後半からは、動物を追い求めて狩猟採集をする遊動生活を送っていた(Fitting 1975: Ch. 6; 佐々木・山科 二〇〇七)。また、土塁が築かれるようになったのもこの時代である。湧水の付近に築かれることがあって、祭祀目的と考えたい。また小規模な墳丘墓も築かれるが、こういった土塁に比して、マイナーな存在である(Howey 2012)。

ウッドランド期からミシシッピ文化の時代にかけての時期に、オハイオ州南部にサーパント・マウンドSerpent

Mound（蛇塚）（図1のD）が築かれた。サーパント・マウンドは、北アメリカ考古学で「形象墳」effigy mound と呼ばれるマウンドの中で最大規模を有し、全長四一メートル、高さ一—一・五メートル、幅六メートルを測る。地下のレーダー探査の結果、埋葬はなかったようで、また、蛇の頭の方向は夏至の日の日没の方向に一致する（Lepper 2005: 218）ので、祭祀用のマウンドと考えられる。遺物が出土しないため築造年代が長く不明であったが、近年の調査で、紀元前後のウッドランド中期からホプウェル文化の時期を通して、ミシシッピ文化初期の紀元一〇世紀初頭まで一〇〇〇年近くの長期間にわたって築造が続いた可能性が指摘されている（Herrmann et al. 2014）。

現在のメイン州とその以北では、霜の降りない日が年間一五〇日を下回るため、ヨーロッパ人入植まで狩猟採集経済に全面的に依存していた。貝塚が多いので、漁労活動は重要であった。とはいえ、紀元一〇〇〇年頃以降、海岸部の一時的なキャンプは減少し、比較的大規模な集落に集約されるようになった（Snow 1980: 335-336）。

先史時代後期、一三世紀以降、五大湖地方東部とセント・ローレンス川流域で、民族学的に知られるイロコイ族の文化がこの時期の遺跡・遺物として検出されるようになる。イロコイ族先住民たちは、メイズとマメを栽培し、ロング・ハウスと呼ばれる床面細長い長方形の住居に一年を通じて定住した。一四世紀以降、人口増加の所産とも思われるが、戦争がイロコイ族の生活の大きな側面となった。一五世紀以降、土器・埋葬儀礼・住居形態の地域的差異がイロコイ文化の中で顕在化した。村々が統合され、大規模化し、社会構造も複雑化した（Fagan 2019: 300-309）。この状況がヨーロッパ人入植以降も継続し、L・H・モルガン『古代社会』（一九五八／一九六一：第二篇第四章）で詳述されるような、世襲される首長がいて、部族会議を行い、また侵略戦争を起こすような社会が民族誌として記録されたのである。この知見の一部は、考古学的にわかる集落構造などで追認されている。

一〇、南東部 Southeast

南東部は、大西洋岸からミシシッピ川とアーカンソー州トリニティ Trinity 川を西端とし、メキシコ湾岸からテネシー川・ポトマック川を北端とする地域である。フロリダ、ジョージア、アラバマ、ルイジアナ、サウスキャロライナ州のほぼ全域、ミシシッピ、テネシー、ノースキャロライナ、ヴァージニア州の大半、テキサス、オクラホマ、アーカンソー、イリノイ、ケンタッキー、ウェストヴァージニア、メリーランド州の一部を含む(Waldman 2006: 276)。さらに、本節ではこの地域に紀元一一―一六世紀に栄えたミシシッピ文化の分布域に属するオハイオ州南部、イリノイ州南部、ミズーリ州も含める。

この地域はルイジアナ州プヴァティ・ポイント Poverty Point 遺跡(**図1**のF)、イリノイ州カホキア Cahokia 遺跡(**図1**のE)の二カ所のユネスコ世界文化遺産を抱えており、またミシシッピ川流域では、カホキア遺跡などマウンドを伴う独特のミシシッピ文化(一〇―一六世紀)が栄えた(ケリー 二〇一四:八四頁)ことから、考古学の調査が盛んになされている。ミシシッピ文化のマウンドの多くは頂部平坦で、それらは墳丘墓だけでなく、豪族居館や宗教施設の基壇、単に儀礼のための大規模盛土建造物が含まれる。

この地域では、パレオ・インディアン期からアーケイック期への移行は非常に早く、紀元前八五〇〇年頃に興った。そしてそれは紀元前一二世紀頃まで続いた。この時代は北東部と同様、前期(紀元前六〇〇〇年前まで)、中期(紀元前四〇〇〇年前まで)、後期に便宜上分けられ(カー、プライス 二〇一五:九三―九四頁)、特に中・後期にはいくつかの地域文化が花開いた(Anderson and Sassman 2009)。

この地域のアーケイック期は「欠如したもの」で定義される。すなわち、氷河期の大型哺乳類の欠如、土器の欠如、栽培植物の欠如、マウンドの欠如である。とはいえ、地域によっては例外的に土器の使用や植物の栽培が早くに始まっていた。パレオ・インディアン期以来の狩猟採集経済が続いていており、前期では、シカの狩猟と堅果類の採集のために、季節ごとに移動する生活を送っていた(カー、プライス 二〇一五:九五頁)。中期になると、ミシシッピ川など多くの河川とその氾濫原、そこに形成された三日月湖や沼が、淡水産二枚貝や淡水魚など獲得容易な豊かな資源をもたらした(Fagan 2009: 185)。

この時代に起こった狩猟技術と石器製作技術における大革新はアトラトル atlatl と呼ばれる槍投げ器の出現である。紀元前七〇〇〇―前六〇〇〇年頃の打製尖頭器の形態変化からその出現が推定されているが、後期にアトラトルは一般化し、槍を投げる際の遠心力を強めるための、バナー・ストーン banner stone(直訳すると旗石)と呼ばれる磨製の石製重りが後期の遺跡から多数検出される。

中期・後期アーケイック期の特筆すべき側面として、マウンド・土塁の築造があげられる。これらは農耕民ではなく、狩猟採集民が築いたものである(ケリー 二〇一四:八五頁)。中期、紀元前三九〇〇年頃に築造されたのが、ルイジアナ州東北部のワトソン・ブレーク Watson Brake 遺跡(**図1**のG)である(Saunders et al. 2005)。遺跡は一一基のマウンドと楕円形の土塁から構成され、面積四・五ヘクタールに及ぶ。この遺跡のマウンドは北アメリカ大陸最古のものである。

後期アーケイック期の大規模マウンドは、紀元前一〇〇〇年頃から築造が始まったルイジアナ州のユネスコ世界文化遺産プヴァティ・ポイント遺跡のマウンド群である。遺跡のレイアウトはよく計画されたもので、少なくとも五基のマウンドと六重の同心円状に築かれた、幅約二五メートル、高さ三メートルの馬蹄形の土塁から成り立っており、マウンドと付近の川の間に広場が形成されている。遺跡はほぼ左右対称で、馬蹄形土塁は二本の通路によって切断されている。二本の通路の間には、高さ二二メートル、一辺二〇〇メートルの方形のマウンドAが造られた。いくつかのマウンドは、赤と白の土を交互に積み重ねて築造された。別のマウンドは、異なった二種類の土砂を意図的に混合したものを盛土に使っている。最近の研究によると、遺跡は長期間にわたり、複雑なプロセスにより形成された。築造作業は約三五〇〇年前に始まり、作業は八〇〇年間続けられた(Ortmann 2010)。マウンドの機能はわからない。地下のレーダー探査などを行っているが、埋葬やその他の構造物といった遺構はない。

またマウンドや土塁の築造が始まってから三〇〇年間ほどは、プヴァティ・ポイント遺跡とその周辺は長距離交易の中心であったようで、南東部や一〇〇〇キロメートルほど離れた北東部の地域から方鉛鉱などの鉱石や石材が搬入された。この側面を除くと、プヴァティ・ポイント遺跡とその周辺の先住民たちの生活は他のアーケイック期後期の河川流域の諸地域と変わらず、漁労を営み、植物を採集し、ヒマワリ、ヒョウタン、カボチャを栽培していた。

紀元前二〇〇〇年頃、サウスキャロライナ州の大西洋沿岸部で植物繊維を混和材にした粗製の土器が出現し、紀元前一三〇〇年頃までには、同じような混和材を胎土に入れた土器がミシシッピ川下流域に広がった(Sassaman 1993)。南東部における「容器革命」と評価される、大きな変化である。この紀元前一二〇〇年から紀元一〇五〇年頃までが南東部のウッドランド期である。土器は紀元前五〇〇年頃までに南東部全域で、細かい砂を混和材にした厚手のものが使用された。とはいえ、人々の食生活はアーケイック期後期からあまり変化はなかったようである。

南東部ウッドランド期のもう一つの大きな技術革新は弓矢の発明と紀元六〇〇―八〇〇年頃に起こったその急激な拡散である(Blitz 1988)。この頃までには、農耕は先住民たちの生活の柱であったが、同時に狩猟も生活の大きな側面であったことを示している。

紀元一〇五〇年頃、南東部ではミシシッピ文化が出現する。(8) その発生のプロセスはわからない部分が大きい(クック 二〇二〇)。ミシシッピ文化とは「基本的な主食を食料生産経済に依存する、南東部の社会」(Griffin 1967)、「首長権が中央に集中し、社会的格差が次の世代へ継承される、政治社会的組織」(Steponaitis 1983)と定義されている。また土器も、砕いた貝殻を混和材にするようになり、形態も変化した(Holmes 1903)。川魚、水鳥、シカ、タヌキ、七面鳥、木の実、イチゴ類をはじめとする果物の漁労、狩猟、採集の生活はウッドランド以来であるが、時間が経つにつれ、生業活動の中で農業が占める割合が高くなり、狩猟採集の占める割合は低くなっていった(Fagan 2005: 464-465)。

ミシシッピ文化期の初頭、この文化最大にして、ロッキー山脈以東最大のカホキア遺跡が、イリノイ州南西部、ミシシッピ川に注ぐイリノイ川河岸の南北四〇キロメートル、東西一七・七キロメートルの盆地に出現する。最盛期の一〇五〇―一二五〇年の期間、その規模は一〇平方キロメートルに達し、そのうち、八〇〇ヘクタールが居住域であった。規模、形状、機能の異なるおよそ一二〇のマウンドが二世紀くらいの期間に築造された。遺跡最大のマンクス・マウンドMonks Mound[9]の前にはプラザplazaと呼ばれる広場が広がっている。その広場も含めた遺跡の中央部の八〇・九ヘクタールは木製防御壁によって囲まれていた。また、中央部以外にも、マンクス・マウンドの両側と背後に小さめのプラザが三カ所広がっていた(Iseminger 2010)。

マンクス・マウンドは最大高さ三〇・四メートル、底面での規模三一六×二四〇メートル、六・四ヘクタール、盛土の土量六一万四四七八立方メートルで、南北両アメリカ大陸で最大の盛土建造物である。カホキア遺跡の他のマウンドの二倍以上の規模を誇る。マンクス・マウンドの頂上には、平面プラン三〇×一二メートルの大きな建造物が築造され、その建造物の前には柱が一本立っていた。ただ、発掘調査を十分にできないため、マウンドの機能は不明である。

カホキア遺跡とその周辺の諸遺跡のあり方に基づいて、カホキア遺跡を頂点とした集落の四階層構造モデルが提起されている。第二階層は、複数のマウンドをもつ面積五〇ヘクタール以上の遺跡で、四カ所ある。第三階層はマウンドを一基のみ伴う集落で、五カ所知られており、湖畔に立地している。第四階層の集落は、マウンドを伴わない農村である(Fowler 1978)。ただ、マウンドの数は、その遺跡での居住期間の長さや、エリート同士の競争、歴史の所産であるという理由で、四階層モデルに疑義を呈する研究者もおり(Milner 1998)、カホキア社会の構造とその複雑さについては、今後も議論が続けられよう。

また、ミシシッピ文化は人々がマウンド築造に精魂を傾けた時代とはいえ、日本の前方後円墳のように、地域を超えて築造規格が共有されるような現象はなく、複数のマウンドを伴う大遺跡をトップとする階層構造は地域ごとに完結していた。この点で、日本の古墳時代とは区別されなければいけない。こういった地域社会は独立しており、例えば、アラバマ州域では土器を副葬するのに、ジョージア州域では土器を副葬しないといった、地域的差異が顕著である(佐々木 二〇二〇)。

以上、北アメリカ大陸におけるヨーロッパ人入植以前の様々な地域の文化・社会とその時間的変化を概観した。とにかく北アメリカ大陸は広大で、北極圏から温帯まで南北に長く、またロッキー山脈からミシシッピ川流域の低地まで高度差も大きく、非常に異なった地域文化が併存していた。多くの地域ではヨーロッパ人入植のときでも狩猟採集経済を営んでいたが、農耕が発生したメソアメリカに隣接する南西部、南東部、そして北東部(その北部を除く)では紀元前四世紀までに農耕が始まって、定住化も進んだ。また狩猟採集経済を維持していた地域では、土器を知らなかった地域も多かった。

注

(1) メソアメリカ、南アメリカの考古学と大きく異なり、北アメリカ考古学全体の日本語による概説は岡田宏明(一九七六)による短い紹介を除くと、一九五九年平凡社刊行の『世界考古学大系』第一五巻(アメリカ・オセアニア)に掲載された井川史子(一九五九)論文以来、なかった。極北、亜極北を除いた各地の考古学の概論は二〇一五年に『古代文化』第六七巻第三号に特集として活字になった(佐々木 二〇一五)。簡単な動向が『日本考古学年報』に掲載されることがある(例えばケリー 二〇一四、荒川 二〇一九)。

(2) 訳語は富田・スチュアート(二〇〇五)文献に拠る。またこの地域区分はワルドマン(Waldman 2006)の旧版に拠る。研究者によっては若干異なる地域区分案を採用しており、例えば青木晴夫(一九七九)は高原、大盆地、カリフォルニアを西部文化圏にまとめる。現在の北アメリカ考古学の標準的な教科書であるブライアン・フェイガン(Fagan 2019)著 *Ancient North America* 第五版では北西沿岸、カリフォルニア、高原を一つの章にまとめている。

(3) 大平原地域東部については、日本語の短い総論がある(ウッド 二〇一五)ほか、関俊彦(二〇〇六)による日本語概説書がある。

(4) 北アメリカ考古学の地域別概説書は日本語文献がほとんどないなかで、北西海岸については、優れた概説書の邦訳(エイムス、マシュナー 二〇一六)があり、本稿第五節もこれに依拠するところが大きい。また関俊彦(二〇一八)が一般向けの概説書を著しているほか、グリヤー(二〇一五)の日本語による総論は、詳細な引用文献目録を付している。

(5) 高原と次の大盆地については、スミス、モーガン(二〇一五)による日本語の総論があり、詳細な引用文献目録が付されている。

(6) カリフォルニア地域は民族学的にも考古学的にも極めて多様な地域文化に分かれていたため、カリフォルニア考古学をまとめることは難しい。例えばモラット(Moratto 1984)による概説書も、破格の七五七ページの厚さである。関俊彦(二〇〇七、二〇一四、二〇一五)による要を得た日本語の著書も三冊に分かれている。この節は、フェイガン(Fagan 2019: 128-134)の概説書のまとめ方に拠った。

(7) 現在のプエブロ族先住民たちの多くは、家紋をもっており、その家紋が描かれた土器がチャコ・キャニオン遺跡群から出土することがある。このような考古学的知見が、彼らの祖先たちが遺跡群を営んでいたことの根拠になっている。

(8) ミシシッピ文化については、筆者が別稿(佐々木 二〇一四)で詳述しているので、ご参照いただけると幸いである。また中村慎一(一九九五)がミシシッピ文化と弥生文化の比較を試みる論文を発表している。

(9) マンクス・マウンドを直訳すると「僧侶の塚」という意味であるが、これは一九世紀にこのマウンドの隣に僧侶が住んでいたことに基づいており、マウンドの機能・性格とは関係がない。

参考文献

青木晴夫（一九七九）『アメリカ・インディアン――その生活と文化』講談社現代新書。

荒川史康（二〇一二）「アメリカ南西部メサ・ヴェルデ地域におけるアナサジ先住民の考古学的考察」『駿台史学』第一四六号。

荒川史康（二〇一九）「北アメリカ」『日本考古学年報』七〇、日本考古学協会。

荒川史康・佐々木憲一（二〇一四）「アメリカ合衆国コロラド州　メサ＝ヴェルデ遺跡」『考古学研究』第六一巻第三号。

荒川史康、マーク・ヴァリアン、ティモシー・コーラー（二〇一六）「南西部」『古代文化』第六八巻第三号。

井川史子（一九五九）「北アメリカの古代文明」『世界考古学大系』第一五巻（アメリカ・オセアニア）、平凡社。

ウッド、レイモンド・R（二〇一五）「ロッキー山脈東麓」『古代文化』第六七巻第三号。

エイムス、ケネス・M、ハーバート・D・G・マシュナー（二〇一六）『複雑狩猟採集民とはなにか――アメリカ北西海岸の先史考古学』佐々木憲一監訳、設楽博己訳、雄山閣。

岡田宏明（一九七六）「北アメリカ」『考古学ゼミナール』山川出版社。

カー、フィリップ・J、サラ・E・プライス（二〇一五）「合衆国南東部」『古代文化』第六七巻第三号。

クック、ロバート（二〇二〇）「農耕民であることと農耕民になること――オハイオ河中流域古代耕作地におけるミシシッピ文化期の始まり」佐々木憲一訳、『駿台史学』第一七〇号。

グリヤー、コリン（二〇一五）「北西海岸」『古代文化』第六七巻第三号。

ケリー、ロバート・L（二〇一四）「北アメリカ」佐々木憲一訳、『日本考古学年報』六五、日本考古学協会。

佐々木憲一（二〇一四）「北アメリカから見た古墳時代考古学」『二一世紀の古墳時代像』〈古墳時代の考古学〉9、同成社。

佐々木憲一編（二〇一五）「特輯『北アメリカ考古学の現状と課題』に寄せて」『古代文化』第六七巻第三号。

酒井祥子（二〇二一）「アメリカ合衆国南西部ヴァージン・ブランチ地域における先史時代社会交流パターンと橄欖石を混和材とした土器の製作地の時間的変化」『駿台史学』第一七三号。

佐々木憲一（二〇二〇）「北アメリカ先史時代のモニュメント」『日本の古墳はなぜ巨大なのか――古代モニュメントの比較考古学』吉川弘文館。

佐々木憲一・山科哲（二〇〇七）「ミシガン州ウッドランド後期における石器製作工程」『駿台史学』第一三一号。

スミス、ジェフリー・M、クリストファー・モーガン（二〇一五）「高原および大盆地」『古代文化』第六七巻第三号。

関俊彦(二〇〇六)『北米・平原先住民のライフスタイル』六一書房。
関俊彦(二〇〇七)『カリフォルニア先住民の文化領域』六一書房。
関俊彦(二〇一四)『サンフランシスコ湾岸域の先住民』六一書房。
関俊彦(二〇一五)『カリフォルニア先住民の文化』六一書房。
関俊彦(二〇一八)『カナダ北西海岸域の先住民』六一書房。
富田虎男・スチュアート・ヘンリ(編)(二〇〇五)『講座 世界の先住民族——ファースト・ピープルズの現在』第七巻(北米)、明石書店。
中村慎一(一九九五)「世界史のなかの弥生文化」『文明学原論——江上波夫先生米寿記念論集』山川出版。
フル、キャサリン・L(二〇一五)「カリフォルニア地域——広大な地域の巨視的・微視的視点から」『古代文化』第六七巻第三号。
モルガン、L・H(一九五八/一九六一)『古代社会』上下、青山道夫訳、岩波文庫。
レ・ブランク、ステーヴン・A(二〇一二)「アメリカ南西部におけるミンブレ彩文浅鉢」石村史訳、『駿台史学』第一四六号。
ロビンソン、フランシス・ジェス(二〇一五)「北東部ウッドランド」『古代文化』第六七巻第三号。
Aikens, C. Melvin (1970), *Hogup Cave*, University of Utah Anthropological Papers, No. 93, Salt Lake City, University of Utah Press.
Ames, Kenneth, D. E. Dumond, J. R. Galm and R. Minor (1998), “Prehistory of the Southern Plateau”, D. E. Walker, Jr. (ed.), *Handbook of North American Indians*, Vol. 12 (Plateau), Washington, D. C., Smithsonian Institution Press.
Anderson, David G. and J. Christopher Gilliam (2000), “Paleoindian Colonization of the Americas: Implication from an Examination of Physiography, Demography, and Artifact Distribution”, *American Antiquity*, Vol. 66 No. 1.
Anderson, David G. and Kenneth Sassman (eds.) (1996), *The Paleoindian and Early Archaic Southeast*, Tuscaloosa, Alabama, University of Alabama Press.
Blitz, John H. (1988), “Adoption of the Bow in Prehistoric North America”, *North American Archaeology*, Vol. 9, No. 2.
Brown, James A. (1979), “Charnel Houses and Mortuary Crypts: Disposal of the Dead in the Middle Woodland Period”, *Hopewell Archaeology: The Chillicothe Conference*, Kent, Ohio, The Kent State University Press.
Clark, Donald W. (1984), “Prehistory of the Pacific Eskimo Region”, David Damas (ed.), *Handbook of North American Indians*, Vol. 5 (Arctic),

Washington, D. C., Smithsonian Institution Press.

Cordell, Linda and M. E. McBrinn (2012), *Archaeology of the Southwest,* 3rd Edition, Walnut Creek, California, Left Coast Press.

Dumond, Don E. (1984), "Prehistory: Summary", David Damas (ed.), *Handbook of North American Indians,* Vol. 5 (Arctic), Washington, D. C., Smithsonian Institution Press.

Dumond, Don E. (1987), *The Eskimos and Aleuts,* 2nd Edition, London, Thames and Hudson.

Fagan, Brian (2005), *Ancient North America,* 4th Edition, London, Thames and Hudson.

Fagan, Brian (2019), *Ancient North America,* 5th Edition, London, Thames and Hudson.

Fitting, James E. (1975), *The Archaeology of Michigan,* Bloomfield Hills, Michigan, Cranbrook Institute of Science.

Fitzhugh, William (1984), "Paleo-Eskimo Cultures of Greenland", David Damas (ed.), *Handbook of North American Indians,* Vol. 5 (Arctic), Washington, D. C., Smithsonian Institution Press.

Fowler, Melvin L. (1978), "Cahokia and the American Bottom: Settlement Archaeology", Bruce D. Smith (ed.) *Mississippian Settlement Patterns,* Academic Press, New York.

Gamble, Lynn (2008), *The Chumash World at European Contact: Power, Trade, and Feasting among Complex Hunter-Gatherers,* Berkeley, University of California Press.

Griffin, James B. (1967), "Eastern North American Archaeology: a Summary", *Science,* Vol. 156, No. 3772.

Halsey, John R. (1996), "Without Forge or Crucible: Aboriginal Native American Use of Metals and Metallic Ores in the Eastern Woodlands", *The Michigan Archaeologist,* Vol. 42, No. 1.

Hart, John P. and Hetty Jo Brumbach (2007), "Extending the Phytolith Evidence for Early Maize (*Zea mays ssp. mays*) and Squash (*Cucurbita sp.*) in Central New York", *American Antiquity,* Vol. 72, No. 3.

Herrmann, Edward W., G. William Monaghan, William F. Romain, Timothy M. Schilling, Jarrod Burks, Karen L. Leone, Matthew P. Purtill, and Alan C. Tonetti (2014), "A New Multistage Construction Chronology for the Great Serpent Mound, USA", *Journal of Archaeological Science,* Vol. 50.

Holmes, William H. (1903), "Aboriginal Pottery of the Eastern United States", *Bureau of American Ethnology, Twentieth Annual Report,* Washington D. C., Smithsonian Institution

Howey, Meghan C. L. (2012), *Mound Builders and Monument Makers of the Northern Great Lakes, 1200-1600,* Norman, Oklahoma, University of Oklahoma Press.

Iseminger, William (2010), *Cahokia Mounds: America's First City,* The History Press, Charleston, South Carolina.

Jennings, Jesse D. (1957), *Danger Cave,* University of Utah Anthropological Papers, No. 27. Salt Lake City, University of Utah Press.

Johnson, Craig M. (1998), "The Coalescent Tradition", W. Raymond Wood (ed.), *Archaeology of the Great Plains,* Lawrence, Kansas, the University Press of Kansas.

Johnson, Anne Mary and Alfred E. Johnson (1998), "The Plains Woodland", W. Raymond Wood (ed.), *Archaeology of the Great Plains,* Lawrence, Kansas, the University Press of Kansas.

Kohler, Timothy and Mark Varien (2010), "Model-based Perspective on 700 Years of Farming Settlements in Southwest Colorado", Matthew S. Bandy and Jake R. Fox (eds.), *Becoming Farmers,* Tucson, Arizona, University of Arizona Press.

Kornfeld, Marcel, George C. Frison, and Mary Lou Larson (2010), *Prehistoric Hunter-Gatherers of the High Plains and Rockies,* 3rd Edition, Walnut Creek, Left Coast Press.

LeBlanc, Steven A. (1983), *The Mimbres People,* London, Thames and Hudson.

LeBlanc, Steven A. (1999), *Prehistoric Warfare in the American Southwest,* Salt Lake City, University of Utah Press.

Lekson, Stephen H. (ed.) (2006), *The Archaeology of Chaco Canyon: An Eleventh Century Pueblo Regional Center,* Santa Fe, New Mexico, School of American Research Press.

Lepper, Bradley T. (2005), *Ohio Archaeology: An Illustrated Chronicle of Ohio's Ancient American Indian Cultures*, Voyageur Media, Ohio.

Lightfoot, Kent G. Edward M. Ludy, Matthew A. Russel and Tsim D. Schneider (2015), "Shell Mound Builders of San Francisco Bay", Lynn Gamble (ed.), *First Coastal Californians,* Santa Fe, New Mexico, School for Advanced Research.

Lyneis, Margaret. M. (1995), "The Virgin Anasazi, Far Western Puebloans", *Journal of World Prehistory,* Vol. 9, No. 2.

Maxwell, Moreau S, (1985), *Prehistory of the Eastern Arctic,* Orlando, Florida, Academic Press.

Meltzer, David J. (2009), *First Peoples in a New World: Colonizing the Ice Age America,* Berkeley, California, University of California Press.

Milner, George R. (1998), *The Cahokia Chiefdom,* Washington, D. C., Smithsonian Institution Press.

Milner, George R. (2004), *The Moundbuilders: Ancient People of Eastern North America,* London, Thames and Hudson.

Noble, David Grant (ed.) (2006), *The Mesa Verde World: Explorations in Ancestral Pueblo Archaeology,* Santa Fe, New Mexico, School of American Research Press.

Noble, W. C. (1971), "Archaeological Surveys and Sequences in Central District, Mackenzie, Northwest Territories", *Arctic Anthropology,* Vol. 8, No. 1.

Ortmann, Anthony L. (2010), "Placing the Poverty Point Mounds in their Temporal Context", *American Antiquity,* Vol. 75, No. 3.

Plog, Stephen (2008), *Ancient Peoples of the American Southwest,* 2nd Edition, London, Thames and Hudson.

Ragir, Sonia R. (1972), *The Early Horizon in Central California Prehistory,* Contributions of the University of California Archaeological Research Facility, 15. Berkeley, California, Dept. of Anthropology, University of California.

Sassaman, Kenneth E. (1993), *Early Pottery in the Southeast,* Tuscaloosa, Alabama, University of Alabama Press.

Saunders, J. W., R. D. Mandel, C. G. Sampson, C. M. Allen, E. T. Allen, D. A. Bush, J. K. Feathers, K. J. Gremillion, C. T. Hallmark, H. E. Jackson, J. K. Johnson, R. Jones, R. T. Saucier, G. L. Stringer, and M. F. Vidrine (2005), "Watson Brake, A Middle Archaic Mound Complex in Northeast Louisiana", *American Antiquity,* Vol. 70, No. 4.

Seeman, Mark F. (1992), "The Bow and Arrow, the Intrusive Mound Complex, and a Late Woodland Jack's Reef Horizon in the Mid-Ohio Valley", *Cultural Variability in Context: Woodland Settlements of the Mid-Ohio Valley,* Kent, Ohio, Kent State University Press.

Smith, Bruce D. (1986), "The Archaeology of the Southeastern United States: From Dalton to de Soto, 10,500 to 500 B. P.", *Advances in World Archaeology,* 5. Orlando, Floria, Academic Press.

Smith, Bruce D. and Richard A. Yarnell (2009), "Initial Formation of an Indigenous Crop Complex in Eastern North America at 3,800 B. P.", *Proceeding of the National Academy of Sciences,* Vol. 106, No. 16.

Snow, Dean R. (1980), *The Archaeology of New England,* New York, Academic Press.

Stanford, Denis J. and Bruce A. Bradley (2012), *Across Atlantic Ice: The Origins of America's Clovis Culture*, Berkeley, California, University of California Press.

Steinacher, Terry L. and Gayle F. Carlson (1998), "The Central Plains Tradition", W. Raymond Wood (ed.), *Archaeology of the Great Plains*, Lawrence, Kansas, the University Press of Kansas.

Steponaitis, Vincas P. (1983), *Ceramics, Chronology, and Community Patterns*, New York Academic Press.

Waldman, Carl (2006), *Encyclopedia of the North American Tribes*, 3rd Edition, New York, Checkmark Books.

Waldman, Carl (2009), *Atlas of the North American Indian*, 3rd Edition, New York, Checkmark Books.

Winham, R. Peter and F. A. and Calabrese (1998), "The Middle Missouri Tradition", W. Raymond Wood (ed.) (1998), *Archaeology on the Great Plains*, Lawrence, Kansas, the University Press of Kansas.

West, Frederick H. (ed.) (1996), *American Beginnings: The Prehistory and Paleoecology of Beringia*, Chicago, University of Chicago Press.

問題群｜*Inquiry*

アンデスとメソアメリカにおける文明の興亡

関 雄二

一、アメリカ大陸の古代文明

本稿では、メソアメリカとアンデスという、アメリカ大陸に成立した二つの古代文明を概観し、その成り立ちと特徴を明らかにしていきたい。

メソアメリカの「メソ」とは一般に「中間」を指す。今日の国でいうと、メキシコの中部を北限とし、南はホンジュラス、ニカラグア、コスタリカの西部にいたる地域を指す(Kirchhoff 1943)。乾燥したメキシコ中央高原、高温多湿のメキシコ湾岸低地、グアテマラ太平洋岸の高地とその北側に広がる低地などが文明の興亡の舞台となる。

一方のアンデス地帯は、今日のペルーとボリビアの一部が含まれ、乾燥した海岸砂漠と、中米以上に険しい山岳地帯とで構成される。乾燥した海岸では、アンデス山脈を源と発する河川が太平洋に流れ込み、その流域は現在でも過去においても暮らしやすい環境を提供してきた。一方の山岳地帯では山間盆地が人間の活動の中心である。こうした領域区分は便宜的なものであり、時代によっては、前記の範囲を超える国家や政体が成立することもあった。

二、時代区分

まず、メソアメリカとアンデスの古代文明の編年体系を簡単に説明しておきたい。メソアメリカでは、次のような編年が構築されている[図1]。

石期(前一万年—前八〇〇〇年)
古期(前八〇〇〇年—前一八〇〇年)
先古典期(前一八〇〇年—後二〇〇年)
古典期(後二〇〇年—後九〇〇/一〇〇〇年)
後古典期(後九〇〇/一〇〇〇年—後一五二一年)

このうち、石期とは、完新世の初めにかけての狩猟採集生活が展開していた時期であり、古期は、農耕による食料生産経済に移行する時期にあたる。先古典期は、形成期と呼ばれることもあり、文明形成が顕在化する。土器製作が開始され、定住も確立し、一部の地域で公共建造物の建設や階層化も認められる。古典期は、公共建造物が巨大化するとともに、都市や王権、宗教体系の確立、遠距離交易の隆盛、文字や暦の発達が認められた。とくにメキシコ中央高原、メキシコ南部オアハカ地域、そしてメキシコからホンジュラス、エル・サルバドルに広がるマヤ地域で都市国家が成立した。最後の後古典期では、貴族や中間層が台頭するとともに、軍事化が進んだ。またメソアメリカ全域に交易網が行き渡った時期でもある。アステカ(メシーカ)王国が有名だが、スペインによる征服で幕を閉じる。

一方で、南米のアンデス地帯では、次のような編年が使われる。

石期(前一万年—前五〇〇〇年)

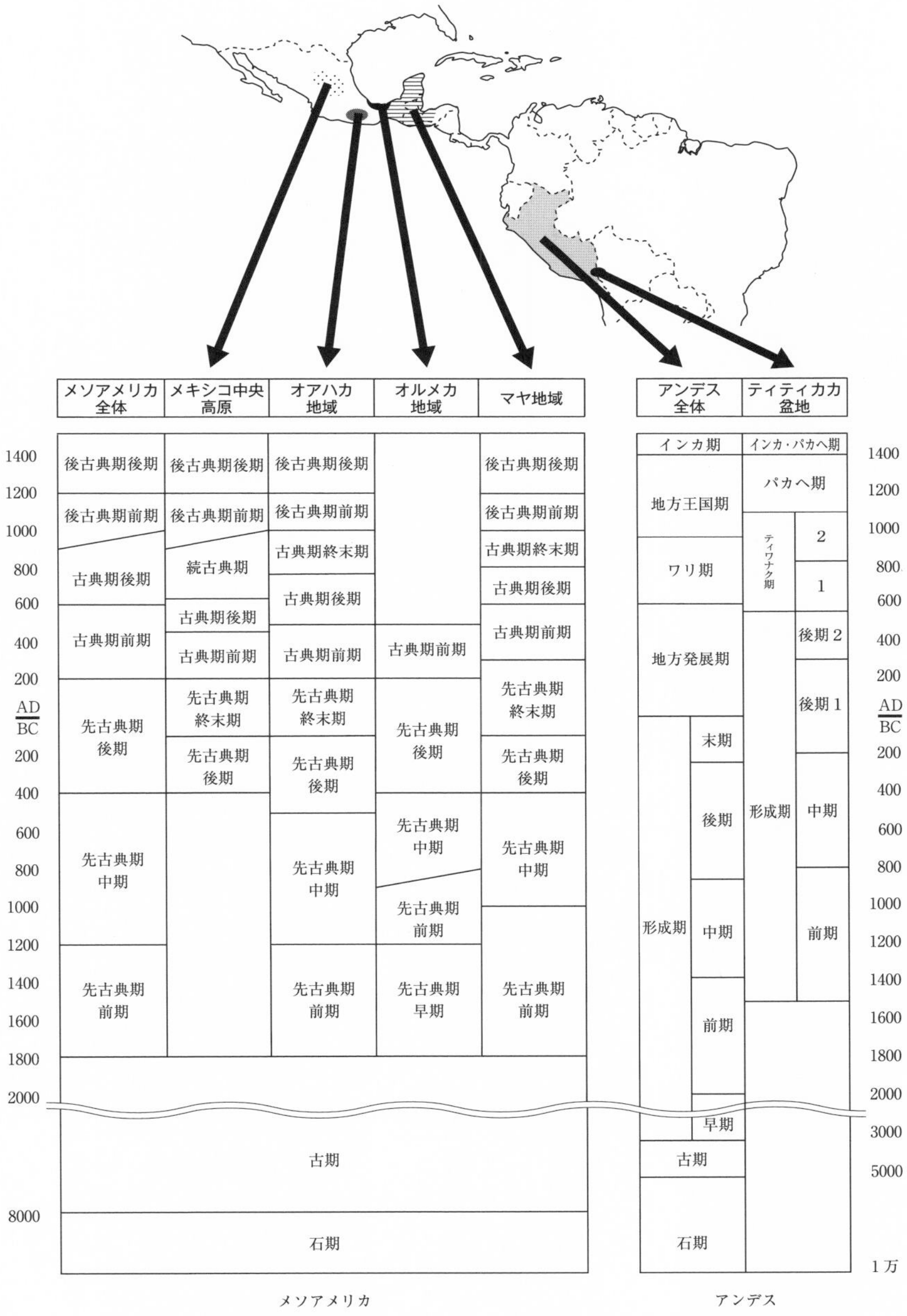

図 1　メソアメリカとアンデスの時代区分
(井上 2014, 関 2021 を参照)

古期(前五〇〇〇年—前三〇〇〇年)
形成期(前三〇〇〇—前五〇年)
地方発展期(前五〇年—後六〇〇年)
ワリ期(後六〇〇年—後一〇〇〇年)
地方王国期(後一〇〇〇年—後一四七〇年)
インカ期(後一四七〇年—一五三二年)

石期は、狩猟採集を主とし、一部で農耕が始まる時代である。古期では、農耕が進展するが、漁労定住生活も見られた。形成期に入ると、農業や牧畜への比重が高まり、公共建造物の建設が開始される。地方発展期では、地域性の強い社会が出現し、国家的政体も現れる。続くワリ期では、初めてアンデスの広範囲を支配下に治めた政体が登場し、都市空間も生まれる。地方王国期は、その名の通り、各地で王国が成立し、その一つであるインカがアンデス全域に覇権を広げた。以下、この両地域の編年に沿って文明の興亡を見ていきたい。

三、文明形成の基礎条件——完新世環境への適応

農耕と牧畜の開始

更新世の末頃にアジアからアメリカ大陸に到達し、アメリカ大陸に拡散した人類は、完新世を迎えると、新たな自然環境に適応していった。メソアメリカやアンデスでは、石期や古期と呼ばれる時代にあたる。人々は、狩猟や植物採集を生業としつつも、やがて農耕にも手をつけはじめる。

アメリカ大陸では、トウモロコシ、カボチャ、ジャガイモ、サツマイモ、マニオク(キャッサバ)、トマト、インゲ

ンマメ、ピーナッツ、アボカドなど数多くの植物が栽培化された。メソアメリカでは、トウモロコシやインゲンマメは、前七〇〇〇年頃に、カボチャは、少なくとも前八〇〇〇年前には栽培化された(Piperno and Pearsall 1998: 225, 232-235)。

アンデスでも、前八六〇〇―前八〇〇〇年にあたる地層からトウガラシが出土し、カボチャの種やライマメも前七四〇〇―前六八〇〇年頃の地層で見つかっている(Smith 1980)。こうしてみると、植物栽培が完新世初期に開始されたことがわかるのだが、農耕に依存した社会が登場するのは四〇〇〇年以上も後の時代であり、農耕の実験段階がいかに長かったかがわかる。

一方で、飼育化された動物は極めて少ない。中米のシチメンチョウ、南米のリャマやアルパカといったラクダ科動物、食用モルモットであるクイ(テンジクネズミ)、カモの仲間であるバリケン程度である。このうち最大の家畜はラクダ科動物であり、古期のペルー中央高地の高原地帯で飼育化が始まり、形成期早期には完成したと考えられている(Wheeler 1984)。肉は食用に、糞は燃料として利用された。またアルパカやリャマの毛は織物や縄の材料となり、リャマは駄獣としても使われたが、旧大陸の牧畜とは異なり、乳は利用されなかった。こうしたラクダ科動物は、アンデス文明の経済を支えたばかりでなく、祭祀に関係するなど、世界観形成に大きく関わった。他方、メソアメリカ文明では家畜の果たした役割は小さい。

四、公共建造物の出現――アンデスでの先行現象

古代文明論では、農耕とともに語られるのが定住である。かつては、ゴードン・チャイルドが「新石器革命」として捉えた現象である(チャイルド 一九五一)。しかし、すでに指摘したように、農耕の発生から定住までには時間が必

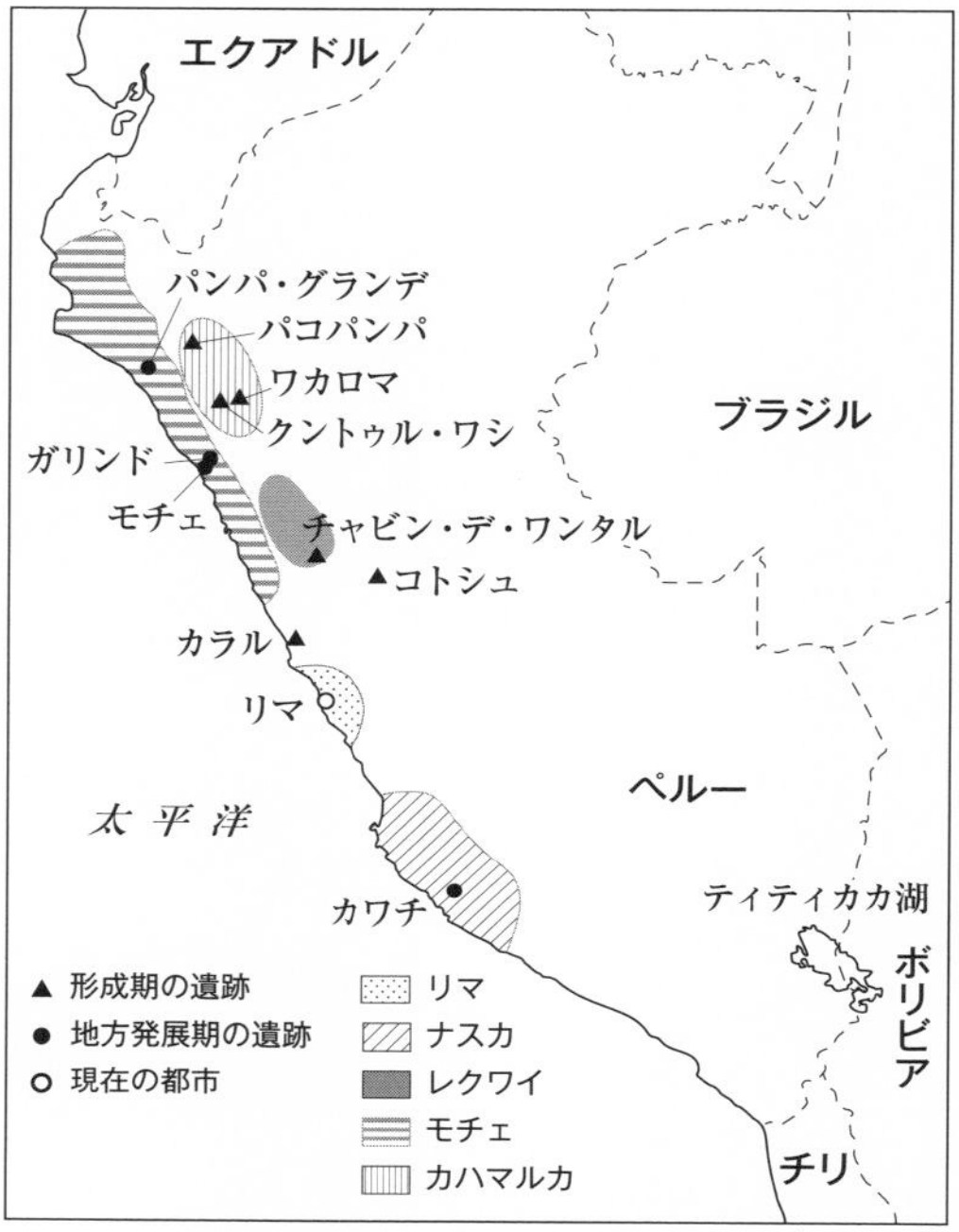

図2　アンデス地帯の形成期，地方発展期の遺跡と文化の範囲

要であった。

それでもアンデスの場合、定住の開始が前五〇〇〇年代と、メソアメリカに比べて早い。しかも、証拠の大半は、農耕に不向きな乾燥した海岸地帯で見つかっている（Quilter 1989）。この点は海洋環境が関係する。太平洋沿岸では大陸棚が発達し、北上する栄養分に富んだ海流が魚貝類を育む。この海産資源に人々が依存すれば定住は可能となる。

定住ばかりでなく、次に控える公共建造物の出現においても、アンデスでは時間的に先行する。メソアメリカでは、前一二〇〇年頃に公共建造物の出現をみるが、アンデスではそれよりも一〇〇〇年以上も早く、前三〇〇〇年頃に巨大な公共建造物が出現する。ペルー中央海岸スーペ谷のカラル遺跡はその一つである［図2］。海岸線より内陸に二五キロほど入った河川沿いに立地し、六六ヘクタールの範囲に三〇以上の建物が立ち並ぶ。高さ二〇メートルの中央神殿基部には円形広場が設けられ、また円形劇場とよばれる別の建造物からは、ペリカンやコンドルの骨に彫刻を施した笛が出土している（Shady 2014: 96）。

カラルからはさまざまな栽培植物が出土しているので、農業が確立していたことはたしかだが、大量の魚貝類の出土からは、海洋資源の重要性が示唆される。さらにはコンゴウインコの羽根や暖流産の貝などアマゾンやエクアドルからの搬入品が発見され、交易網が構築されていたこともわかる。カラルには前三〇〇〇―前一八〇〇年の年代があてられている。また近年、カラル以上に古い公共建造物が、別の谷間で報告されている。このように、アンデスの形成期早期では、漁労に農耕を組み合わせることでかなり複雑な社会が成立していたのである。

神殿更新から階層社会へ

カラルの調査者は、カラルをアメリカ大陸最古の都市と呼び、職業分化や階層制が存在したと主張している(Shady 2014: 91-97)。これは、公共建造物は、複雑な社会でないと出現しないというチャイルドらの立場と似ている。しかし、この見方は危うい。たとえば、日本調査団がかつて発掘したペルー中央高地北部のコトシュ遺跡を見てみよう。カラルとほぼ同時代の遺跡である(Izumi and Terada 1972: 129-176)。コトシュでは、一辺が九メートルで、壁や床には上塗りが施され、内壁には大小の壁龕《へきがん》が備えられた特殊な部屋が発見された。中央の床は一段低く、そこに円形の炉が切られ、床下には煙道が走っていた。壁龕直下で発見されたレリーフの形状から、「交差した手の神殿」と名づけられた[図3]。農業は確立していたが、余剰生産物を備蓄する施設は見当たらず、複雑な社会を想定することには躊躇《ちゅうちょ》する。

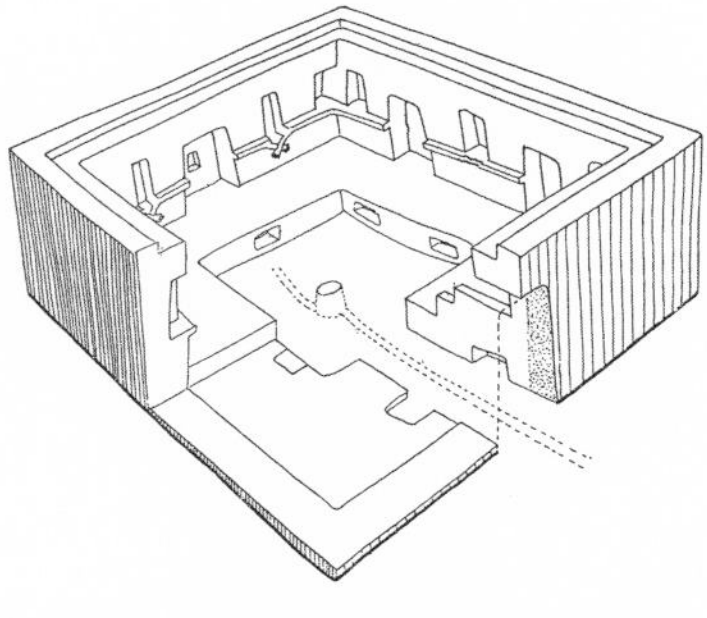

図3　コトシュ遺跡の「交差した手の神殿」概念図(Izumi and Terada 1972: Fig. 97 より)

さらにコトシュでは興味深い現象が認められた。「交差した手の神殿」とよく似た構造の建造物が、同じ場所に積み重なるように築かれていたのである。定期的な更新活動と思われ、日本調査団は、この過程を「神殿更新」と呼んだ(関 二〇二一：五一頁)。

当時の社会は平等性が高く、埋葬には差異が認められない。となると、公共建造物を建設するには、社会構成員の自発性に基づく協同労働に依存せざるをえない。すなわち、公共建造物の存在は、強力なリーダーや社会階層の存在を前提にする必要はないのである。むしろ、度重なる更新は、社会統合の契機となり、労働の統御が求められ、権力や社会の複雑化、あるいは、食料増産が促されたと考えられる。つまりすべては従来の文明論とは正反対で、「神殿更新」こそが社会の複雑化を生み出したと考えるべきなのである。

アンデスの形成期では、しばらく神殿更新の社会が続く。形成期前期に入ると、土器製作が開始されるが、それをもって社会が大きく変化したわけではない。続く形成期中期では、公共建造物の規模は拡大し、土器、骨器、貝器、土製品には、建物の壁を飾るレリーフや壁画と同じような図像が描かれた。図像にはヘビ、ネコ科動物、猛禽類が複雑に組み合わされた姿や幾何学紋様などが題材として選ばれている(関 二〇二一：七六頁)。この時期の北高地では、ワカロマ、クントゥル・ワシ、そしてパコパンパといった大規模な祭祀センターが築かれた[図2]。しかしながら、いずれの遺跡でも、王宮や王墓などは見つかっていない。建物の計画的な配置からは、リーダーの存在が示唆されるが、その権力は限定的であったと考えられる。

ところが、形成期後期になると、状況は一変する。北高地のクントゥル・ワシやパコパンパの大規模センターにおいて、豪華な副葬品を納めた地下式墓が造られる(関 二〇二一：八〇―八二頁)。また、中央高地北部のチャビン・デ・ワンタル遺跡でも、近年、エリートの住居空間が検出されている(Rick 2005)。これらから判断すれば、形成期後期にリーダーの権力が顕在化したことはまちがいない。いずれにせよ、公共建造物が出現してから、実に二〇〇〇年以上経って、ようやく集団内の差異が明確になったことになる。

重要なのは、リーダーの登場とともに、神殿更新が停止している点である。代わってリーダーが統御したのは、交易のネットワークであった。これにより黒曜石、辰砂《しんしゃ》、暖流産の貝など祭祀に関する財を入手したと考えられる(関 二〇二一：八〇―八五頁)。この頃に広がるラクダ科動物の飼養もネットワーク形成に関連していたのかもしれない。

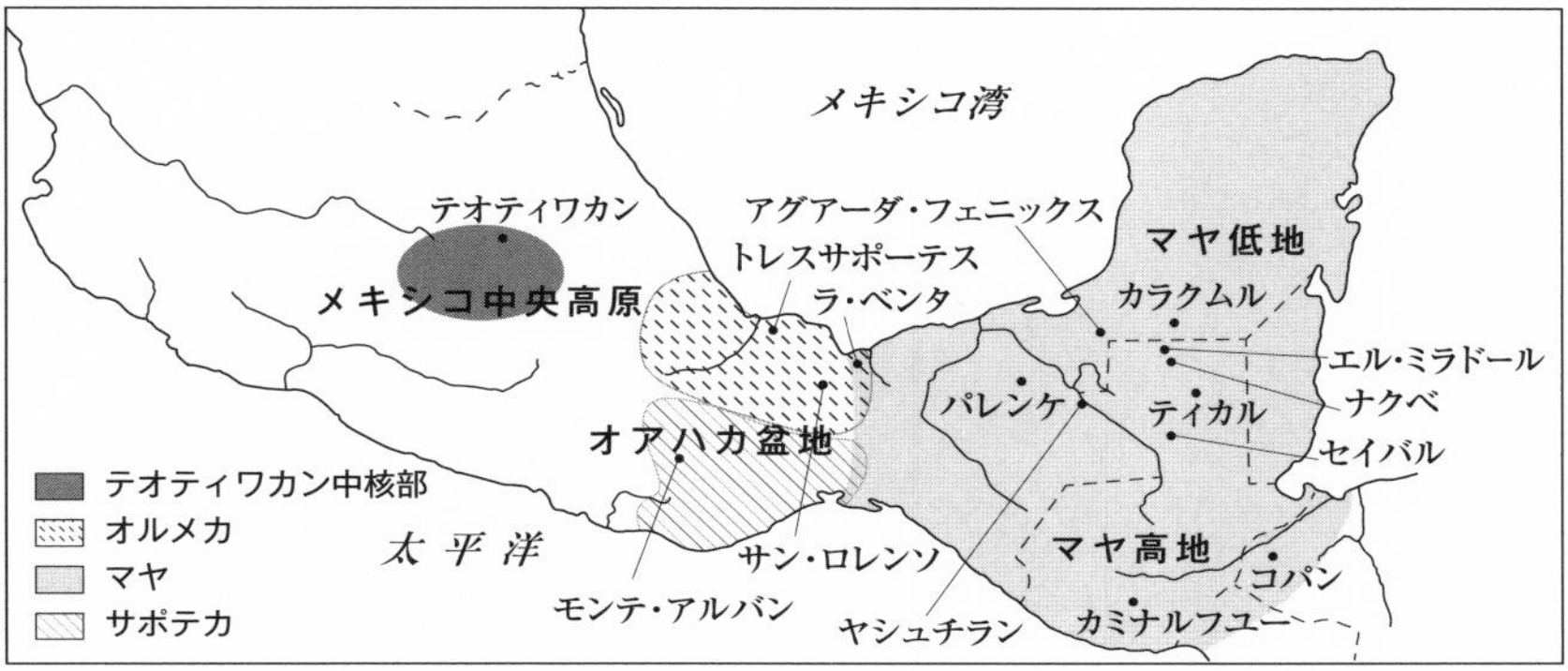

図4　メソアメリカの先古典期・古典期の遺跡と文化の範囲
(Coe et al. 1986: 94-95, 104-105 を参照)

またこの時期に、動物や人間の姿を組み合わせた石彫が多数出土している。動物や霊的存在と交流するリーダーの姿を石という媒体に固定化することで、権力の強化が図られたのであろう。

しかし形成期末期になると、祭祀センターの多くが放棄され、土器や建造物からは、具象的な図像が姿を消す。同時に、遺跡は山上など防御に有利な場所に集中し、戦争を想起させる遺物も出土する(関 二〇二二：一〇七―一一六頁)。すなわち、戦争が社会統合の手段として重要になったことがうかがえるのである。では、メソアメリカの状況を見ることにしよう。

五、メソアメリカの先古典期――文明の前奏曲

先古典期は、前期(前一八〇〇―前一二〇〇年)、中期(前一二〇〇―前四〇〇年)、後期(前四〇〇―後二〇〇年)に細分される。もっとも、地域によって編年は多少ずれる。

先古典期前期は、土器の登場をもってその始まりとする。メソアメリカではアンデスと異なり、公共建造物よりも土器の出現の方が早い。定住村落は確認されており、農業が行われていたものの、狩猟も重要であった。以下、地域ごとに状況を見ていきたい。

図5　サン・ロレンソ遺跡出土の人頭像（筆者撮影）

オルメカ文化

この時期を代表する古代文化の一つが、前一四〇〇年頃のメキシコ湾沿岸南部に成立したオルメカである［**図4**］。最初に拠点となったのはサン・ロレンソ遺跡である。内陸部の、川沿いの丘陵に位置する。高さ七メートルの台地が七平方キロメートル範囲に広がる。

サン・ロレンソを有名にしたのは、巨石の人頭像である［**図5**］。オルメカの人頭像の半分以上がこの遺跡から出土している(Pool 2007: 105-110)。人頭像の顔には個性があり、実在の権力者を表したと考えられる。また玉座といわれる石製祭壇が出土しており、洞窟から這い出ようとする人物が彫り込まれている。メソアメリカでは洞窟(地下界)は聖なる空間で、祖先が誕生した場所でもあることから、権力者の出自を表現したのであろう。また「赤い宮殿」と呼ばれる住居では、石製の円柱が出土しており、このほか石彫の工房も同定されている。石材は、八〇キロも離れた場所から持ち込まれた。基壇だけならば、アンデス形成期のように、平等な社会でも建設できそうだが、石彫表現、立派な住居や石彫の工房の存在、遠隔地からの石材入手の証拠からは、すでに権力者が出現していたと考える方がよかろう。

サン・ロレンソ社会の食糧基盤は、周辺に自生、もしくは栽培していた根菜類であったことが明らかになっている(Pool 2007: 73-78)。メソアメリカで重要なトウモロコシはほとんど確認されておらず、農業が確立した社会とはいえ、後のメソアメリカの状況とは異なる。

サン・ロレンソは前八〇〇年頃に衰退し、代わって、ラ・ベンタに中心が移る。高さ三四メートルのピラミッド型構造物が築かれ、巨石人頭像や玉座も彫られた(Pool 2007: 156-178)。大小のピラミッドが南北軸に沿って縦長に配置され、北側は儀礼空間、南側は工房として利用された。ラ・ベンタからは、集会を開くかのように立つ一六体の石製の小型人物像が奉納品として出土している。人物像の背後には石碑に見立てられた六本の磨製石斧が立ち並び、石斧には線刻で人物が描かれていた。実際にラ・ベンタでは石碑も出土している。いずれにせよ、サン・ロレンソ以上に建築プランは精緻化され、社会の複雑化が進展したことがうかがえる。

ラ・ベンタも前四〇〇年頃には衰退する。代わってトレス・サポーテスが力を持つようになる(Pool 2007: 246-255)。前述の二つのセンターの立地と異なり、山地に位置する。巨大なピラミッド型の建物が立ち並び、巨石人頭像も二体見つかっている。注目すべきはメソアメリカで二番目に古い暦(前三二年)を刻んだ石碑Cが出土している点であろう。

このようにオルメカ文化では、大規模な公共建造物の建設とともに、支配者の存在を示唆する証拠が見つかっている。祭壇、石碑、暦、そしてピラミッド状建築の存在は、メソアメリカ文明を特徴づける要素であることから、オルメカは、メソアメリカ文明の母体を形成したと言われることが多い。もう少し他地域の先古典期を見てみよう。

先古典期のオアハカ盆地

メキシコ南部のオアハカ盆地は海抜一五〇〇メートルにあり、現在はサポテカと呼ばれる民族が暮らす［図4］。ここでは、先古典期中期に大集落が成立し、人口も増える。やがて前五〇〇年あたりから、盆地を望む丘陵地に、古代サポテカの祭祀センターであるモンテ・アルバンの建設が始まる(Marcus and Flannery 1996: 139-154)。

先古典期後期に入ると、中核部の西側の基壇の壁面は、「踊る人」と呼ばれる三二〇以上の人物を彫った石板で飾られるようになる(Marcus and Flannery 1996: 172-194)。モンテ・アルバンの支配者や、裸にされた戦争捕虜の姿とされ、脇にはサポテカ文字で暦や出来事が記された。さらに、先古典期の末には、大広場の南端にある建造物Jに、軍事的征服で獲得した捕虜の姿を彫った「征服石板」が据えられ、また大広場の北東隅には球技場が建設された。このように、先古典期末期のオアハカ地域では、モンテ・アルバンを中心に、国家レベルの社会が成立したと考えられている。アンデスでは、国家がまだ誕生していなかった。

先古典期のマヤ社会

マヤ地域の先古典期は、前期(前一八〇〇－前一〇〇〇年)、中期(前一〇〇〇－前四〇〇年)、後期(前四〇〇－後二五〇年)の三時期に細分される。前期では、農耕は開始されていたが、人々は狩猟採集に基盤を置く季節移動型の生活を送っていた。

他のメソアメリカ地域同様に、変化を迎えるのは先古典期中期である。まずグアテマラ中部のマヤ低地に位置するセイバル遺跡で、広場やピラミッド型の公共建造物が築かれた[図4]。グアテマラ南西部高地で産出する翡翠《ひすい》や黒曜石を入手し、加工する技術も確立していた(青山 二〇一九)。このほかマヤ低地では、エル・ミラドール、ナクベ、カラクムル、ティカルといったセンターでピラミッド型建造物が築かれた。いずれも古典期の都市を想起させる。いずれにせよ、こうした大センターの成立は、農耕定住の確立を示すものであろう。

先古典期後期に入ると、エル・ミラドールで、高さ七二メートルの巨大なピラミッドが建設された(Hansen 1990)。頂上部の神殿の外壁には漆喰で神々の顔が表され、マヤ最古の暦を記した石碑も見つかっている(青山 二〇〇七：図36)。またティカルでも二至二分における太陽の運行を観測する施設が建設された。こうした大型ピラミッドや天体観測、そして暦は、社会の複雑化や支配者の存在を示唆する。実際に、王を記した碑文や王の姿を描いた壁画がグアテマラ北部の別の遺跡でも発見されている(青山 二〇〇七：九三－九四頁)。このように先古典期後期のマヤでは王権が成立したと考えられるが、一部のセンターは、古典期を前に衰退する。

文明初期のメソアメリカとアンデス

古代文明を語るとき、農耕、定住、そして階層などの社会の複雑化、公共建造物、といった視点は欠かすことができない。すでに述べてきたように、古典的な文明論では、ほぼこの順で文明形成をとらえてきた。しかし、アメリカ大陸の古代文明では、農耕の時代的先行を除けば、状況はさほど単純ではない。アンデスの漁労定住が示すように、定住は農耕とだけ結びつくものではないし、公共建造物についても、社会の複雑化に先駆けて登場する。

一方で、メソアメリカでは、狩猟採集から農耕定住への移行、そしてその後の社会変化が速やかであった。大規模な土木工事を進めた社会では王が存在し、天体観測や暦を用いた儀礼体系が備えられ、文字も使われていた。職業分化、都市の存在ですらうかがえる。これだけを見ると、メソアメリカでは、先にあげた四つの特徴の登場順にさほど矛盾はないように見える。

しかし、この見解は、メキシコのマヤ文化の遺跡アグアーダ・フェニックス[図4]の発見によって若干、修正が必要になってきた。この遺跡にはピラミッド型建造物こそないが、細長くのびる台地状構造は、先スペイン期マヤ最大の建造物とされる(Inomata et al. 2020)。また前一〇〇〇—前八〇〇年という年代はマヤ最古でもある。出土遺物はマヤ文化に属すが、建築的特徴や緑色の石材を用いた石斧の奉納の存在は、オルメカ文化との関係を示唆するという。

アグアーダ・フェニックスが建設された頃、すでにオルメカ地域ではサン・ロレンソが栄え、王が存在していた可能性も高い。一方で、アグアーダ・フェニックスは、遊動的な狩猟採集から農耕定住への過渡期に建設され、平等性の高い社会であったと想定されている。またトウモロコシのデンプン粒が確認されているものの、遊動性の高い生活様式から判断すれば、余剰生産物の統御があったとは考えにくい。すなわち、マヤの初期の公共建造物は、アンデスの形成期社会のように人々の協同労働によって築かれ、定住や社会の複雑化はその後に到来したことになる。

このように、アンデスとマヤでは文明初期の現象で共通性が見られる。しかし、メソアメリカ全体を見渡せば、総じて相違点が目立つ。とくに、アンデス形成期の場合、社会成員の協同労働による公共建造物の建設や更新が極めて長く続き、リーダーの出現まで時間がかかった。しかも権力は脆弱であった。他方、メソアメリカでは、公共建造物の建設が遅れたものの、オルメカやオアハカなど、社会変化がアンデスに比べて急速に進んだように見える。

六、社会の複雑化の進展——国家への道筋

古代文明を扱っていると必ず突き当たる課題の一つが国家の定義である。たとえば、中央集権的であり、かつ社会内部が専門分化し、戦争、経済、情報における統御(階層化)が認められる社会という定義はよく使われる(Flannery 1972)。また、数十万から数百万人の人口規模、多様な民族の包摂、奢侈品や豪華な建物の存在を基準に加えたり(Johnson and Earle 2000: 304)、セトルメント・パターン(遺跡の分布形態)における遺跡の四階層や三段階の政治決定プロセス、超自然的な出自をもつ支配者とそうでない被支配者の区別、支配者と被支配者との血縁関係の断絶、法の整備などを特徴にあげる研究者もいる(Marcus and Feinman 1998: 6-7)。そもそも国家の定義が多様なのは、考古学の対象となる社会が多様であることに由来する。そのため、近年では国家の定義を避ける傾向にある。とりあえず本稿では、階層性が存在し、王やエリートが庶民を経済的、政治的、あるいは軍事的に統御する政体という広い意味で国家という言葉を使用していきたい。ではアンデス社会を見ていこう。

モチェ王国の誕生と拡大

地方発展期を迎えると、地域色の強い社会が現れる。モチェはその一つであり、紀元前後から後七〇〇年頃まで栄

え、ペルー北海岸の南北六〇〇キロを影響下に置いた国家である［図2］。拠点は、モチェ川下流域のワカ・デル・ソル（太陽の神殿）とワカ・デ・ラ・ルナ（月の神殿）である。ソルは、三四二メートル×一五九メートル、高さ四〇メートルの大きさで、一億四三〇〇万個もの日干しレンガを積み上げた巨大な建造物である［図6］。一方でルナは、九五メートル×八五メートル、高さ二〇メートルと、ソルよりも小さく、上部は高い壁で囲まれ、内壁は幾何学文様や動物のレリーフで彩られた（Bawden 1996: 228-231）。

従来、モチェについては、ソルやルナが建つモチェ谷から次第に勢力を伸ばしたという軍事的征服説が語られてきた。しかし、近年は、統一国家というより、一つ、あるいは、いくつかの河川流域を束ねる形で複数の政体が並存し、それらがゆるやかに連携し、文化的特徴を共有していたとする説が支持を得ている。

図6　ワカ・デル・ソル遺跡
（写真提供：Luis Jaime Castillo）

モチェを国家と考える根拠を見ることにしよう。モチェでは農業が発展し、大規模な灌漑水路も建設された。この事業は、形成期のような自発的な協同労働によるものではなく、強制力が行使されたと考えられる。社会階層も確立し、ソルとルナに挟まれた空間ではエリートの住居や工房が検出されている（Chapdelaine 2001）。また、公共建造物の建材である日干しレンガには印が刻まれ、支配下集団の納税の証とする説もある（Bawden 1997: 104）。

社会階層については、土器の図像が手がかりとなる。モチェの壺や鉢には、人々のさまざまな活動が表現された。たとえば、杯を献呈する儀礼の場面では、登場人物が大きさで描き分けられた。大きな人物ほど豪華な衣装を纏い、杯を献呈される側になっている。この点から、エリート内部での地位の格差が示唆される。実際に、図像とよく似た装身具を伴う墓が発見され、墓も序列化されていたことから、図像は実態を反映している可能性が高い。

また、成長した後、戦いで敗れ、捕虜となるエリートの生涯を表現した肖像土器もある(Donnan 2001)。おそらく戦争は集団戦ではなく、エリート同士の儀礼的なものであり、敗者は犠牲として捧げられたのであろう(Bourget 2001)。事実、供犠に捧げられた捕虜の遺体がルナで出土している。このように、モチェでは、戦争を土器や壁画で表現し、社会統合の手段としたが、実際には、命を懸けて戦っていたのはエリートだけであった。

六〇〇年頃に起きた気候変動の後、モチェ川の中流域のガリンド遺跡やラ・レチェ川中流域のパンパ・グランデにモチェの中心が移る(Bawden 1997: 303)。ガリンドには大型建造物は築かれず、周壁で守られたエリートの住居など都市的空間が広がる。一方でパンパ・グランデでは、巨大な建造物の周囲に専門家集団の工房が配置され、メソアメリカ的都市が形成された。

砂漠に開花したナスカ文化

ペルー南海岸ではナスカ文化が興る。イカ谷、リオ・グランデ・デ・ナスカ谷を中心とし、南北三五〇キロにわたって影響を及ぼした[図2]。年代は前一〇〇—後七〇〇年とされる(Silverman and Proulx 2002: 1)。乾燥したナスカ谷では、中流域で伏流水となった川は下流域で姿を現すため、耕地は上・下流域に限られた。やがて地下水路が築かれるようになると中流域でも耕地は拡大するが、モチェのような大規模な灌漑農業は生まれなかった。

またナスカ文化の中心であるカワチ遺跡をみても、自然の丘陵を利用している点で、モチェの神殿建設ほどの労働力は必要なかったと思われる。さらにエリートの墓もほとんど見つかっていない。こうしたことから、ナスカ社会は形成期と比べれば複雑化していたものの、国家ではなかったと考えるのが一般的である。

一方で、工芸品は、高い技術水準に達していた。とくに動植物や人間、神話的存在などの図像を、釉薬を用いずに一〇種類以上の顔料で塗り分けた土器のほか、さまざまな技法を駆使したワタやアルパカ製の織物は有名である(Silverman and Proulx 2002: 152-155)。

とはいえ、ナスカの名をとどろかせているのは地上絵であろう。ナスカ川の支流に挟まれた五〇〇平方キロにも及ぶ広大な砂漠平原に描かれている。鳥、シャチ、サル、イヌ、クモ、植物などが描かれたが、大半は線より構成される。直線のほか、台形、三角形、ジグザグ、螺旋などの図柄も見られる。また小高い丘から放射状に線がのびるものがいくつも発見されている。地上絵の建造技術は、酸化した表面を削り、下層の明るい面を出すだけの単純なもので、大型の絵でも、相似形の原理を用いれば容易に描けるという。またナスカ期のみならず、形成期の末からインカ期まで描かれ続けた点もわかってきた(坂井 二〇一九：一四一–一五〇頁)。こうした地上絵の持つ意味、役割については、かつては、天体の運行と関係づける説もあったが実証されておらず、むしろ儀礼の際に歩いた通路とする見方が強い。

地方発展期のアンデスでは、このほか、中央海岸ではリマ文化が、高地ではレクワイやカハマルカ文化が成立するが、モチェに匹敵するような複雑な社会は登場しなかった。

七、古典期メソアメリカ社会——文明要素の結晶化

古典期のオアハカ盆地

ここで再度メソアメリカに目を移してみよう。オアハカ盆地では、先古典期末に国家が成立していた点はすでに触れた。古典期のモンテ・アルバンは、約六・五平方キロの都市へと拡大し、最盛期を迎える[図4](青山 二〇一三：図57)。人口は二万四〇〇〇人に達したともいわれる(Marcus and Flannary 1996: 234)。現在目にすることができる大広場と神殿群は、この時期に完成し、ほかにも、メソアメリカ文明の必須要素である球技場が八カ所も築かれた。社会

階層は顕在化し、多彩色の壁画で飾られた支配層の墓も多数発見されている。

　興味深いのは、基壇の外壁にはめ込まれた石板状の石彫に、後述するメキシコ中央高原で成立していたテオティワカンとの関係を示すモチーフが現れている点である(Marcus and Flannary 1996: 231-235)。この他テオティワカンでよく見られるタルー・タブレロ様式(枠付きのパネルと斜壁の組み合わせ)の建造物も築かれ、テオティワカンの人々が暮らす居住区もあった。ではオアハカ盆地に強い影響を与えたテオティワカンを見てみよう。

高原都市テオティワカン

　テオティワカン遺跡は、メキシコ中央高原、海抜二三〇〇メートルに位置する［図4、7］。先古典期の終末には、大型の公共建造物の建設が始まり、二〇平方キロの範囲に六万から八万人が暮らしたと想定される。こうしたテオティワカンの人口増は、メキシコ盆地南東部の火山噴火による被災民の流入があったともいわれている(村上・嘉幡 二〇二一：一〇六頁)。いずれにしても、古典期に入る頃には、緻密な都市計画のもと、今日目にすることができる大型公共建造物が配置され、タルー・タブレロ様式の建造物も盛んに建てられた。また複数の世帯が集住するアパートメント式建築複合が築かれ、社会階層ごとに利用空間が分かれていた。この建築複合内では、祭祀活動も行われたようだ。このようにテオティワカンは古典期に最盛期を迎え、人口も一〇万から一五万に増え、都市面積も最大規模になった(Sugiyama 2012: 215)。やがて後五五〇―後六五〇年あたりで、急速に衰退していく。

　テオティワカンでも、世界観は祭祀を通じて形成された。「太陽のピラミッド」の内部からは、蛇紋岩製の石偶や仮面、黄鉄鉱製の鏡、黒曜石製のナイフや鏃《やじり》、貝製品や象形土器などの奉納品が出土している(Sugiyama 2012: 223)。またピラミッドの直下では岩盤を削った洞窟が見つかっている。盗掘により詳細は不明だが、王が埋葬されていた可能性もある(Sugiyama 2012: 222)。オルメカで触れたように、メソアメリカでは、地下界は、地上に出現する前の祖先がとどまっていた場所であり、また死者の世界とされている。その上にそびえ立つピラミッドは、まさに天上界と地下界をつなぐ重要な建造物といえる。

テオティワカンの中心を貫く「死者の大通り」の北端に位置する「月のピラミッド」は、少なくとも七回の増改築を受け、巨大化したようだ(Sugiyama 2012: 219)。増築に際しては生贄が捧げられ、三七体の犠牲者に、黄鉄鉱の鏡や鏃、それに遠隔地からもたらされた豪華な副葬品が添えられた事例が報告されている(Sugiyama and López 2007)。さらにジャガー、ピューマ、オオカミ、ワシ、ヘビといった動物も生贄に捧げられた。

この他にも「死者の大通り」の南端には「羽毛のヘビ神殿」が築かれた。その外壁は、ワニ製の頭飾りを運ぶ「羽毛のヘビ」を象った石彫で飾られている。王権の象徴である頭飾りと、後のアステカで暦の初日を示すワニを描いている点を考慮するならば、テオティワカンの王権の正統性を視覚化したものといえる(村上・嘉幡 二〇二一：一〇八頁)。

図7　テオティワカン遺跡．中央後方に「太陽のピラミッド」が見える(写真提供：山本睦)．

こうしたイデオロギー形成の核としてのピラミッドの建設には、かなりの労働力とその統御が必要である。先にあげたアパート式建築複合の証拠とあわせてみれば、テオティワカンでは社会階層が確立し、国家レベルの統治機構が存在したと判断することは妥当である。しかし社会の統合原理としてのイデオロギーには、軍事的側面もあった。ピラミッド内部から出土する奉納品や、動物を含む生贄は、壁画に登場する戦士像の属性と一致している。

さらに経済面も重要であった。グアテマラの翡翠、オアハカ地域の雲母、メキシコ太平洋岸のゲレロ州産の蛇紋岩や粘板岩、北方のトルコ石などがもたらされた一方で、テオティワカンからは、薄手オレンジ色土器、香炉、円筒式三脚土器、黒曜石が輸出された(村上・嘉幡 二〇二一:一一二頁)。こうした交易がテオティワカンの繁栄を支えたと考えられる。

古典期のマヤ社会

古典期のマヤは前期(後二五〇—後六〇〇年)、後期(後六〇〇—後八〇〇年)、終末期(後八〇〇—後一〇〇〇年)の三時期に細分される。先古典期後期のマヤ伝統を引き継ぎ、ピラミッドなどの公共建造物が建設され、周辺には農耕民が暮らす都市空間が発達した。

古典期マヤを特徴づけるものにマヤ文字と暦がある。いずれも、起源は先古典期に遡るが、古典期で発展する(青山 二〇一三:七一—八六頁)。土器、壁画、石碑や祭壇に刻まれたマヤ文字は、王の誕生、即位、戦争、建造物の竣工などを記し、それらの事績は、併記される暦によって歴史として刻まれた。暦は神聖暦の二六〇日暦と太陽暦三六五日暦、そして五一二五年で一巡する長期暦が使われた。

古典期前期では、先古典期同様にマヤ低地が中心的な舞台であった。マヤでは領域全体に覇権を握るような統一国家は出現せず、各都市において王を戴く国家が成立し、とくにティカル、カラクムル、コパン、パレンケといった都市国家が勢力をふるった[**図4**]。また都市国家間で同盟が結ばれ、覇権を巡る抗争も絶えなかった(Schele and Freidel 1990: 165-215)。とくにティカル同盟とカラクムル同盟の対立は、有名である。ただし、戦争といっても対抗する都市を壊滅させるのではなく、捕虜や貢献品の獲得を目的とする限定的なものであった。

ティカルを見てみよう。最盛期には六万人の人口を抱え、巨大なピラミッドや広場のほか、王家の祭祀や埋葬の空間としてアクロポリスと呼ばれる建造物が築かれた[**図8**]。それらの周囲には上層階級、その外側には一般人の住居が広がっていた。

ティカル隆盛の背景には、テオティワカンとの関係が見え隠れする(Schele and Freidel 1990: 159-164)。ティカルの三一号石碑に描かれた、父王から子への譲位の場面には、テオティワカン様式で飾られた父王の姿が見える。またティカル遺跡では、タルー・タブレロ様式の建造物が築かれ、テオティワカン起源の土器や石材も出土することから、ティカル王朝にテオティワカンの介入があったと考える研究者は多い。

そのティカルも、対峙していた都市カラクムルとの戦争に破れた(後五六二年)のを契機に衰退する。石碑の建立は停止し、同盟関係にあった諸都市も勢力を失う(Schele and Freidel 1990: 165-215)。その後、宿敵カラクムルとの戦いに勝利し、再興するのは古典期後期である。

古典期マヤの王は、政治や軍はもちろんだが、最大の役割は祭祀を司ることであった。王は、余剰生産物の備蓄以上に祭祀に精力を注ぎ、広場やピラミッドの上で劇場的パフォーマンスを披露した。また貴族階級は、儀礼に用いる工芸品製作にも携わっていた。このため、都市には各地から翡翠、鮮やかなケツァル鳥の羽根、鉱物などの物資が集まった。マヤの諸都市が独立していながらも、祭祀、暦、文字、天文学、建築などの知識を共有できたのは、こうしたネットワークによるところが大きい(青山 二〇一三：九九－一〇二頁)。

図8 ティカル遺跡1号神殿(筆者撮影)

繁栄を誇ったマヤの諸都市の多くが古典期の末に衰退する。いわゆる「マヤの崩壊」である。人口の急増による環境破壊、戦争による社会の疲弊、貴族の台頭による王の権威の失墜など、複合的な要因による結果と考えられている(青山 二〇一三：二六二頁)。

アンデスとメソアメリカの国家

このように、アンデスとメソアメリカでは、西暦紀元後になると国家的政体が現れる。しかし、その萌芽は、メソアメリカ(オアハカ盆地)において早く、また国家的政体の数もアンデスに優る。メソアメリカの場合、都市国家間の同盟や敵対など、競合的な関係が、各政体の統合性を高めた可能性がある。また都市も、ピラミッド型神殿を核として形成される宗教都市の性格が強い。そしてなにより重要なのは王の存在である。古典期のメソアメリカは、王が祭祀を通じて政治を司る都市国家で満ちていたのである。

ところが、アンデスでは、こうした王、都市、国家という三つの要素は、部分的にしか確認できない。モチェ以外、国家はまだ登場していないばかりか、モチェでさえ、北海岸全域を支配した領域国家という解釈は後退しつつある。また確かにモチェは、階層社会ではあったが、マヤのような王の存在を示す証拠は少ない。モチェの壁画には、祭祀を司るエリートの姿こそあれ、古典期のマヤの石碑に表現されるような特定の支配者の姿は見当たらないのである。

とくに都市については少し説明が必要である。考古学では、国家同様に、都市の定義は難しい。近年では、(一)多様な職業、階層や地位を持つ者の共存、(二)多様な政治、経済、宗教に係る建物、(三)住居、非住居構造の密集、(四)特殊かつ中心的な建物、(五)中心部から周辺部への建物規模の減少、(六)祭祀や行政などの施設の集中、(七)建物や施設の計画的配置、といった要素のいずれかに注目し、論じることが提案されている(Marcus and Sabloff 2008: 13)。メソアメリカなら、いずれのケースでも都市として論じることができそうだ。

一方で、アンデス考古学の場合、都市についての議論はあまり活発ではなかった。たとえば、モチェ後期のガリンド遺跡[**図2**]は、後段で説明するワリの都市計画を想起させるような特徴を持っているため、本稿でも都市であると記した。しかし、考えてみれば、これは周壁を持つような西アジア的な都市を前提とした議論であり、ピラミッドや広場を核にできあがるマヤのような都市を想定しているわけではない。その意味で、改めてアンデスを眺めると、パンパ・グランデ遺跡はマヤの都市構造とよく似ているし、形成期のチャビン・デ・ワンタルでさえ、周囲にかなり広い住居跡をかかえている点で都市の萌芽が認められる。いずれにしても地方発展期のアンデスでは、国家や都市は、限られた地域に現れ、また王の姿は見えてこない。

アンデスの本格的都市——ティワナクとワリ

地方発展期が終わると、アンデスでは都市化現象が広がる。これはメソアメリカの古典期後期にあたる。まずティワナクをとりあげよう［図9］。ボリビアとペルーにまたがるティティカカ湖の東南、海抜三八五〇メートルの平原に同名の遺跡がある。ティワナクは、ここを拠点に、ペルー南部からボリビアやチリ北部に至る範囲を影響下に置いた。大規模な建築活動が始まるのは後二五〇年頃であり、後五〇〇年頃からは各地に進出していった(Janusek 2008: 104)。

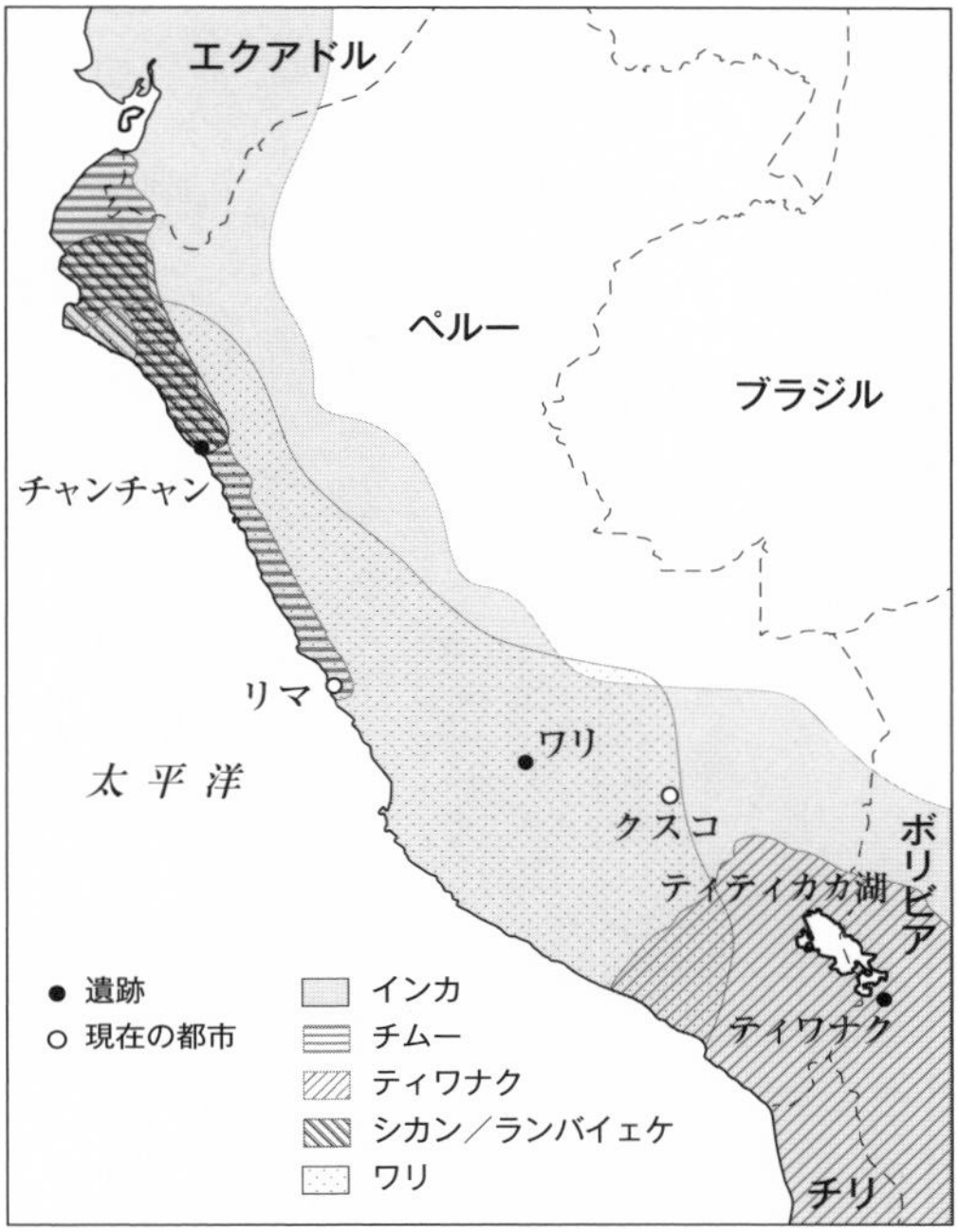

図9　アンデスのワリ期(ティワナクを含む)・地方王国期・インカ期の遺跡と文化の範囲

ティワナク遺跡は、およそ四平方キロの広がりを持ち、周囲には堀が巡っている。ティワナク最古の建造物である半地下式広場の内壁には、ほぞ付きの頭像がはめ込まれ、広場の中央には、神的存在を象った石像が立つ(Janusek 2008: 107-144)。ほぞ付き頭像の表現は多様で、支配下の民族を示すといわれる。半地下式広場の西には、石壁で囲まれた巨大なカラササヤ神殿があり、石像や「太陽の門」と呼ばれる石彫が据えられた。カラササヤは太陽の運行を観測した場所とされる。カラササヤの南には、ティワナク最大の建造物であるアカパナがそびえ、頂上部に半地下式の広場が築かれた。

ティワナク遺跡が位置するティティカカ盆地では、これより規模が小さい二次、三次のセンターが確認されており、社会の階層化もうかがわれる。こうした社会を支えたのは、ジャガイモなどの高地性根菜類の栽培であった。これに関してティティカカ湖岸では、畝の間に水を張る集約的農法「レイズド・フィールド」が採用されていたという説があるが、その生産力については不明な点が多いため、過大評価を避ける傾向にある(Janusek 2008: 186)。

また高地での飼育に適したラクダ科動物は、毛を織物に利用したほか、駄獣としても使われた。実際に、銅鉱石を産出するチリのアタカマ地方との遠距離交易でも、ラクダ科動物が活躍したと考えられる(Janusek 2008: 237-240)。さらに太平洋岸のモケグア川中流域の遺跡では、ティワナク様式の土器や織物ばかりか、半地下式広場や石彫も見つかっている。ティワナクが飛び地経営を行い、儀礼用の酒チチャの材料であるトウモロコシの栽培に従事した可能性が指摘される(Janusek 2008: 229-236)。

このように中核地での階層的支配体制の確立、遠距離交易の統御、飛び地経営、石彫や土器に描かれる超自然的存在の共通性からすれば、ティワナクを国家と考えてもよかろう。また中核部に祭祀建造物が集中し、その周辺に居住空間を抱えている点で、メソアメリカの都市国家にも近い。違いがあるとすれば、高地に拠点都市が築かれている点であり、高地適応が発達したアンデスならではの国家なのである。ただし、依然として王の存在ははっきりとしない。やがて後一〇〇〇年頃に、乾燥化などの気候変動を機にティワナクは衰退する。

ティワナクが最盛期を迎えた頃、ペルー南部ではワリ文化が成立した。ワリ文化の中心地は、名前のもととなったワリ遺跡である。ペルー南高地のアヤクチョ州の同名の州都より北に二五キロメートルほど離れた場所に位置する。

中核地域はおよそ三〇〇ヘクタール、一般の住居を含めると、一五〇〇ヘクタールにも及ぶ。

ワリは都市遺跡といわれ、その始まりは後六〇〇年頃に遡る。ティワナクを思い起こさせるような方形半地下式広場や、大きな平石を用いた壁や墓が確認されている。墓からは、遠隔地からの交易品が出土しており、エリートの存在が示唆される(Benavides 1991)。

後六五〇年頃、これらの建物が埋められ、高い壁で囲まれた都市的空間が誕生する(Isbell 1991)。内部には通路が設けられ、方形の中庭とそれを囲む部屋を一単位とする細胞状構造物や多層の建物も登場する。このワリが突如機能を停止するのは後八〇〇年頃のことである。

ワリ文化は、アンデス全域に影響を与えた[**図9**]。ことに地方のワリ関連遺跡では、地方文化の様式とともにワリ様式の土器や建物が確認されているため、ワリは帝国であったとする論が根強い。しかし地方政体がワリを利用したにすぎないという主張もあり、ワリの支配体制については不明な点が多い。いずれにせよ、ティワナクとワリは、アンデスの広い範囲を影響下においた初めての政体であり、とくにワリを帝国と捉えるならば、その政治体制はインカ帝国を彷彿とさせる。

八、アンデスにおける帝国の誕生

北海岸の王国――ランバイェケとチムー

ワリやティワナクが衰退すると、地方王国期を迎える。とくに河川の流域面積が広い北海岸では、灌漑に基づく大規模な農業を基盤に、後七〇〇年頃にシカン、あるいはランバイェケと呼ばれる国家が誕生する[**図9**](Shimada 1990)。最盛期は、後九〇〇―後一〇〇〇年で、ラ・レチェ川下流域に巨大な神殿や墓がいくつも築かれた。土器などに描かれる神的存在は様式化され、一神教的な宗教の存在が示唆される。

シカンは金属製作に長《た》け、砒素青銅製品は、遠くエクアドルにも輸出された。このほか、ウミギクガイ、イモガイ、紫水晶、方ソーダ石などもエリートの墓より出土していることから、支配者が遠距離交易を統御していたことがうかがわれる。シカンの衰退は、気候変動と関連しているといわれるが、一四世紀の末頃にチムー王国に併合される。

チムー王国は、かつてモチェ王国が栄えたモチェ谷を中心に、南北一三〇〇キロにわたる広大な地域を影響下に置き、インカ帝国に次ぐ規模を誇った。首都チャン・チャンは、モチェ川河口に位置し、面積は二〇平方キロにも及ぶ(Moseley and Day 1982)。まさに都市であり、工人や労働者階級の家屋から貴族や役人の住居、そして「シウダデーラ」(小都市の意)と呼ばれる王宮が築かれた(関 二〇二一:図95)。「シウダデーラ」には、広場、行政用のオフィスである「アウディエンシア」(植民地期の聴訴院から連想された呼称)、倉庫の他、しばしば王墓も配置された。「シウダデーラ」は複数存在することから、各代の王が築いたと思われる。

チャン・チャンには、織物や工芸品の工房があり、製品はシウダデーラ内の倉庫に納められた(関 二〇二一:二四四頁)。最盛期には、チャン・チャンの人口は二万五〇〇〇人を超え、そのうち一万人が工芸職人であったともいわれる。またリャマ隊商の宿営地も認められ、ラクダ科動物の毛や鉱物が集結したことがうかがわれる。

チャン・チャンの経済を支えたのは、後背地での農業と沿岸の漁労であった。とくに農業に関しては、大規模な灌漑事業が営まれ、収穫物は、いったんチャン・チャンの倉庫に納められた後、改めて各村落に配布されたと考えられる(関 二〇二一:二四四―二四八頁)。

チムー王国の地方支配については、直接的支配を行う地域と、在地の有力者に統治を委託する地域とが並存しており、多様性が見られた(関 二〇二一:二五一―二五五頁)。いずれにしても、チムーは、経済的基盤がしっかりとした領域国家であり、王も存在した。だが、北海岸で覇権を誇ったチムー王国も、一五世紀後半にはインカに滅ぼされてしまう。

インカ帝国の成立

インカ帝国は、スペイン人が到来した当時、地球上最大の帝国であった。北はエクアドル北部、南はチリ中部、東はアルゼンチン北西部までの広大な土地を版図に収めた［図9］。帝国は四分割されたばかりでなく、都クスコもインカの世界観を体現すべく四分割された。

インカは、太陽神を国家宗教の中核に据えたが、同時に月、雷、地母神などもあがめた(D'Altoroy 2002: 141-176)。こうしたインカの神々のパンテオンとして、クスコにはコリカンチャ神殿(太陽の神殿)が築かれ、さらに歴代王の王宮のほか、広場も設けられた。広場の中央にはウシュヌ(聖なる石)が据えられ、天と地上、そして地下界を結びつける儀礼を王自身が行ったという。マヤの神聖王の行動に似ている。インカの重要な地方センターには広場とウシュヌが必ず備えられ、儀礼を通じて、クスコと地方は結びつけられていた。

このほか、インカ王に仕え、機織りやトウモロコシ酒チチャの醸造に従事したアクリャ(選ばれた処女)がこもるアクリャワシが建てられた(D'Altoroy 2002: 189-190)。アクリャは、家臣や地方首長に下賜され、主従関係、同盟関係の強化を担うこともあった。

インカ帝国では、王の生活を支える食糧をわざわざ地方からクスコに運び込むことはなかった。王と王に仕える親族集団の生活は、王の私有地からあがる物資で支えられていたという。この仕組みは王の死後も続いたため、次の王は別の王宮を建て、私有地を持つ必要があった(D'Altoroy 2002: 127-140)。

また地方支配においては、情報網、交通網の整備は必須であった。このため、総延長四万キロにも達するインカ道が整備された(D'Altoroy 2002: 242-246)。重要な地域には地方センターを築いたばかりでなく、タンプ(宿駅)を設け、軍の遠征や高官の旅に利用した。こうしたインカ道を走る飛脚によってクスコや地方センターに運ばれる情報もあった。

情報には、キープ(結縄)によって伝えられたものもある。キープは文字ではなく、縄に数字を示す結び目を作り、縄の色や結び目の位置で数や意味を伝えた装置である(D'Altoroy 2002: 15-19)。これより、鉱物、織物、作物、家畜などの管理が可能になり、徴税にも役立った。なおキープの解読は、専門集団によって専有されていた。

通常、国家経営に関わる膨大な費用を捻出するため、税を徴収することが多い。インカの場合、支配地を、太陽神、インカ、農民共同体の三つに分け、人々は太陽神とインカの土地を耕し、労働という形で税を納めた(D'Altoroy 2002: 263-286)。このほか賦役もあり、道の整備など土木工事や、飛脚に労働力が徴発された。しかし納税には、かならず見返りがあった。納税労働の結果生じる作物や織物は地元の貯蔵施設に保管され、飢饉の際には共同体に分配され、賦役労働に際して催される宴会で分配、消費された。いわば再分配制度であり、互酬性の原理が働いていたことになる。一方で、富や権力と結びつく奢侈品やその原材料は、クスコに直接送られ、王や貴族が利用した。このようにインカは中央集権的支配ではなく、間接的支配を組み入れた帝国システムを選択したのである。

インカ帝国は、一五三二年、フランシスコ・ピサロ率いるわずか一六〇名あまりのスペイン人との数時間の戦いにより、あっけなく崩壊してしまう。

九、メソアメリカの領域国家——都市と同盟

後古典期のマヤ社会

マヤの後古典期は、前期(後九〇〇/一〇〇〇—後一二〇〇年)と後期(後一二〇〇—後一五二一年)に分けられる。古典期

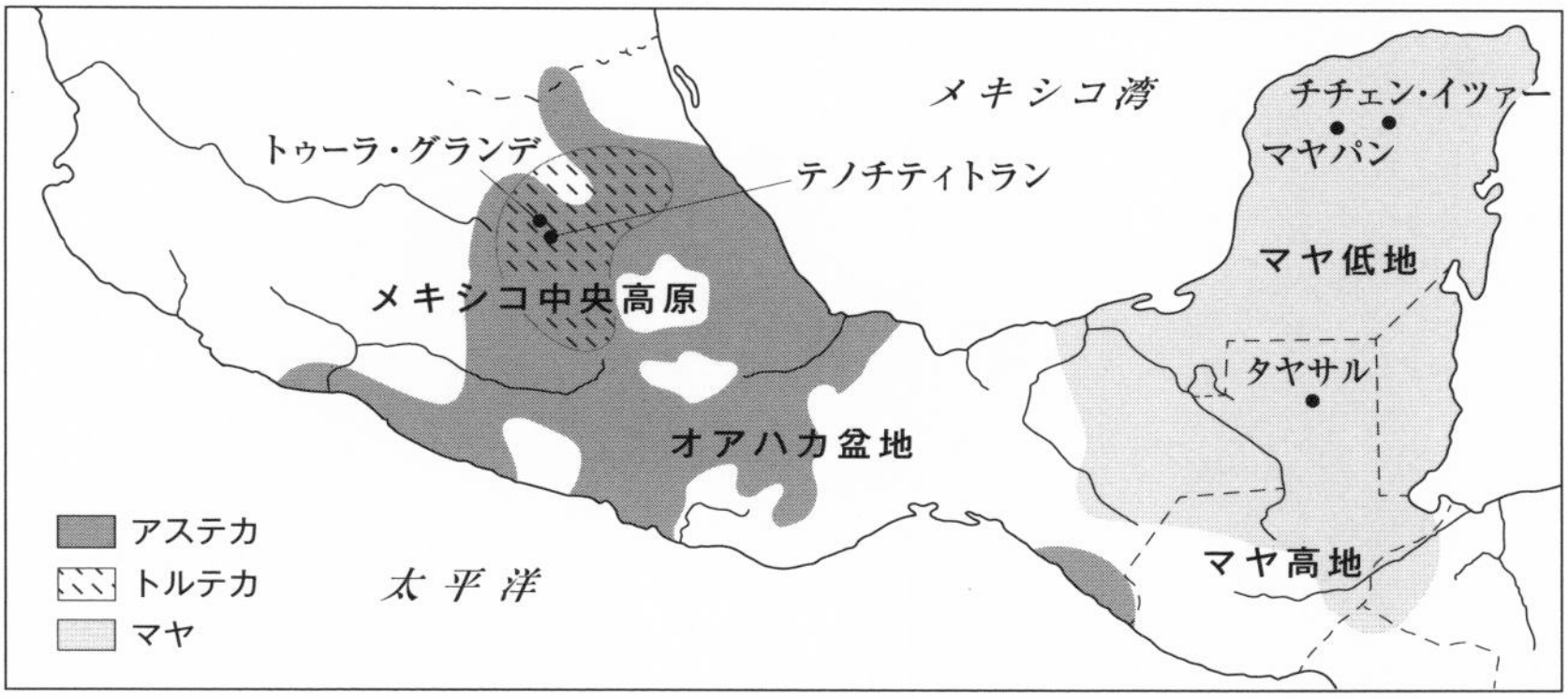

図10　後古典期のメソアメリカの遺跡と文化の範囲(Coe 1994: fig 125を参照)

に勢力を誇ったマヤ低地南部の王朝は次々と崩壊し、代わって、チチェン・イツァーなど、マヤ低地北部の都市が力を持つようになる[**図10**]。

後古典期後期になると、ユカタン半島のマヤパンが大都市へと成長した(Ringle and Bey III 2012)。確かに、古典期マヤのような華麗な建築は影を潜めるが、マヤパンのような都市では、遠距離交易が盛んに行われ、商人も活躍した。その意味で決して退廃期とはいえない。とはいえ、古典期の壮麗な国家祭祀は廃れ、世帯ごとの小規模な祭祀が中心になった。

やがてマヤパンが力を失い、都市間の抗争が激しくなる。ちょうどその頃に、スペイン人が到来する。ただ、後述するアステカ王国のように、マヤは、すぐに征服されたわけではない。激しい抵抗の末、マヤ最後の都市タヤサルが滅ぼされるのは一六九七年のことである。

トルテカ王国

メキシコ中央高原では、テオティワカンの衰退後、外部から人々が流入し、多くの都市が建設された。メキシコ北部を起源とするトルテカ人は、トゥーラ盆地に拠点を構え、トルテカ王国を建設し、後古典期前期に最盛期を迎えた(Lopéz Austin and Lopéz Luján 2001: 194-199)。都としたトゥーラ・グランデには多くの建造物が築かれ、とくにピラミッドBと呼ばれる建物の壁面はイヌ科やネコ科の動物やワシの彫刻で飾られ、頂上部には、高さ四・六メートルのトルテカ戦士をモチーフにした石像状の柱が据えられた(青山 二〇一三：図77)。

トゥーラ・グランデからは、メキシコ西部産の黒曜石、太平洋やメキシコ湾岸産の貝類のほか、遠くグアテマラ高地産の翡翠やマヤ低地の土器、さらには中央アメリカ南部産の土器などが出土しており、広範囲にわたる交易のネットワークが構築されていたことがわかる。

かつてトルテカはメキシコ高原全域にわたって覇権を広げた帝国とされたこともあったが、近年では、直接支配した範囲は比較的狭かったと考えられている[図10]。

アステカ王国

メキシコ高原では都市国家が林立し、闘争が繰り返された。この中で北方系のメシーカ人が興した国がアステカである。テノチティトラン、テスココ、トラコパンの三都市同盟によって成立した王国であり、都は、後に消滅するテスココ湖上のテノチティトランに置かれた(Lopéz Austin and Lopéz Luján 2001: 203-248)。現在のメキシコ・シティである。

移住当時は、権勢を誇っていた都市アスカポツァルコの傭兵としての地位に甘んじていたが、次第に力をつけ、王を載くようになる。やがてく第四代のイツコアトル王の時代、テスココやトラコパンと組み、アスカポツァルコを破ったといわれる。その後、この三都市同盟からなるアステカ王国は、領土を拡大し、ベラクルス州北部から、グアテマラ太平洋岸に至る広大な領域を支配下に置くまでになった[図10](井上 二〇二二：一五四―一六九頁)。ただし、征服がかなわなかった地域や国もあり、その中の一つであるトラスカラ王国とは、人身供犠用の人質を得るための「花の戦争」(儀礼的戦争)を行ったとされる。

アステカでも地方統治にあたり、徴税を重視した。インカとは異なり物資目当ての徴税であり、これこそが、アステカの領土拡大の目的であったともいわれる(Smith and Sergheraert 2012: 454-455)。徴税吏は定期的に税を取り立て、その内容は台帳に記載された。また専門の商人も存在し、貴族並みの待遇を受けたと言われる。

さらに治水対策も行われ、テスココ湖に堤防が築かれた。このほか、湖水環境をうまく利用したチナンパ農法も開発された(Scarborough 2012: 544-545)。これは、湖畔において、湖底に沈む有機分の豊かな土壌をすくい上げ、地上に畝を作る集約農法の一つである。テノチティトランで増え続ける人口を養う上で重要な技術革新であったと考えられる。

このほか、祭祀にも大きな力が注がれた。テノチティトランの中心には、大神殿(通称テンプロ・マヨール)が築かれ(青山 二〇一三:図94)、太陽と戦いの神であるウィツィロポチトリと雨の神トラロックがまつられた。こうした神殿では、王の即位や神殿の落成時、あるいは三六五日暦や二六〇日暦の重要な日などに儀礼が執り行われたようだ(青山 二〇〇七:三二七頁)。その際、王は、マヤの王のように放血儀礼を行い、自らの肉体を犠牲にした。また、太陽の正常な運行には人間の心臓を大量に捧げる必要があると信じられていたため、人身供犠を行ったことも知られる。繁栄を誇ったアステカ王国も、一五二一年、エルナン・コルテス率いるスペイン人によって滅ぼされる。

このように、古代文明の最後には、アンデスでは領域国家や帝国、メソアメリカでは、都市国家の林立(マヤ)や都市同盟型国家(アステカ)が見られたのである。

一〇、アメリカ大陸の古代文明の特質——世界観の体現化

最後に、アメリカ大陸の古代文明を総括したい。自然環境の説明からもわかるように、アンデスにしろ、メソアメリカにしろ、旧大陸の古代文明で基礎条件としてあげられる大河は認められない。灌漑が農業生産性を高め、文明形

成につながるという、古くはウィットフォーゲルが唱えたような理論はあてはまらないのである(Wittfogel 1957)。経済面以上に目立つのは祭祀への投資である。たとえば国家が登場する前夜の両地域では、祭祀目的の大型公共建造物が築かれている。しかもアンデスとマヤでは、余剰生産物の備蓄の証拠はなく、公共建造物は自発的な協同労働を基礎に築かれたと推測されている。かつてメソポタミア文明で論じられたような、経済基盤重視の文明論では説明がつかない。もっとも、この点は、近年シリアのギョベックリ・テペ遺跡で、狩猟採集民によって築かれた公共建造物が発見されたことからもわかるように、旧大陸の古代文明でも再検討の対象となっている(Schmidt 2012)。

いずれにしても、アメリカ大陸の古代文明では、祭祀に基づく社会統合が基礎にあり、王、都市、国家が出現しても基本的にはこの原理が堅持された。都市や国家の中心は、宮殿よりも祭祀建造物であるし、王、モチェのエリート、あるいはマヤやアステカの王にしても、祭祀にあたっては、自らの身体を犠牲にすることが求められた。財だけを蓄えていくような王の姿を描くことはできないのである。その意味で、旧大陸の古代文明において重要だった鉄器や車といった経済活動に関わるような道具よりも、祭祀に関わる用具や原材料の入手に執着し、交換網が発達した点は理解できる。もちろんアンデスの灌漑水路、段畑、レイズド・フィールド、メソアメリカのチナンパ農法などの技術発展が、急増する人口への対策であった点は否定しないが、生産される農作物(とくにトウモロコシ)は、アンデスの場合、国家儀礼に必須な酒の材料として使われ、食糧として消費する場合でも、支配-非支配関係の強化目的の席で振る舞われた。またその互酬的関係は、霊的存在と人間との間にも成立した。奉納に応えず、人間に恩恵をもたらさない霊的存在は、信仰の対象から外されることもあり、祭祀と生産経済とは密接な関係にあった。

軍事面では、アンデスでもメソアメリカでも、文明の後半に入ると、大規模な戦争が実践されたことを示す証拠が増える。しかし、モチェのエリート間の儀礼的戦争や、王をはじめとするエリートの戦いと言われるマヤ古典期の戦争、あるいはアステカの「花の戦争」など、経済権益を求めて行う領土拡張的な戦争と性格を異にする事例も見受けられる。さらにはインカ帝国でさえ、軍事行動自体が、敵対集団の崇拝対象の獲得であった可能性も指摘されている(渡部 二〇二二：二一〇頁)。結局、アンデスもメソアメリカも祭祀や世界観の具現化を求めた行動が底流にあり、その結果、公共的建造物が生まれ、人々が集合すれば都市になり、祭祀の精緻化に伴って階層構造ができあがったように思える。ここには、経済一辺倒の文明論では推し量ることのできない、人間の創造性の一端が示されている。

ただし、筆者は、アメリカ大陸の古代文明の独自性を強調しすぎることには躊躇する。というのも、旧大陸の古代文明と接触がなかったとはいえ、類似性も存在するからだ。それらが人間の普遍的行動や認知機能につながる現象なのかどうか、文化相対主義を超えて真剣に問うべき課題と考えている。また、旧大陸の古代文明とて、アメリカ大陸の古代文明の視点から見直せば、従来とは異なる側面が見いだせる可能性もある。いずれにしても、アメリカ大陸の古代文明から学ぶことは多い。

参考文献

青山和夫(二〇〇七)『古代メソアメリカ文明――マヤ・テオティワカン・アステカ』講談社選書メチエ。

青山和夫(二〇一三)『古代マヤ 石器の都市文明』(増補版)、京都大学学術出版会。

青山和夫(二〇一九)「マヤ文明の起源と盛衰――グアテマラ、セイバル遺跡の石器研究を通して」青山和夫・米延仁志・坂井正人・鈴木紀編『古代アメリカの比較文明論――メソアメリカとアンデスの過去から現代まで』京都大学学術出版会。

井上幸孝編(二〇一四)『メソアメリカを知るための58章』明石書店。

井上幸孝(二〇二一)「アステカ文化」伊藤伸幸監修、嘉幡茂・村上達也編『メソアメリカ文明ゼミナール』勉誠出版。

坂井正人(二〇一九)「ナスカ台地の地上絵――ナスカ早期からインカ期までの展開」青山和夫・米延仁志・坂井正人・鈴木紀編『古代アメリカの比較文明論――メソアメリカとアンデスの過去から現代まで』京都大学学術出版会。

チャイルド、ゴードン(一九五一)『文明の起源』上・下、ねず・まさし訳、岩波新書。

関雄二(二〇二一)『アンデスの考古学』(新版)、同成社。

村上達也・嘉幡茂(二〇二一)「メキシコ中央高原文化――テオティワカンからトルテカ」伊藤伸幸監修、嘉幡茂・村上達也編『メソアメリカ文明ゼミナール』勉誠出版。

渡部森哉(二〇二一)「戦争と儀礼――古代アンデスの事例」『年報人類学研究』一二。

Bawden, Garth (1997), *The Moche*, Cambridge, Blackwell Publishers.

Benavides, Mario C. (1991), "Cheqo Wasi, Huari", W. H. Isbell and G. F. McEwan (eds.), *Huari Administrative Structure: Prehistoric Monumental Architecture and State Government*, Washington D. C., Dumbarton Oaks Research Library and Collection.

Bourget, Steve (2001), "Rituals of Sacrifice: Its Practice at Huaca de la Luna and its Representation in Moche Iconography", J. Pillsbury (ed.), *Moche Art and Archaeology in Ancient Peru*, Washington, National Gallery of Art.

Chapdelaine, Claude (2001), "The Growing Power of a Moche Urban Class", J. Pillsbury (ed.), *Moche Art and Archaeology in Ancient Peru*, Washington D. C., National Gallery of Art.

Coe, Michael D. (1994), *Mexico from the Olmecs to the Aztecs*, London, Thames and Hudson.

Coe, Michael D., Dean Snow and Elizabeth Benson (1986), *Atlas of Ancient America*, New York, Facts on File.

D'Altroy, Terence (2002), *The Incas*, Malden, Blackwell Publishers.

Donnan, Christopher (2001), "Moche Creramic Portraits", J. Pillsbury (ed.), *Moche Art and Archaeology in Ancient Peru*, Washington D. C., National Gallery of Art.

Flannery, Kent V. (1972), "The Cultural Evolution of Civilization", *Annual Review of Ecology and Systematics*, 3.

Hansen, Richard D. (1990), *Excavations in the Tigre Complex, El Mirador, Petén, Guatemala* (Papers of the New World Archaeological Foundation, 62), Provo, Bringham Young Unversity.

Inomata, Takeshi, Daniela Triadan, Verónica A. Vázquez López, Juan Carlos Fernandez-Diaz, Takayuki Omori, María Belén Méndez Bauer, Melina García Hernández, Timothy Beach, Clarissa Cagnato, Kazuo Aoyama and Hiroo Nasu (2020), "Monumental Architecture at Aguada Fénix and the Rise of Maya Civilization", *Nature*, 582.

Isbell, William H. (1991), "Huari Administration and the Orthogonal Cellular Architecture Horizon", W. H. Isbell and G. F. McEwan (eds.),

Huari Administrative Structure: Prehistoric Monumental Architecture and State Government, Washington D. C., Dumbarton Oaks Research Library and Collection.

Izumi, Seiichi and Kazuo Terada (eds.) (1972), *Andes 4: Excavation at Kotosh, Peru, 1963 and 1966*, Tokyo, University of Tokyo Press.

Johnson, Allen W. and Timothy Earle (2000), *The Evolution of Human Societies: From Foraging Group to Agrarian State*, Stanford: Stanford University Press.

Janusek, John W. (2008), *Ancient Tiwanaku*, New York, Cambridge University Press.

Kirchhoff, Paul (1943), "Mesoamérica: Sus límites geográficos, composición étnica y caracteres culturales", *Acta Americana*, 1.

López Austin, Alfred and Leonardo López Luján (2001), *Mexico's Indigenous Past*, translated by B. R. Ortiz de Montellano, Norman, University Okalahoma Press.

Marcus, Joyce and Gary M. Feinman (1998), "Introduction", G. M. Feinman and J. Marcus (eds.), *Archaic States*, Santa Fe, School of American Research Press.

Marcus, Joyce and Kent V. Flannery (1996), *Zapotec Civilization: How Urban Society Evolved in Mexico's Oaxaca Valley*, London, Thames and Hudson.

Marcus, Joyce and Jeremy A. Sabloff (2008), J. Marcus and J. Sabloff (eds.), *The Ancient City: New Perspectives on Urbanism in the Old and New World*, Santa Fe, A School for Advanced Research Resident Scholar Book.

Moseley, Michael E. and Kent C. Day (eds.) (1982), *Chan Chan*: Andean Desert City, Albuquerque, University of New Mexico Press.

Piperno, Dolores R. and Deborah M. Pearsall (1998), *The Origins of Agriculture in the Lowland Neotropics*, San Diego, Academic Press.

Pool, Christopher A. (2007), *Olmec Archaelogy and Early Mesoamerica*, Cambridge, Cambridge University Press.

Quilter, Jeffrey (1989), *Life and Death at Paloma, Society and Mortuary Practices in a Preceramic Village*, Iowa City, University of Iowa Press.

Rick, John W. (2005), "The Evolution of Authority and Power at Chavín de Huántar, Peru", K. J. Vaughn, D. Ogburn and C. A. Conlee (eds.), *Foundation of Power in the Prehispanic Andes* (Number 14 of the Archaeological Papers of the American Anthropological Association), Washington D. C., American Anthropological Association.

Ringle, William M. and George J. Bey III (2012), "The Late Classic to Postclassic Transition among the Maya of Northern Yukatán", D. L.

Nichols and C. A. Pool (eds.), *The Oxford Handbook of Mesoamerican Archaeology*, New York, Oxford University Press.

Scarborough, Vernon L. (2012), "Agricultural Land Use and Intentisification", D. L. Nichols and C. A. Pool (eds.), *The Oxford Handbook of Mesoamerican Archaeology*, New York, Oxford University Press.

Schele, Linada and David Freidel (1990), *A Forest of Kings: The Untold Story of the Ancient Maya*, New York, William Morrow and Company Inc.

Schmidt, Klaus (2011), "Göbekli Tepe: A Neolithic Site in Southeastern Anatolia", S. R. Steadman and G. McMahon (eds.), *The Oxford Handbook of Ancient Anatolia: 10,000–323 B. C. E.*, New York, Oxford University Press.

Shady, Ruth (2014), "La civilización Caral: Paisaje cultural y sistema social", Y. Seki (ed.), *El centro ceremonial andino: Nuevas perspectivas para los períodos Arcaico y Formativo* (Senri Ethnological Studies 89), Osaka, National Museum of Ethnology.

Silverman, Helaine and Donald A. Proulx (2002), *The Nazca*, Malden, Blackwell Publishers.

Shimada, Izumi (1990), "Cultural Continuities and Discontinuities on the Northern North Coast of Peru, Middle-Late Horizons", M. E. Moseley and A. Cordy-Collins (eds.), *The Northern Dynasties: Kingship and Statecraft in Chimor*, Washington D. C., Dumbarton Oaks Research Library and Collection.

Smith, Earle C. (1980), "Plant Remains from Guitarrero Cave", T. F. Lynch (ed.), *Guitarrero Cave: Early Man in the Andes*, New York, Academic Press.

Smith, Michael E. and Maëlle Sergheraert (2012), "The Aztec Emire", D. L. Nichols and C. A. Pool (eds.), *The Oxford Handbook of Mesoamerican Archaeology*, New York, Oxford University Press.

Sugiyama, Saburo (2012), "Ideology, Polity, and Social History of the Teotihuacan State", D. L. Nichols and C. A. Pool (eds.), *Mesoamerican Archaeology*, New York, Oxford University Press.

Sugiyama, Saburo and Leonardo López L. (2007), "Dedicatory Burial/Offering Complexes at the Moon Pyramid, Teotihuacan: A Preliminary Report of 1998–2004 Explorations", *Ancient Mesoamerica*, 18–1.

Wheeler, Jean C. (1984), "On the Origin and Early Development of Camelid Pastoralism in the Andes", J. Clutton-Brock and C. Grigson (eds.), *Early Herders and their Flocks* (BAR International Series vol. 202, Animals and Archaeology vol. 3), Oxford, BAR.

Wittfogel, Karl A. (1957), *Oriental Despotism: A Comparative Study of Total Power*, New York, Yale University Press.

問題群｜*Inquiry*

マヤ人から見たスペインによる征服と植民地支配

大越　翼

一、はじめに

一四九二年以来、スペインが植民地経営をしていたカリブ海地域の先住民人口は激減し、植民地を支える労働力の不足は明白になった。そこで、一五一七年、フランシスコ・エルナンデス・デ・コルドバはキューバ島を出港して奴隷狩りに遠征を試み、ユカタン半島に到達して、そこにカリブ海の先住民社会とは比較にならない、高度な文明が栄えていることを知った。それはマヤ人たちが紀元前から営んできた文明で、カリブ海地域の先住民文化にはなかった、石造りのピラミッド神殿や宮殿を持っていたのである。人口も多く、先住民は武器を持ってスペイン人らと戦い、その時に受けた傷がもとで、コルドバはキューバに帰って死ぬ。翌年、ファン・デ・グリハルバはユカタン半島東海岸にあるトゥルム遺跡の沖合を航行した際に、海に面した白亜の神殿を驚きとともに眺め、本国のセビリアに勝るとも劣らぬものだと書き残している。

スペイン人が最初に接触したマヤ文明は、現在のメキシコ合衆国南東部、グアテマラ共和国、ベリーズ、ホンジュラス共和国西部、エル・サルバドール共和国西部にまたがる広大な地域［**図1**］に紀元前一〇〇〇年頃から栄え、一六

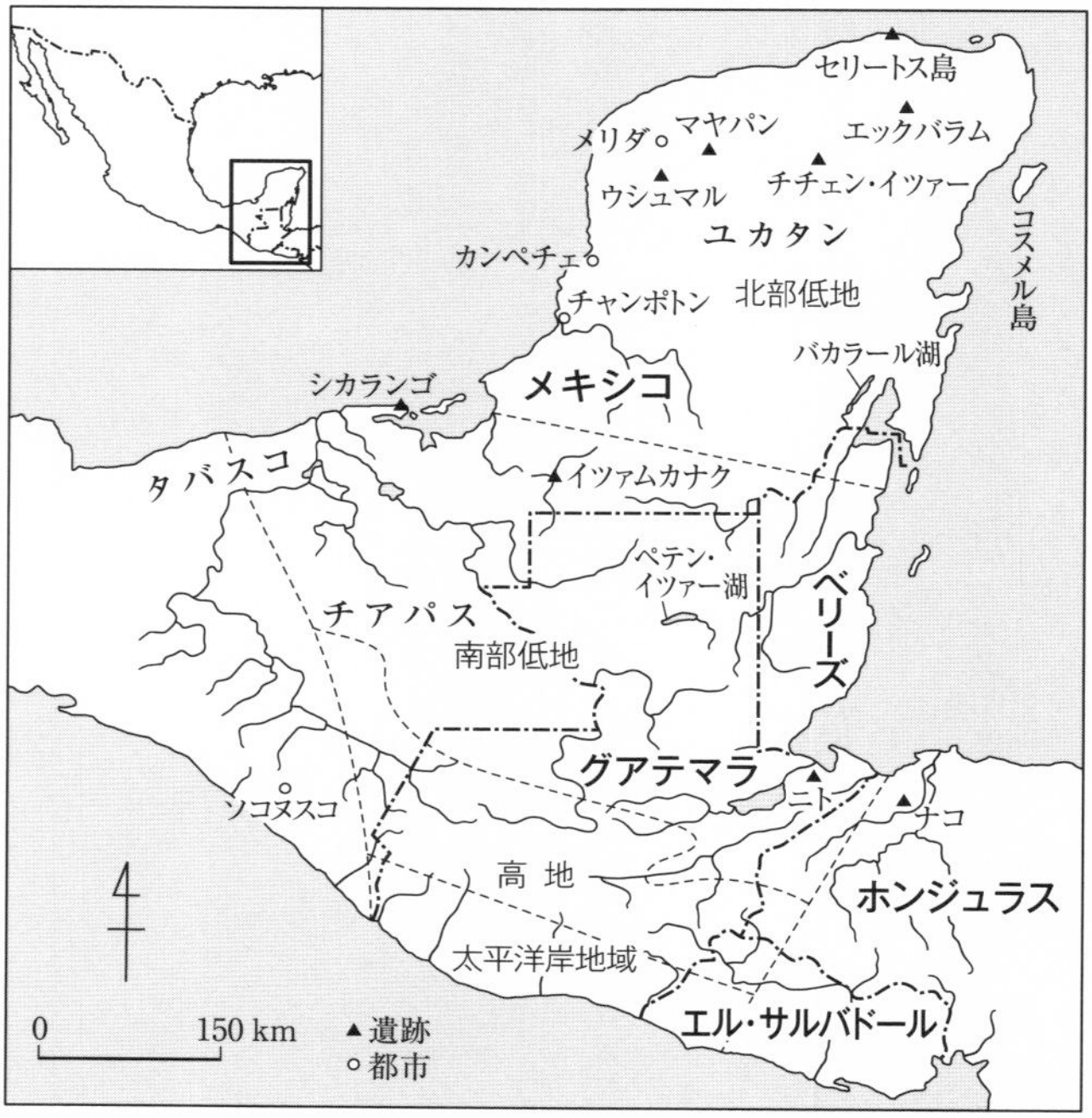

図 1　マヤ地域の地図(大越 2003: 169，図 1 をもとに改変)

世紀にスペイン人によって征服されてその歴史を閉じた。このマヤ文明はアステカ(メシーカ)文明とともにつとに有名だが、広くは一九四三年にパウル・キルヒホフが提唱した「メソアメリカ」と呼ばれる高い文明を持った社会が営まれていた文化領域の南東に位置しており、その誕生以前から、メソアメリカの他の地域に栄えたさまざまな文化と終始密接な関係を維持し発展してきたのだった。

先住民に焦点を当てて

これまでの先住民社会研究の特徴は、スペイン人による征服を境にしてメソアメリカの歴史を二つの時代に分け、植民地時代の先住民社会は、それまでとは異なった、スペイン人とのコンタクトによる文化変容を被った社会だとみなしてきたことにある。しかし、今世紀に入って、これに対する疑念が提出されるようになった。確かに先スペイン期の先住民国家が滅ぼされ、スペイン王国の支配下に置かれて、政治・経済・社会・宗教などさまざまな面で大きく体制が変わったのであるから、これを異なる時代に分ける伝統的な区分は正しいだろう。だが、先住民社会に注目すれば、人口の大多数を占めていた彼らの社会が征服後も存続したことは疑いようもなく、先スペイン期にもあったはずのさまざまな政治的・社会的変化の中で生き延びる術を学び、それを規範として植民地支配体制に柔軟に対応して新しい時代を生き抜いたのではないか。そのような新しい見方をする研究が発表されはじめたのである(Matthew 2012; Matthew and Oudijk 2007; Oudijk and Restall 2008; Restall and Asselbergs 2007)。

そこで本稿では、まず先スペイン期最後の時期、すなわち後古典期後期(一二五〇年頃ースペイン人による征服まで)のマヤ社会がどのような論理に従って営まれていたのかを「マヤ人の視点」を炙り出しながら明らかにする。それから、「スペイン人によるマヤ地域の征服」をたどりつつ、マヤ人たちをはじめとする先住民が、どのようにこの時代を生き、解釈し、これに対応したのかについて述べ、その後先スペイン期の伝統をどのように受け継いで、植民地社会という新しい時間と空間を生きたのかを論じることにする。それは、彼らがそれ以前から営んでいた文化・社会コードをもとに新たな現実を読み解き、解釈し、新しい意味を与えて自分たちのものとしていくという文化的・社会的プロセスの結果でもあったはずなのである。

二、マヤ社会の特質――王権を支えていた対人主義

マヤ地域では、後古典期(九五〇年頃ースペイン人による征服まで)になると北部低地やグアテマラ高地に諸都市が栄え、相互に広範な交易網を維持していた。北部低地ではチチェン・イツァーが一〇世紀頃から最盛期を迎え、ユカタン半島北部海岸にあるセリートス島を通してメソアメリカ各地と交易関係を維持していた(Coggins and Shane III 1984)。

しかし、この都市は一三世紀半ばにマヤパンの攻撃を受けて滅び、チチェン・イツァーに代わってマヤパンが北部低地を支配することになる。後古典期後期の始まりである。史料によれば、この都市は様々な王たちの合議制によっ

て治められていたこと、そのなかでもココム家(Cocom)の力が強かったことが記されている。しかし、一四五〇年ごろ、横暴なココム家の王に対する他の王たちの反乱によってマヤパンは放棄された。その後王たちはそれぞれの領地に王国を創り、その版図の拡充につとめることになる(ランダ 一九八二：二七一―二七九頁)。これらの王国は、カタン・マヤ語でクッチカバル(cuchcabal)と呼ばれた。それぞれはハラチ・ウイニク(halach uinic)の称号を持つ王に治められており、彼が居住する政治・宗教・経済の中心地としての首都(都市)と、その隷下のバタブ(batab)と呼ばれた複数の王が支配する村落群(1)から成っていた。

このハラチ・ウイニクが持つ権力は絶対的なものではなく象徴的な存在で、宗教的権能も有していた。王国の重要な決定は、王の一族をはじめ隷下の王たちの合議体制で行われ、ハラチ・ウイニクが合意事項を口頭で繰り返すことによって正式決定とみなされた。しかし、王の権力が豊かな財政基盤に裏付けられていたわけではないし、広大な領地を所有しているわけでもなかった。王国の領土に関していえば、境界線で弁別された連続した「面」として明確に規定された領土すら持っていなかったのだ。そこで、以下にマヤ社会における権力基盤の基本的概念を論じることにしよう。

人が財産であること

ここに、一五六一年に、マニ王国のシウ家(Xiu)の王がスペイン王室に提出した資産表がある。これによれば、彼の財産は石と漆喰で造られた家、ベッドとマット、鍵の付いた松材の箱、九脚の椅子、そしてテーブルだけであり、小作人や土地財産を持っていたとは一言も述べてない(Quezada 1993: 138)。王やマヤ貴族らが土地を財産として持ってはおらず、かつまた物質的な財に関して平民との間にさほど大きな差がなかったことは、先スペイン期のマヤ社会が、土地不動産を重視するローマ法的土地所有観とは全く異なる原理の上に成立・運営されていたことを意味している。実際、マヤ社会においては働き手を一番多く持っている者が裕福な者と見なされており、それはもちろん、マヤ社会の中で最も多くの人を指揮し働かせることができる王や王族、貴族たちなのであった。別の言葉で言えば、マヤ社会では富は労働力を確保し利用することと密接に関わっていたのであり、王の「財産」すなわち権力基盤は、その支配下にある人々＝労働力の多寡にあったことになる。

これに対して、人口の大多数を占める農民(平民)が融通できる人数は家族を基本としていたのだから、彼らは「貧しい」とみなされた。実際、ユカタン・マヤ語で彼らはメンバ・ウィニク(memba uinic)と呼ばれており、これは「自分自身のために働く人」という意味なのであった(Pérez 1866-1877: 219)。むろんこれを補うために、彼らの間では親族組織の枠を超えた相互扶助システムが機能していたのは言うまでもない(大越 二〇〇三：一七一―一七二頁)。

対人主義と土地所有概念

この「対人主義」に基づく原理は、マヤ社会における土地所有概念とも密接に関わっていた。マヤ地域では、それが高地であれ低地であれ、耕せばすぐに畑《ミルパ》になる土地はまずないと言ってよく、森またはジャングル(熱帯降雨林)の木を切り倒して乾燥させた後それを焼いて肥料とし、二年の連作ののち休閑地として五年から八年ほど畑《ミルパ》を休ませるという、いわゆる焼き畑農耕の手順を踏む必要があった。すなわち、それ相応の人的エネルギーを投下して初めて農業生産が可能になったのである。そしてこの点において、「労働力を確保しそれを利用すること」と「土地所有」とが接点を持つことになる。すなわち、マヤ社会においては、土地は所有しているだけでは全く意味を持たないのであり、財産にすらなり得ないのである。したがって、王族や貴族は土地を所有しておらず、これに価値を生ませる農民を従えていただけだった。実際に土地を所有していたのは農民たちなのであり、それは彼らが畑《ミルパ》を作り、農産物を生産し、維持することによって、その占有・用益権としての所有権を持っているからなのだ。さらにそれは父から

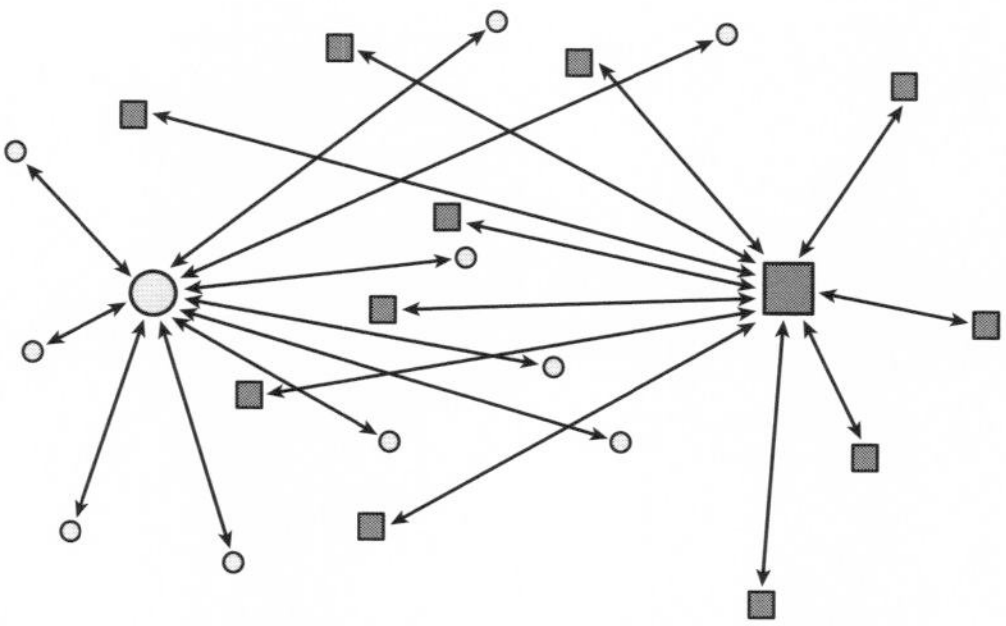

図2　後古典期後期における王国の相互関係模式図

子へと継承されてゆくため相続権もあったのだが、いかなる場合においても土地の処分権は誰も持っていなかった。これをローマ法的に言えば、マヤ社会においては土地に関する「絶対的所有権」は概念として存在せず、したがって行使もされなかったのである。

　この土地所有概念と王権、王国の「領土」とを結びつけるのが、やはり「対人主義」である。すなわち、「誰が自分の臣下で、どこに住んでいるのか」を基本命題とし、「臣下が居住している場所は自分のもの」とみなすのである。この場合、その居所と王のいる首都との距離は全く問題にされないのであって、「あそこに」という漠然とした、ある意味で曖昧な「方向性」のみが問われるのだ。となれば、私たちが歴史地図で見慣れているあの「面としての領土」は、マヤ社会の場合には当てはまらないことになる。主従を政治的、経済的、宗教的、そして親族関係などのさまざまな複雑な要素で結びつけている双務的関係を、線を使って表現するのが最も現実に近いはずだ。かくして、マヤの王の支配圏はあちこちの「飛び地」から成っていたと言ってよく、近隣の王国もそうであったから、**図2**に示されるように、相互に異なった王にお目見えする村落の王が複雑に入り組んだ王国群がマヤ地域に展開していたのである。また、このような形態の王国では、面としての領土を持たない以上、当然境界線は存在していなかったのだ（大越 二〇〇三：一七三―一七四頁）。

王の統治・農民（平民）たち

後古典期後期の王が絶対的な権力を原則的に行使しなかったのは、すでに述べたように合議体制が事実上の最高政策決定機関であったからだが、そのほかに、彼とその家族や貴族らの生活を支える、人口の大多数を占める農民(平民)の意向を無視することができなかったからでもあった。マヤの王にとって、「統治する」行為はメックタン・カフ(mektan cab)という動詞で表され、文字通りには「都市・村落(の人々)を両腕で胸に抱え込むこと」という意味なのである(Acuña 2001: 405)。

これらの農民(平民)たちを集落ごとに取りまとめていたのがアフ・クッチ・カブ(ah cuch cab)という長である。彼らは農民の利益をバタブらに対して代表し、各村落の重臣会議に参加し、農民の利益に反する政策が決定されそうになると拒否権を行使してこれを阻止することができた。したがって、後古典期後期のマヤ社会では各村落の政治が、支配者と被支配者の間で行われるさまざまな「駆け引き、取り引き」の上に成立していたと言っていいだろう。これは最終的にハラチ・ウイニクが統治する王国レベルでも同じであった。バタブはその支配下の人々の意向を汲んでいるから、これをもとにハラチ・ウイニクの決定に影響力を与えることができたのである。

このことは、王権の基盤が磐石なものではなかったことを示している。対人主義に基づいた支配原理の宿命と言っていい。これを安定化させるために、王と農民との間には再分配システムに基づく相互依存関係が構築されていた。まず、農民は王に対して貢納義務があったが、これは物納と奉仕の二つからなっていた。前者はトウモロコシを中心とした農産物、蜂蜜や蜜蠟、綿布などが主であり、共有地の一つで耕作(=奉仕)し、その収穫物で賄われていた。一方別の共有地での収穫は飢饉などの時のために蓄えられ、王や貴族を養うために用いられたが、彼らは農民に「見返り」としてカカオ豆や七面鳥を与えていたのだった。その他に王や貴族の館の建設(古典期であるならばピラミッド神殿や宮殿)、軍役にも駆り出されたが、これらは必ず農閑期に行われ、かつそれに従事している間は王が食事や衣服を提供していた。王は農民から一方的な収奪を行っていたのではなく、農民への還元があり、そしてそれは社会習慣となっていたために農民が負担感、強制感を持たずに貢納義務を果たしていたのである(大越 二〇〇三：一七九―一八〇頁)。

その他にも、王は神々に五穀豊穣の祈りなど、さまざまな儀式を通して人々の生活の安寧《あんねい》を祈っていた。広場などで宗教儀礼を執り行った時には、神々に捧げられた供物は儀式の終了後すべての人々に分け与えていたし、従属村落の間や隣接する王国の村落との間のいざこざを解決するのもまた、王の仕事であった。

しかし、王が必ずしも右に述べたような社会規範を遵守するとは限らない。この場合、農民の怒りを買うばかりか、反乱という実力行使にまで至ることがあり得たのだ。むろん彼らの背後では、その声を代表していたアフ・クッチ・カブが相応の役割を果たしていたことは疑いない。いずれにせよ、農民の声が王権をくつがえすほどの力を持っていたことは、マヤ文明の歴史を考える上で極めて重要である(de la Garza et al. 1983: II: 86; Okoshi 2021: 318-319)。

これとは別に、王の力ではどうにもならず、結果として農民を守ることができない場合もあった。例えばバッタの大量発生、旱魃《かんばつ》による飢饉などの天災がそうである。蓄えてあるトウモロコシなどの食糧の放出は当面では有効であるが、長続きはしない。このような場合、農民は王との双務的関係を簡単に破棄し、自らの家族を守るために居所を後にして、より生活に適した場所に移動するのである。持っていく財産は家族で背中にかつげるくらいのものしかなく、家はジャングルにある材料を使えば四日から五日で作れるという手軽さも、これを容易にしたかもしれない。

また、スペイン人たちが常に記しているのは、彼らと遭遇した時の、先住民の「逃げ足の速さ」であった。スペイン人がやってくるというニュースをいち早く聞きつけたマヤ人たちは、集落を空っぽにして近くのジャングルに身を隠すのである。ほとぼりがさめた頃にまた戻ってくるのだが、スペイン人が居座ったりしていた場合には、そこを放棄して別のところで新たな生活を始めるのが常だった。この融通無碍《ゆうずうむげ》な態度こそ農民の最大の武器であり、力の源泉なのであった。また、ジャングルは私たちのイメージとは裏腹に、彼らにとっては自由で豊かな空間であったことも見逃してはならない事実である(Okoshi 2021: 323)。

王権の正当化

さて、ここで再び王権に話を戻そう。再分配システムは、農民のみが対象ではなかった。隷下の貴族や従属村落の王たちを自分の威光に服させておくためにも必要不可欠であった。先スペイン期のマヤ地域では、遠距離交易は王族が独占していたものであった。彼らがグアテマラやホンジュラスからもたらしたものは、金細工、カカオ、ヒスイ、ウミギク貝で作られた貝珠などであり、威信財として王から主要な臣下に配られたのである。それは、王としての権威、気前の良さを示すものだったが、むろん、これができなくなれば王の権威は失墜し、対人主義に基づいた紐帯は雲散霧消して、人々が彼の元を離れていくことになるのは言うまでもない。

このような政治・経済機構の頂点にいた先スペイン期のマヤの王は同時に優れて宗教的存在でもあり、宇宙論と密接に関わるさまざまな儀式や言説を用いて、自らを神聖な存在に仕立て上げていた。そしてそれは、「出自神話」の形をとって語られていくことになる。これは、神格化された王家の始祖から連綿と途切れることなく保たれてきた血脈を継ぐのが現在の王であり、王位簒奪者ではない、あるべき手順を経て王位に即いた正当な王であることを示すのが目的であった。彼らの出自神話に共通しているのは、そのモデルとして使用された通過儀礼のプロセスである。具体的には「外」それも「遥か彼方」からやって来た貴種であることが示され、それは(冥界への入り口がある)西からであり、そして「架空の死」(象徴的な死)を遂げて冥界に入り、いくつかの「試練」を経て苦しみ、それを抜けるための知恵を試され、東から(日の出とともに)正当な王として地上に生まれ出て「再生」するというプロットから構成されているのであった(Solís Alcalá 1949: 264, 268; ランダ 一九八二:二七一頁)。

一方、反乱や征服を受けたことによって支配王朝が入れ替わった場合には、前王朝の神聖性に言及はするものの、前王朝が犯した「過ち」を否定的な、負のイメージを持たせて詳細に叙述することによって、現王朝の存在理由、正当性を示す方向に言説を導いている(de la Garza et al. 1983: II: 138, 269)。ここでは「混沌」と「秩序」の対比が、その根拠として用いられているのであり、先に述べたような通過儀礼に基づいた、宇宙論的シンボル群をもって王権の起源を説明していない点で、特異だと言わねばならない。

三、スペイン人による征服とマヤ人の対応

後古典期後期のマヤ社会は、それが前節に述べた北部低地であれ、グアテマラ高地であれ、ほぼ同じ特徴を共有していた。そして両地域に栄えていた王国群の間には「派閥意識」があり、スペインによる征服戦が始まった時に、これがスペイン側にも、もちろん先住民側にも大きな影響を及ぼすことになる。そこでは、「スペイン対マヤ人」のような単純な図式が意味をなさないほど、複雑な現実が立ち現れたのである。

ユカタン半島北部低地の征服

ユカタン半島北部低地の征服は、メソアメリカ地域の征服戦の中では最も長い年月がかかったものであった。フランシスコ・デ・モンテホによる征服は一五二七年に始まり、ユカタン半島東海岸から着手された。当初、マヤ人らは彼らを平和裡に迎え、スペイン国王に忠誠を誓うなどし、糧食などを提供することすらしていた。その後モンテホは半島北岸に兵を進めたが、彼らがそう簡単にユカタンの地を去らないと見たマヤ人たちの反撃に遭い、東海岸へ退却せざるを得なくなった。そして一五二八年に、モンテホはそこに小さな要塞を築いて征服活動を続けようとしたものの成果を得られず、かつ大半の兵を失う結果となり、翌年一旦ユカタン半島を放棄して、メキシコ市へ向かった。

ここで、モンテホはエルナン・コルテスの部将として働いていた同じ名の息子と次の征服計画を練り、今度は協働

してユカタン半島の西側、タバスコ地方から北上する形で進軍することとした。兵数は前回よりも遥かに多く、そして少数ではあったが先住民の荷担ぎと協力者を引き連れていた。モンテホ(息子)は、一五三一年、半島西海岸の港町であるカンペチェのマヤを制圧し、ここに橋頭堡を築くと内陸へ進出していった。そしてチチェン・イツァーにスペイン人の町を創設して数カ月留まり周囲に攻撃を仕掛けたが、敵対するマヤ人の数は日増しに多くなり、兵の消耗も激しく、父のいるカンペチェへ退いたのだった。それでも一五三四年までに、北部低地西半分に分布していた王国群を支配下に収めることができたのは、大きな収穫であった。その一つがマニ王国で、これを治めていたシウ家はチチェン・イツァーにいたモンテホに会いに行き、スペイン国王への忠誠を誓ったのだった。これは、シウ家と姻戚関係にあったチェル家(Chel)が治めるアフ・キン・チェル王国の場合でも同じで、彼らはチチェン・イツァーから退却するスペイン軍を迎え入れて、カンペチェまで護衛しつつ送り届けている。だが、他の王国の「平定」は見せかけのものであったことを、後で思い知らされることになる。

翌年モンテホ父子はユカタンを後にし、自分たちの征服戦が思うような結果を得られない理由を検討した。結論として彼らが理解したのは、スペイン軍を支える多数の先住民同盟軍の必要性を考慮しなかった点にあるということだった。実際、これまで新大陸で行われてきた征服戦において、成功の鍵となったのはスペインの軍事力ではなく、常に、彼らとともに戦いかつ兵站を支えてくれる先住民軍の存在なのであった。そこで、モンテホ父子とその部将たちは、ユカタン半島北部低地の征服を再開するために多くの地方から先住民を徴発したのである。[2]

一五四〇年、モンテホの息子が指揮する軍団は、チャンポトン、カンペチェへと進み、ここにユカタン征服の最終段階が始まった。彼はカンペチェに着くや近隣のマヤ王国に使者を送り、スペイン国王に服するよう説得するためにカンペチェに集まるように口上させた。多くの王国がスペイン国王への忠誠を誓い、これを受けて軍を北に向けたモンテホは一五四二年メリダ市を創設して、その後のユカタン支配の都とした。この時、再びマニ王国のシウ家の王がスペイン人を訪ねてきて、贈り物をして国王への忠誠を誓うとともに、キリスト教布教の拠点を首都であるマニに置いてほしい旨を伝えている。

ところが、一五四六年ソトゥタ、クプル、タセス、コチュアフ、チェトゥマルなどの王国が連合して武装蜂起し、二年前に創設されたばかりの町バリャドリーに住んでいたスペイン人を虐殺した。驚いたモンテホは、ただちにメリダから先住民戦士団と救援軍を派遣し、熾烈な戦いの末勝利を得て、これによって北部低地の征服は事実上終了した。

この北部低地の征服は、モンテホ自身が認識していたように、先住民戦士や荷担ぎ用人員なしに成就することは不可能だった。さらには「征服対象」であったはずのマヤ王国の中でも、終始スペイン人に協力した王家があったかと思えば、その態度を状況によって変化させたり、常にスペイン軍に抵抗した王国もあった。このことは、北部低地の気温や湿度の高さ、サバンナ気候に適応した棘の多い樹木に覆われた大地と相まってスペイン軍を常に悩ませ、疲弊させて、征服戦が長期化した要因になったのである。

グアテマラ高地の征服

この地域の征服は一五二四年から、ペドロ・デ・アルバラードの指揮のもとに始められた。スペイン兵は約二五〇人、これにトラスカラ、チョルーラ、ショチミルコ、その他の地域からのナワトル語を話す先住民戦士、オアハカ地方で徴発したミヘやサポテカ人の先住民戦士など、計五〇〇〇―六〇〇〇人を加えた遠征軍(Díaz del Castillo 1977: CLXIV: 174r; Restall and Asselbergs 2007: 8-9)は、キチェー王国でテクン・ウマン率いる軍の頑強な抵抗に遭った。この危機を救ったのが、カクチケル王国の戦士たちだった。彼らはキチェー族とは敵対関係にあり、窮地に陥ったスペイン軍に数千人の戦士を援軍として送ったのだった。

キチェー王国の首都グマルカフが陥落すると、アルバラードはカクチケル王国の首都イシムチェへ軍を進め、それから、カクチケル同盟軍とともにツトゥヒル王国を軍門に降した。このスペイン軍の勝利、キチェー、ツトゥヒル両王国の敗北は、他の王国の王たちを脅かすのに十分で、戦わずしてスペイン国王に忠誠と臣従を誓うべく、スペイン軍の元へやってきた。イシムチェに戻ったアルバラードは、ここにグアテマラ最初の首都、サンティアーゴ・デ・グアテマラを創設した。一五二四年七月二五日のことである。

ところが、かほどにスペイン軍のために貢献したはずのカクチケルの人々にアルバラードは貢納するよう要求し、驚いたカクチケルの王はアルバラードに裏切られたことを、そしてスペイン軍を利用してグアテマラ高地で勢力を伸ばそうという自分の目論見が潰えたことを知った。そこで、カクチケル人はこれまで敵対していたキチェー人とツトゥヒル人に反スペインの共同戦線をはろうと提案したが、これは当然断られた。それればかりかこの二つのグループはカクチケル人憎しのあまり、スペイン軍と同盟してしまい、ほぼ六年の長きにわたってカクチケル人はこのすべてと血みどろの戦いをくり広げることになる。彼らを率いていたのはシナカムという部将で、ゲリラ戦の名人だった。その善戦もむなしく、彼は一五二六年に捕らえられて一時戦いは終結したかに見えた。だが、シナカムにてこずるスペイン軍に愛想を尽かしたキチェー人は、寝返ってカクチケルと同盟し、ここにはじめてグアテマラの二つの王国がスペイン軍に対して手を結んで戦うことになった。けれども一五三〇年、これもペドロ・デ・アルバラードの軍門に降ることになったのである。

イツァー王国の最後

マヤ地域での主だった征服戦は、一六世半ばまでにすべて終了したが、これは全域がスペイン人の支配下に入ったことを意味するものではなかった。かつて古典期文化(二五〇頃−九五〇年頃)が栄えていた南部低地の大半は、後古典期にはさまざまな集落が分布しているのみで、大きな都市、ましてや王国はついにできなかったのだが、ここも手付かずのまま残った。スペイン人はジャングルを嫌うのである。また、ユカタン半島東部の現在のキンタナ・ロー州の領土に匹敵する南北に細長い回廊部も、他の地域よりも背の高いジャングルに覆われており、これに加えて一六世紀半ばにはほとんど無人となってしまったために、スペインの支配は及んでいない。南部低地は植民地時代を通じてテスルトラン(戦いの地)と呼ばれ、スペインが実効支配をしていた地域から逃れてくる人々が住む地域となっていた。これはユカタン半島東部も同じである。その中にあって、ただ一カ所王国を維持し続けた場所があった。それが現在のグアテマラ共和国ペテン県にある巨大な湖、ペテン・イツァー湖に浮かぶ島(現フローレス島)に都を置いていたイツァー王国であった。

一五二五年、エルナン・コルテスは部将の一人がホンジュラスで反旗を翻したのを知り、ユカタン半島を横断して現地へ向かおうとした。この時ペテン・イツァー湖を通り、イツァー族に遭遇し、その王国の首都であるタヤサルを訪れている(コルテス 二〇一五:四四八—四五四頁)。

その後しばらくはスペイン人がこの地にやってくることはなかったが、イツァー王国は積極的に周囲にその支配圏を拡大しようとしていたし、この地域の他の村落の人々とともに、スペイン人の支配下にある先住民村落とコンタクトを持ち、その軛《くびき》から逃れて住みに来るようにと盛んに勧誘した。これは植民地経済が先住民労働力に負うていることを考えれば、潜在的な脅威なのであり、またジャングルの奥で行われている「偶像崇拝」はキリスト教にとっても排除すべきものであった。先住民の側からすれば、負担があまりに大きい植民地支配下にいるよりもはるかに自由な生活がこの地域にあるから魅力的であったには違いなく、この二つの空間の往復を繰り返す先住民はかなりの数に上った。意にそぐわぬ支配から逃れるという先住民のこの行動パターンは、先スペイン期を通じて彼らが自らの生活を守るために繰り返してきたものであったことは言うまでもない。

一七世紀に入って、フランシスコ会は何度も修道士をイツァー王国に派遣し、その王カン・エックにキリスト教を受け入れるよう説得にかかった（Avendaño y Loyola 1996; López Cogolludo 1957: IX-X; Villagutierre Soto-Mayor 1985）。これに対して、イツァー族が何もしなかったわけではなかった。一六一四年には、カン・エック王を代表して使節団がメリダ市のユカタン総督の元に送られ、友好と平和を求め、かつスペイン国王に臣従を誓うためにやって来たことを告げたのだった。

イツァー族のこの行為は、いわば「将校偵察」なのであって、臣従する意思があるというのは口実でしかなかった。実際そのあとイツァー族の地を訪れた修道士らは、キリスト教への改宗はまだその時が来ていないからという理由で言を左右する王に翻弄されるばかりだった。そこで一六九七年、マルティン・デ・ウルスアを隊長とする遠征隊が組織され、短期間で王国の首都であるタヤサルを陥落させた。その後、ここには守備隊が置かれて戦後の処理がなされたが、スペイン人に反感を持つ先住民が多く、一八世紀初頭には放棄されてしまった。

四、マヤ人にとっての植民地時代

マヤ人たちが征服を主体的に生きたのであれば、征服があらかた終了して始まった植民地時代にも、その態度は変わらなかったはずである。この節では、マヤの王族や人々が、先スペイン期の伝統をもとにどのように新しい体制に順応していったかについて、スペイン人がもたらしたさまざまな政治・経済・宗教体制の中で考えてみよう。

新しい政治・経済・宗教空間の創出

征服が一段落して最初の五年ほどは、植民地支配体制が各地においてまだ十分に確立していなかった時期である。その間、マヤの王国はまだ存続し続けていたが、新しい支配体制は王権を制限する方向に確実に歩み始めていた。まず、王国の支配権を継承することは認められなくなった。このため、王の死とともに王国はその構成単位に分裂し、それらは後述する村《プエブロ》(pueblo)になったのである。また、キリスト教への改宗の進捗は、同時に伝統的な宗教儀式を公に行うことを困難にし、王族や貴族らは、修道士たちの目の届かない「野蛮な空間」とみなされていたジャングルに集まって密かにこれを行っていた。一方、トウモロコシの耕作などにまつわる農耕儀礼は、常にこの空間で行われてきたから、この伝統はそのままであった。また、経済的特権も大幅に制限され、かつてのように人々から貢納や奉仕を受けることがなくなった。エンコミエンダ制が導入され、エンコメンデーロ(エンコミエンダの受領者)たちが貢納を受け取ることになったからである。

さらに王権の制限に拍車をかけたのが、集住政策(congregación/reducción)であった。改宗した先住民を監督し、徴税・支配をより効率化するため、これまでの拡散型の居住形態を廃止し、既存の、あるいは新たに指定された場所に人々を集めて住まわせたのである。新しくできた集落は村《プエブロ》と呼ばれ、中央に広場を設けこれを囲むように教会、役所などの公共の建物が建てられ、そこから四方に碁盤の目状に街路が造られた。村には共有地が周囲に与えられ、これは境界標を使った境界線によって明確に他と区分されなければならなかった。このため、境を接することになった村々は、話し合いの上で入り組んだ占有権を整理し、その結果は「土地権原証書」(Título de tierras)として記録されたのだった。形式上、これによって現代にまで見ることのできる村落形態が出来上がったことになる。

また、村々には参事会《カビルド》(cabildo)が設立され、当初は先スペイン期の王やその一族、貴族がその役職に就いた。しかし、王国が消滅する一五六〇年代の末までに彼らはその役職から外され、選挙によって選出された役職者と、ユカタン総督に任命された村長がこれにとって代わった。この時点で、旧特権階級の人々は村参事会の被選挙権を失い、事実上公的な権力機構からは除外されることとなった。またスペイン人の生活圏と先住民の生活圏が分けられ、前者は町に、後者は集住政策によって出来上がった村《プエブロ》を中心として生活し、双方が混在することは避けるようにされた。(3)

一方、ユカタン総督府ではフランシスコ会が、グアテマラ総監領ではドミニコ会やアウグスティヌス会などの修道士が、先住民のキリスト教への改宗に専念していた。修道士らが先住民の言葉を学び、その音韻体系を元に先住民語のアルファベットを作成し、文法書と語彙集(辞書)を作成した。ただし、文法書はラテン語やスペイン語の文法規範を元に作成されており、修道士らが習得しやすいように「できるだけ簡素化されたマヤ語」(maya reducido)が作り上げられた。これに基づいて聖書や公教要理など、キリスト教の布教や教育に必要な本がマヤ語に翻訳されるとともに、教会付属の学校では先住民エリート教育の一環として、この言語で文書を作成する知識が教えられたのである。その卒業生の一部は村参事会の書記の任につき、さまざまな行政記録や法的文書が作られていった。修道士とともに彼らを教育したのは、教会に残ってその手助けをした卒業生である「聖歌隊指導者」(maestros cantores)たちであった。マヤ語で彼らはアフ・カンベサフ(ah cambezah、「学校の先生」の意)と呼ばれたが、単なる聖歌の指導者であるばかりではなく、教会における聖職者以外のあらゆる役職の任命権を持ち、典礼を指揮・監督した。彼らは、事実上植民地時代のマヤ社会のキリスト教教育全般に関わっており、それは、新しい時代の宗教とその教育全般に責任を持つ、植民地時代の先住民神官(アフ・キン ah kin)であったと言ってもいいだろう(Hanks 2010)。

新しい社会空間を生きる——二つの宗教、歴史の創造

だが、このことは必ずしもマヤの人々が二〇〇〇年に及ぶ伝統をかなぐり捨てて、スペイン人の導入した新しい政治・社会・宗教空間に適応していった、別の言葉で言えば、スペイン側の思惑通りに先住民社会が改編されて、スペイン王国の臣民としての、キリスト教の原理に基づいた社会が創造されたことを意味したのではなかった。

例えば、教会で重要な役割を果たしていた「聖歌隊指導者」たちは、「公務」の一方で密かに先スペイン期に起源を持つ内容のテキストを含む『チラム・バラムの書 Chilam Balam』をアルファベット表記のマヤ語で書いていたし、

「神官」として先スペイン期の伝統に基づく儀式を主宰しさえしていたのである。「聖歌隊指導者」たちは、いや正確に言えば、他のマヤの神官を含め、そのような「異教の儀式」に参加していたマヤ人すべてが、暗黙のうちに二つの宗教を矛盾することなく生きていたことになる。そしてこの二面性は、植民地時代のマヤ社会全般に見られる特徴だったのである。それは、「スペイン人による征服」が、根底からマヤ社会を崩壊させたのではなかったこと、マヤ人が主体的に新しい時代を「彼らのやり方」で乗り切っていこうとしていたことと軌を一にしている。このことは、宗教的な面のみならず、大きく変化したと思われている彼らの社会空間、それを支えていた歴史観にも見てとることができるのである。

例えば、『チュマイェルのチラム・バラムの書 *Chilam Balam de Chumayel*』の最後のテキストには、「新しい宗教」(キリスト教)がやってくるからこれを受け入れるように、と予言した五人のマヤ人神官の言葉が綴られている。しかし、この「予言」は一六世紀末から一七世紀ごろ、すなわち征服後に付け加えられたものである。後古典期後期のマヤ社会では、約二五六年を周期とする短期暦が用いられていたから、歴史はこれを一つの周期として繰り返すという円環的時間論が重要な役割を果たした。これは、私たちが理解する直線的時間論に基づいた「歴史」とは異なり、「こうあるべきである」という論理そのものである。つまり、マヤ人にとって、歴史は「意味」を持たねばならないのであり、それは彼らの宇宙の秩序を維持するという目的に沿わねばならないのである。彼らの暦(歴史)には、スペイン人の侵攻とその支配の確立は書かれていなかった。そこで、彼らは再度、円環的時間論・宇宙観に基づいて現実を「作り上げ」、説明し直すことになる(Farriss 1985)。その結果が、この予言なのである。これを通して、彼らがスペイン人による征服を自らの「歴史」に組み込み、自分たちのものとしてそれを受け止めることができたのが、一六世紀末頃であったということになろう。

征服を自分たちの歴史の流れの中で捉え直し、スペイン王と新たな主従関係を確立し、その臣下として王国を維持しようとすることは、マヤの王族にとっては極めて重要であった。彼らが植民地時代に特権を享受し続けるためには、先住民貴族として公認される必要があり、そのためには王家の正統な血を受け継ぐものであり、王権の簒奪者ではないことを証明する必要があった。そのための書として、例えばグアテマラのキチェー王家の出自神話を描いた『ポポル・ヴフ』が作成されたのである。その内容は、聖書にヒントを得ている部分が最初にあるが、その他は先スペイン期に起源する宇宙観に基づいて書かれており、ここでもまた先住民が自分たちの神話的歴史の中で、「いま」を理解しようとし、「これから」を確かなものにしようとした形跡が明確に見て取れるのである(レシーノス 二〇一六)。

ユカタン総督府でも、例えばシウ家は『ポポル・ヴフ』の例と同じく、植民地時代に王家としての特権を維持していくための根拠をあらゆる機会、あらゆるメディアを通じて示した。それらは基本的に先スペイン期の論理、宇宙観に基づいて語られる言説であり、そこにヨーロッパ起源の言説がこれを補強するために用いられているのである。これによって、彼らはスペイン国王からドン(don)という貴族の称号をもらい、スペイン風の衣服を身に着け、馬に乗り、鉄砲を持ち、貢納は支払わず、それればかりか自宅で毎週二人の村人から労働奉仕をうけるなどの特権を享受したのだ(Quezada and Okoshi Harada 2001)。しかしもちろん、彼らが村参事会で権力を振るうことは植民地時代を通じてなかったから、政治の面からは事実上姿を消していったと考えていい。しかし、これは「公式文書」からは見えてこないだけのことであって、シウ家をはじめとする王家の末裔が、村落共同体の中で隠然とした力を持ち続けていたことは間違いないように思える。実際、ある人類学者から聞いた話なのだが、彼がフィールド調査を行っていたかつてのシウ家の都マニで、中央広場の一角に小さな店を構えていた老婆から、そこで商売をやれているのは「シウさんのお陰だ」と聞いたそうだ。どうやら、シウ家は中央広場の周囲の土地建物を所有しているか、あるいはその占有に関し絶大な影響力を行使しているらしいのである。また、これとは別の地域のマヤ村落で遺跡調査を行ったアメリカ人考古学者も、遺跡がある有力者一族のもので、村人が勝手に入ることができない排他的権利を行使している事実を知り、この一族は「おそらく先スペイン期からの王族で、ずっとそこの主なのではないか」と語っている。これらの体験談は、先の推論を裏付けるものではないだろうか。

新しい社会空間を生きる——空間の再解釈

新しい支配体制に対応していく努力は、空間の再解釈についても言える。集住政策によって大きく居住形態が改編されても、基本的に先住民の所有概念に変化はなかった。土地を最初に占拠したものがこれを占有するという原則は有効であり続けたし、スペイン人の世界で通用しているヨーロッパ式所有権の考え方と植民地時代を通じて共存していくことになる。植民地時代に、先住民村落が町に住むスペイン人やメスティーソに「土地を売る」ことは多かったが、実際にはその土地を現金と引き換えに売ったのではなく、牧場など、特定の目的のために使用する権利を売っただけであることが多かった。土地は村落共同体の共有地であり、マヤの人々はその占有権だけを「売買」、現実には「委譲」していたのである。スペイン王国の支配体制の中で生きるために必要な要素を自らのものとし、しかし伝統的な認識に基づくものを継承している様子が窺えるのだ。

同じことは、その村落空間の内実を見ても言える。村々を訪れると、しばしば「碁盤の目状」には馴染まない、斜めに走る道があることに気づくが、これは村の中央部に先スペイン期にあったピラミッドへ通じる道であった。集住政策によってそこに村《プエブロ》を建設した際に、フランシスコ会修道士らはピラミッドを壊して教会を建ててこそしたが、あえて道には手をつけなかった。彼らは「聖なる場所」への道を温存することで、マヤの人々がピラミッドに代わる教会へ訪れやすいようにと考えたからなのであろう。これは、スペイン人側からの働きかけ、すなわち先住民文化との融合を図った例である。先住民にしてみれば、修道士らが作り上げた「異質の空間」に「馴染みの道」を見つけ、その行き着く先が異教の教会であろうと、これをたどることは既知の精神世界に教会を包摂していく行為になったはずだ。スペイン人によって強制された居住空間に対し、マヤ人たちは自分たち流の解釈を付与することで、異質の空間を自らの論理に従って再解釈したのだ（大越 二〇二〇）。

新しい社会空間を生きる――人々の関係

では、集住させられた空間での、人々の社会生活はどのようなものだったのだろうか。『カルキニ文書 *Códice de Calkini*』には、先スペイン期の各村落の王（バタブ）の名前に言及する部分があるのだが、一人の王族や貴族に対して、複数の名前を挙げており、その多くが一種の「あだ名」であったことが記されている。この「あだ名」には、役職名と父方もしくは母方の姓を用いるもの、母を表すナ（Na）という語で始まり、母方の姓・父方の姓の順に表されるもの、幼名、そして文字通りの「あだ名」（coco kaba）があったことがわかっている。「あだ名」で相互に呼び合っている彼らの社会における日常的な人間関係は極めて「緊密」なものであり、人との距離は実に近いものであったと言わざるを得ない。当然仲間意識は強いだろうし、それは「外」と「内」とを明確に区別するものにもなっていたはずだ。さらに言えば、史料が述べているような王族と貴族間の関係ばかりでなく、あるいは彼らと一般農民との間柄も、私たちが想像するほど懸絶したものではなかったのではないかとすら思える。「王はその統治下にある人々を大切にしなければ、自らの権力を維持することができない」という原則からすれば、王が農民の顔を知っていたとしてもおかしくはないのである。名前を覚えてはいなくとも、である。

役所が管理するさまざまな文書記録や、教会が管轄する洗礼・聖体拝受・堅信礼・婚姻・死亡記録には、すべて「公式の」姓名が用いられる。これに対し、村《プエブロ》という先住民の共同体内では、それとは全く異なる、お互いだけが理解している「社会的符牒」である「あだ名」が用いられていたことは、スペイン人によってもたらされた異質な村落空間において、マヤ人が自分たちなりの社会慣習を維持することによって、その空間を「慣れ親しんだもの」にしていこうとしたことの、もう一つの証左であろう。

さらに、植民地時代を通じて、先住民の村々が非正規貿易すなわち密貿易の恩恵に浴していたことはあまり知られていない。これは「非正規」であるが故にその規模を数値化できないからなのだが、正規の貿易はすべて官許の港を通じて行われ、全体はスペインのセビリアに置かれていた通商院の管轄下に置かれていた。だがスペイン人商人以外の参加を認めず、植民地からの需要や要求に応えきれない硬直したシステムは、密貿易に活路を見出さざるを得ない状況を作っていたのである。そしてこれに関わったのは、スペインはもちろん、イギリスやフランス、オランダなどの国々であった。彼らは海賊働きをしていたばかりではなく密貿易も行っていた。白昼堂々か夜陰に紛れて別の海岸にボートで荷を下ろし、それを行商人がスペイン人の街や先住民の村々を回って売り歩くのであった。むろん植民地政府はその実態をよく知っていたが、取り締まる立場にありつつも自ら密貿易に加担していくのが常であった。扱われた商品は多岐にわたり、タバコ、ビール、ラード、蒸留酒、マチェテ(山刀)、大鍋、斧、安物の服、鼈甲《べっこう》製の櫛、帽子、靴、鞄、剣などであった(Victoria Ojeda 2015)。したがって、先住民はこれらの行商人を通して、「舶来」のものを手にすることができたのであって、また彼らの口から植民地政府のことや、外国のことなども耳にしたはずだ。これらの中でも最も先住民が好んだのはマチェテや斧であり、これによってジャングルを切り拓く仕事が相当楽になったのだった。別の言葉で言えば、マヤの農民たちがジャングルを切り拓くためにこれらの舶来品を使うということは、彼らが無意識のうちに環大西洋経済圏の末端に加わっていたことを意味するのだ。

この他にも、植民地内ではスペイン人が居住する町で働く先住民やアフリカ黒人がおり、彼らはスペイン人から請け負って、その事業の監督官を務めたり、独立して理髪店、洋服や靴の店を持つ者もいた(Restall 2013)。マヤの人々は、スペイン人の邸宅の中で働く者が多く、なかでも女性は使用人として家事一般を行い、料理に関しては、スペイン人女性から教わったスペイン料理に、伝統的なマヤ料理を組み合わせた新しい料理を作り出すのに貢献している。

また、とりわけ重要な働きをしたのは乳母で、彼女たちはスペイン人の子供を育て上げ、その際に主として用いたのはマヤ語であり、小さな子供たちにマヤの伝統や儀式などを語り聞かせていたという。このため、子供たちは事実上スペイン語とマヤ語のバイリンガルとなり、先住民の文化によく馴染んでいたのである。したがって、彼らと先住民の間は、物理的に懸絶したものにはなっていたが、これらのスペイン人がマヤ人たちを冷酷に扱い、人とも思ってはいなかったというのは必ずしも正しくない。

このように、スペイン人植民者たちは、自分の屋敷でマヤ人やアフリカ黒人使用人という異なった出自の人々と接し、日常を送っていたのであり、相互に文化的影響を受けていたのである。これこそが、スペイン人による征服と、その後に確立された植民地社会の豊かさであり、複雑さでもある。

五、おわりに——マヤ人にとっての「征服」と植民地時代

一六世紀前半にメソアメリカの各地で行われたスペイン人による征服活動には、実に多くの、極めて多様な地域からの先住民戦士が参加していた。そして、少なからぬスペイン人が、彼らの助けなしに征服を完遂することは不可能であったと認めている。彼らは、むろん強制的に従軍させられた場合が多かったが、一方でスペイン国王に忠誠を誓い臣従した彼らの王や貴族の言葉に従って自発的に遠征に加わった者も多数いた。その遠征は、メキシコ中央高原から中米、果ては南米にまで至る最大数千キロに及ぶ長旅になったことは間違いない。

私たちは、スペイン人による征服を一つの独立した時期とみなしがちだが、先住民の視点から見るとこれは日常の延長線上にあったのである。キチェー族の人々がアステカ王国の首都の陥落を知って安堵したように、彼らは常にそれまでの日常、歴史を参照点として「いま」を生きていた。したがって、この時代のマヤ人にとっての「征服」の意

味を考えるためには、彼らが置かれていた「いま」(一六世紀当時)の状況を理解してその行動の意味を考える必要がある。

スペイン人が来寇した時、メソアメリカ最大の勢力を誇っていたのは言うまでもなくアステカ王国であり、当時の王モクテスマ二世はマヤ地域を版図に含めるべく、グアテマラに近いソコヌスコに駐屯軍をおき、ここから高地を攻略しようとしていた。また低地に対しては、当時メソアメリカ各地の商人が集まっていたタバスコ地方の交易都市、シカランゴにも駐屯地を設ける予定であった。これがスペイン軍の侵略によって頓挫したわけだが、アステカ王国の首都テノチティトランを陥落させた後にとったコルテスのメソアメリカ地域征服戦略は、実のところモクテスマ二世のそれと軌を一にしていた。マヤ地域に話を限定すれば、スペイン軍のとった進出ルートは、古来マヤ地域とメキシコ中央高原を結ぶ交易路そのものであり、アステカ王国が企図していた攻略ルートと全く同じものであった。これは、明らかにスペイン人がアステカ王国の対外戦略について詳細に情報を得ていたことを意味し、そしてそれを提供したのはもちろん先住民側、マヤ地域に兵を送る用意のあった従属王国の高位の誰かであったろう。そしてコルテスは、これを自らの戦略に組み込んだのである。したがって、あらゆる意味において、マヤ地域の征服はスペインとメソアメリカの人々との共同事業であったのであり、それぞれの神(神々)の名において協同し、戦ったのだと言えよう(Matthew 2007: 111-112)。

そのなかにあって注目したいのが、征服戦に参加した先住民には戦闘員の他にも荷担ぎが大勢おり、かつ「植民」を目的とした人々もいて、彼らには妻や子供が同行して食事の世話や負傷者の手当て、糧秣の運搬等さまざまな仕事をしていたし、親族が後から合流して植民に加わることもあったという事実である。これはおそらく先スペイン期にアステカで、あるいは遠征を行ったそれ以前の多くの王国で、ごく普通に行われていた習慣であったろう。

同じことは、北部低地のシウ家がスペイン人の元へ伺候し忠誠を誓い同盟を申し出たことにも言え、イツァー族がメリダ市の総督府に使節を送ったのも、キチェー族やカクチケル族が二回もコルテスとその部将ペドロ・デ・アルバラードの元へ使節を送り、忠誠と同盟を誓っているのも、すべて先スペイン期からの慣習であったといっていいだろう。これは「忠誠を誓い、同盟を結ぶ」ことを主目的としたものではなく、「将校偵察」、すなわちこちらの対応を決定するために、戦略眼のある王族もしくは貴族が敵情を探ってくることが第一の目的であった。別の言葉で言えば、マヤ人たちは、先スペイン期の危機管理の伝統に基づき行動していたのである。決して、スペイン人に怖気付いて腰砕けになっていたのではないのだ。そしてこの場合、スペイン人は自分たちの文化を崩壊させる共通の敵としては認識されていない。先スペイン期に彼らの祖先が体験してきたさまざまな文明の交代、強大な支配者の出現と軍事的脅威――これらを前にして、自らの保全を基礎とする異なった対応の仕方は確実に彼らに受け継がれており、それがマヤ人の行動規範になっていたのである。

「自らの保全」とは、マヤの王族がその地位を保ちつつ王国を維持し続けることを意味する。これは単なる「現状維持」を意味したものではなく、征服期に巧みに「王国の発展」のみならず「支配圏の拡大」すら行われた事例が見つかり始めている(Okoshi Harada 1998; Oudijk and Restall 2008)。今後の研究で、このような史実がさらに明らかになっていくだろうが、それらが示すものは、先住民の王たちがスペイン人と交渉しつつ、新たな支配体制(スペインによる植民地支配)の確立という枠組みの中で自らの勢力を扶植・維持し、かつ拡大させていった事実である。これは、スペインの植民地支配に「役に立つ」という前提のもとに公認されていたことも見落としてはならない。したがって、マヤ人やメソアメリカの他の地域の人々にとって、スペイン人による「征服」は、新たなスペイン支配体制を軍事的に確立するための一つの道標と捉えられ、先住民はその中でそれぞれが自らの生き残りをかけて多様な現実的対応をしたのであった。その選択はあくまでも主体的・能動的なものであったのであり、彼らはスペイン人とともに征服という事業の企画・運営・管理・実行に従事したのだといっていいだろう。

ところが、一六世紀の半ばを過ぎ、植民地体制が整えられると、先住民王国の継承はできなくなり、ここにマヤの王国はすべて消滅してしまった。そして王族は歴史の表舞台から消え、あたらしく生まれた村《プエブロ》の参事会の役職に就くことすらできなくなった。しかし、だからといって、その後のマヤの人々が、植民地時代政府の要請に応えて従順なスペイン王国の臣民となったと考えることはできない。とりわけ旧王族とその子孫は、かつての特権と名誉を保持しようと一六世紀からずっとさまざまな努力をした。なかでも、スペイン人修道士から学んだマヤ語のアルファベット表記を利用して、自らの王権を正当化するために作成した文書の中で、彼らはその出自を神話のかたちで叙述し、正当な王であることを示そうとした。その言説は、優れて先スペイン期の宇宙観に基づいており、これを基礎として、スペイン語からの借用語はもちろん、聖書からとった題材、人名や地名、植民地政府が用いた官職名などがちりばめられているという特徴を持っている(Quezada and Okoshi Harada 2001; Okoshi Harada 2009)。

一方、人口の大多数を占める農民(平民)たちは、あてがわれた空間を自分たち流に読み替え、慣れ親しんだ社会空間に変えていったし、何より彼らの生産活動が行われていたジャングルは、恵みを授けてくれる神々に祈りを捧げる聖なる場であり続け、そこにスペイン人が入りこむことはできなかったのである。彼らにとってそこは「野蛮な空間」であり、キリスト教が律する村の「文明」空間とは常に対比されるものだった。

これらすべてを、ヨーロッパ文化と接触をした先住民王族・貴族・農民(平民)の文化変容の始まりと見ることはできる。だが、それはあまりにも皮相的な見方だ。先スペイン期から、マヤ地域の人々はメソアメリカ各地と濃密な関係を維持してきた。その中で培われてきた「異文化への対応パターン」をもとに、それに倣ったと考えるのが妥当だろう。征服の後でスペインの文物を選択し、マヤ風に解釈して吸収していったマヤ人の態度は、こうした大きな歴史の流れで理解すべきものであり、そこには、いかなる時代にも生存をかけて智慧をしぼったマヤ人の姿が浮き彫りにされているように思うのだ。

注

（1）考古学では、先スペイン期の遺跡を「都市」と呼ぶのが普通である。植民地時代には、地域の要となる村落をユカタン・マヤ語でノフ・カフ（noh cah「大きな村」の意）、それ以外の村落をカフ（cah）と呼んでいた。

（2）ユカタン征服に参加した非マヤ系先住民については、チュチアック（Chuchiak 2007）が詳しい。

（3）それぞれ「スペイン人の共和国」（República de españoles）、「先住民の共和国」（República de indios）と呼ばれた。むろんこれは理念型であり、現実には先住民がスペイン人の住む町の周囲に住み、そこからスペイン人の邸宅に働きに行くことは一六世紀後半以降当たり前の光景になっていたし、またスペイン人であっても町に住むにはあまりに貧しいか、あるいは他の理由で先住民村落に住み、事実上「村人」になる、あるいは村長になる場合すらあった。

参考文献

大越翼（二〇〇三）「聖なる樹の下で――マヤの王を考える」『古代王権の誕生 Ⅱ 東南アジア・南アジア・アメリカ大陸編』角田文衛・上田正昭監修、角川書店。

大越翼（二〇〇五）「対立と融合と――ユカタン・マヤ社会の王権の特質」『マヤとインカ 王権の成立と展開』貞末堯司編、同成社。

大越翼（二〇一〇）「対人主義の表象としての空間認識――植民地時代マヤ先住民の地図から見えるもの」『交響するコスモス 人文科学・自然科学編「環境からマクロコスモスへ」』上巻、中村靖子編、松籟社。

大越翼（二〇二〇）「連載：マヤ社会を考えるために 第九回 村《プエブロ》の空間を生きる（一）――「異質な空間」から「馴染みの空間」へ」『いえらっく』三九、京都外国語大学ラテンアメリカ研究所。

嘉幡茂（二〇二〇）『図説 マヤ文明』河出書房新社。

コルテス、エルナン（二〇一五）『コルテス報告書簡』伊藤昌輝訳、法政大学出版局。

鈴木真太郎（二〇二〇）『古代マヤ文明 栄華と衰亡の三〇〇〇年』中公新書。

ランダ、ディエゴ・デ（一九八二）「ユカタン事物記」小池佑二訳、林屋永吉訳、増田義郎注『ソリタ ヌエバ・エスパニャ報告書、

ランダ　ユカタン事物記』〈大航海時代叢書 第Ⅱ期〉13、岩波書店。

レシーノス、アドリアン（二〇一六）『マヤ神話　ポポル・ヴフ』林屋永吉訳、中公文庫。

Acuña, René (2001), *Calepino maya de Motul*, México, D.F., Plaza y Valdés Editores, S.A. de C.V.

Avendaño y Loyola, Andrés de (1996), *Relación de las dos entradas que hice a la conversión de los gentiles ytzáex, y cehaches*, Möckmühl, Temis Vayhinger-Scheer. Mexicon Occasional Publications, Vol. 3. Verlag Anton Saurwein.

Coggins, Clemency C. and Orrin C. Shane III (eds.) (1984), *Cenote of Sacrifice: Maya Treasures from the Sacred Well at Chichen Itzá,* Austin, University of Texas Press.

Chuchiak IV, John F. (2007), "Forgotten Allies. The Origins and Roles of Native Mesoamerican Auxiliaries and Indios Conquistadores in the Conquest of Yucatan, 1526-1550", Laura E. Matthew and Michel R. Oudijk (eds.), *Indian Conquistadors: Indigenous Allies in the Conquest of Mesoamerica,* Norman, University of Oklahoma Press.

de la Garza, Mercedes, Ana Luiza Izquierdo, Ma. del Carmen León, and Tolita Figueroa (eds.) (1983), *Relaciones histórico-geográficas de la Gobernación de Yucatán*, 2 vols, México, D.F., Universidad Nacional Autónoma de México.

Díaz del Castillo, Bernal (1977), *Historia verdadera de la conquista de la Nueva España*, México, D.F., Reproducción facsimilar de la primera edición Madrid 1632, Manuel Porrúa, S.A., Librería.

Farriss, Nancy M. (1985), "Recordando el futuro, anticipando el pasado: tiempo histórico y tiempo cósmico entre los mayas de Yucatán", *La memoria y el olvido. Segundo Simposio de Historia de las Mentalidades*, México, D.F., Colección científica, Vol. 144, Instituto Nacional de Antropología e Historia.

Hanks, William F. (2010), *Converting Words: Maya in the Age of the Cross*, Berkeley, University of California Press.

López Cogolludo, Diego (1957), *Historia de Yucatán*, México, Editorial Academia Literaria.

Matthew, Laura E. (2007), "Whose Conquest? Nahua, Zapoteca, and Mixteca Allies in the Conquest of Central America", Laura E. Matthew, and Michal R. Oudijk (eds.), *Indian Conquistadors: Indigenous Allies in the Conquest of Mesoamerica*, Norman, University of Oklahoma Press.

Matthew, Laura E. (2012), *Memories of Conquest: Becoming Mexicano in Colonial Guatemala,* Chapel Hill, The University of North Carolina Press.

Matthew, Laura E., and Michel R. Oudijk (eds.) (2007), *Indian Conquistadors: Indigenous Allies in the Conquest of Mesoamerica*, Norman, University of Oklahoma Press.

Okoshi Harada, Tsubasa (1998), "Revisión crítica de la geografía política de los mayas yucatecos del Postclásico: la jurisdicción de Tases", *Memorias del Tercer Congreso Internacional de Mayistas (9 al 15 de julio de 1995)*, México, D.F., Universidad Nacional Autónoma de México.

Okoshi Harada, Tsubasa (2009), *Códice de Calkiní*, México, D.F., Universidad Nacional Autónoma de México.

Okoshi, Tsubasa (2021), "Colonial Maya Discourse on the Rupture and Transformation or Continuity of Pre-Columbian Kingship: An Ethnohistorical Analysis", Tsubasa Okoshi, Arlen F. Chase, Philippe Nondédéo, and M. Charlotte Arnauld (eds.), *Maya Kingship: Rupture and Tansformation from Classic to Postclassic Times*, Gainesville, University Press of Florida.

Oudijk, Michel, and Matthew Restall (2008), *La conquista indígena de Mesoamérica: el caso de don Gonzalo Mazatzin Moctezuma*, Puebla, México, Secretaría de Cultura del Estado de Puebla, Universidad de las Américas Puebla, Instituto Nacional de Antropología e Historia.

Pérez, Juan Pío (1866-1877), *Diccionario de la lengua maya*, Imprenta Literaria de Juan F. Molina Solís, Mérida, Yucatán, México.

Quezada, Sergio (1993), *Pueblos y caciques yucatecos, 1550-1580*, México, D.F., El Colegio de México.

Quezada, Sergio, and Tsubasa Okoshi Harada (2001), *Papeles de los Xiu de Yaxá, Yucatán*, México, D.F., Universidad Nacional Autónoma de México.

Restall, Matthew (2013), *Black Middle: Africans, Mayas, and Spaniards in Colonial Yucatan*, Stanford, California, Stanford University Press.

Restall, Matthew, and Florine Asselbergs (2007), *Invading Guatemala Spanish, Nahua, and Maya Accounts of the Conquest Wars*, University Park, Pennsylvania, Pennsylvania State University Press.

Roys, Ralph L. (1967), *The Book of Chilam Balam of Chumayel*, Norman, University of Oklahoma Press.

Solís Alcalá, Ermilo (ed.) (1949), *Códice Pérez*, Mérida, Yucatán, Liga de Acción Social.

Victoria Ojeda, Jorge (2015), *Corrupción y contrabando en la península de Yucatán: de la Colonia a la Independencia*, Mérida, Yucatán, Secretaría de la Cultura y las Artes de Yucatán, Consejo Nacional para la Cultura y las Artes.

Villagutierre Soto-Mayor, Juan de (1985), *Historia de la conquista de la provincia de el itzá*. México, D.F., Edición facsimilar de la 1ra. de 1701. Grupo Condumex, S.A. de C.V.

焦　点 | *Focus*

集点 Focus

トレント公会議とアンデスにおける先住民布教

網野徹哉

緒言

一六〇七年九月、リマ近郊、アンデス山中のワロチリ地方にあるサン・ダミアン布教区(doctrina)に居住するインディオたちは、彼らの霊的監督者である布教区司祭フランシスコ・デ・アビラに対し、合計一〇〇以上にもおよぶ弾劾項目(capítulos)からなる訴状を用意した。彼らは、先住民総代訴官アベンダーニョの仲介により、それをリマ大司教座の法務代理に提出し、損害賠償を要求した。訴因は、布教区司祭としての義務不履行、神父の立場を利用しての不法な経済活動、そして非倫理的なふるまいにいたるまで多岐におよんでいた。訴状をもとに進められた事情聴取の証言をいくつか引用してみよう。

- 該神父は首都リマに行ったきり代行司祭も配置せず、布教区を二―三カ月ものあいだ不在にした。
- 少額のミサ代のみをお布施とすることを遺言していた故人の心意に反し、遺族から馬や畑などを強奪した。
- 所有者の長期不在につけ込み家屋を解体させ、廃材をリマに建設中の私宅に流用した。
- 教区内に所有するトウモロコシの農地で、労賃を支払うことなく、インディオを使役していた。

・営利目的の火薬製造に無報酬でインディオたちを従事させていた。
・二人の姉妹と性的関係をもち、そのうちの一人に子供を産ませ、育てている。
・飼育する二匹の仔犬を養うべく、乳養中のインディオ女性を呼びつけ、無理矢理、犬に乳を含ませた。

(AAL, Capítulos, Leg. 1, Exp. 9)

この告訴によりアビラはリマ大司教座監獄に収容された。じつはこのアビラ司祭は、ペルー植民地史研究において最も著名な人物の一人である。しかしそれは、叙上の弾劾案件によるものではない。この訴訟の二年後の一六〇九年、被告であったアビラは、時の大司教ロボ・ゲレロと副王モンテスクラロスの前で、インディオ社会には依然として反キリスト教的伝統宗教が深く残留する情況を、数多《あまた》の証拠物とともに披陳した。これを発源とし、偶像崇拝を撲滅するための特別巡察がリマ大司教区管内において制度化された。それ以降、巡察使たちが先住民の邪教的実践や崇拝物を調査・破壊することに専心する。自身も巡察使に任命されて根絶活動に邁進したアビラこそ、該制度誕生の文字通りの立役者として研究史では注視され続けている。

しかしなぜ、被告であった司祭が、一転して偶像崇拝根絶巡察の中心的人物として躍動するにいたったのか。そもそも、新信者として司牧の対象であった布教区のインディオが、彼らの「牧人=父」たる司祭を訴えるといういささか常軌を逸した事態はどうして出来していたのか。本稿は一六―一七世紀にかけてのカトリック教会による宣教の歴史的様相を明らかにしつつ、これらの問いに答えてゆくことを目的とするが、特に注目したいのは、カトリック宗教改革を軌道に乗せたトレント公会議で示された諸方針が、アンデス世界奥深くまで突き刺さってゆくそのありさまである。冒頭の先住民による司祭に対する弾劾訴訟、そして根絶巡察の組織化は、まさしくトレント公会議が指し示した宣教体制刷新の実現と、それに対する反動の表出であったと私は考えているが、それを論ずる前提として、まずはスペインの征服以降、アンデス社会において宣教がどのように変遷したか、その歴史的事情から叙述していこう。

一、アンデスにおける初期の宣教

インカ帝国が一握りの征服者によって滅ぼされ、その瞬間からアンデス民衆に対する宣教は始動した。処刑直前の異教の王アタワルパは、従軍していた修道士バルベルデによって洗礼を施された。のちにインカの旧都クスコの司教となるこの人物はドミニコ会の修道士であったが、ペルー宣教の初期段階においては、同会が重要な存在感を示すことになる(網野 二〇一八)。

周知のように、アンデス先住民社会の植民地体制への包摂はエンコミエンダ制を通じてなされた。征服の功労者に先住民を委託し保護させるいっぽう、その労働力と貢租を徴することを許したこの装置に、カトリックの宣教も組み込まれていた。すなわちインディオを委託されたエンコメンデーロには、先住民の教化義務が課せられ、教理を伝える聖職者を自弁で雇う必要があった。

一五四五年、初代リマ司教(のちに大司教)ヘロニモ・デ・ロアイサは、「先住民教化における指令書」を著し、その冒頭において次のように述べている(Vargas Ugarte 1952: vol. 2, 139-148)。

〔布教に従事する者は〕先住民の筆頭首長が居住する村に、キリスト教要理を聞くためにインディオが集い、ミサが執行される教会のような家を、可能な限り美しく祭壇を飾り、聖像を安置しつつ、先住民に迷惑がかからないかたちで建てること。そこでは、洗礼、結婚、告解の秘跡が授けられる。〔後略〕

そしてロアイサはすぐに次のように述べる。

〔宣教師は〕インディオたちのワカ〔聖なる場、モノ〕や礼拝所がどこにあるかをつきとめ、彼らにそれを破壊させ、そこが相応しい場所であるならば十字架を立てること。〔後略〕

それまで異教に満たされていた世界に、仮庵のような教会がたちあがり、新信者に秘跡が授けられ始めるとともに、アンデスの伝統的宗教の廃除が作動してゆく風景をこの史料から朧気《おぼろげ》に想像しうるが、この時期、修道士の数は限られており(ドミニコ会、フランシスコ会、メルセス会などが布教活動を始めていた)、先住民に教理教育を施せる在俗司祭も少なかった。さらに征服後一五五〇年代までは、アンデスの富の分配をめぐって征服者同士が相争う内戦状態が膠着したため、宣教は二の次にならざるをえなかった。こうした環境下では、ロックハートが「企業家的聖職者」と名付けたような営利活動に勤しむことを本旨とする司祭が跋扈していたのである。私益を求める聖職者の系譜は、その後も一七世紀にいたるまで、ペルー社会の基層を流れてゆく。司教ロアイサ自身がエンコメンデーロでもあったということが、このあたりの事情をよく物語っていよう(Lockhart 1968: 49-60; Acosta 2014: 69-93)。

渾沌とした宣教の様態を整えるべく、そのロアイサは一五五一年に第一回リマ教会会議を開催し、アンデス布教の統一方針を策定した。会議で制定された諸教令をながめると、いくつかの興味深い点がうかびあがる。第一に、先住民に何を、どのように教えるかということをめぐる基本方針である(1)。特に強調されているのは、統一された揺らぎのない教義が伝えられなければならないという点であり、「主の祈り」「天使祝詞」「使徒信条」「十戒」が教会会議公定の教理書を用いてスペイン語で教えられるとされた。この時点では、先住民言語に立脚した宣教についてはまだ明確な指針は示されていない(Durston 2007: 53-75; Vargas Ugarte 1951: vol. 1, 7-35)。

さらに注目すべきは、これ以降の宣教事業を貫く相反する二つの理念が、原初的なかたちではあるが、教会会議の決議の中に現れていることである。そのひとつは司牧者の統制である。契約するエンコメンデーロに司祭が法外な給金を要求し、エンコメンデーロもそれを拒むがゆえに、宣教師に事欠く先住民が現れている状況が嘆かれ、また司祭が上長の特別な許可なく管轄する布教区を離れることを厳しく禁じている。さらに先住民にとって範たるべき布教区司祭はインディオ女性をその身辺に置いてはならぬとし、また先住民を相手とする商業的営みに従事することを禁じた。これから見てゆくように、こうした問題は教会当局が布教区司祭に見出す宿痾であり、それを控制する諸策は、トレント公会議から第三回リマ教会会議を経て、アンデスにおける厳然たる法理として確立してゆく。

そのいっぽうで、決議には新信者たる先住民を唆し、異教的な儀礼や祭祀へとかどわかす邪教的祭司への言及が現れる。かかる罪を犯した頑迷固陋なインディオに対しては教会裁判所に送致されることも規定されていた。背教を使《し》嗾《そう》するこうした者たちの一掃がめざされるのは、冒頭で触れた一七世紀の偶像崇拝根絶巡察においてであるが、該制度の萌芽はここに認められる。布教区司祭の統制と先住民邪術師の弾圧。この二つの運動性の強弱こそが、これ以降のアンデス宣教の在り方を規定してゆく。

第一回リマ教会会議以降のペルー布教界の情景を通見すると、先住民社会へ歩み寄る色調が暫時濃くなっていたことを指摘しうる。背教的煽動者に対する強硬姿勢は示されているものの、アンデスの伝統的宗教実践については、それを一概に排毀するのではなく、宣教の現場で積極的に取り込んでゆくという柔軟な適応精神を認めることができる。その背景には、ラス・カサス師の思想に支えられ、アンデス教会で確かな影響力をおよぼしていたドミニコ会の存在があった。

適応戦略に関しては、先住民が音楽や典礼を通じてキリスト教に惹きつけられるという特性を活かすアプローチが試みられていた。たとえば、アンデス高地での布教経験を語るドミニコ会士デ・ラ・クルスは、先住民首長が死去した際、インディオが異教的涕泣をともなう葬送儀礼を執りおこなおうとするのを咎めつつ、ひと工夫を凝らした。学童たちを二列に並ばせて土着の言葉で「聖マリア、聖ペテロ」と歌わせ、それに会衆が唱和するという形式へと変奏し、故首長と参列者皆の魂の平安が祈られるという目的に資すべく、伝統的な葬送儀礼を換骨奪胎したのだという。初期宣教においては、先住民が信仰対象を正しく認識している場合には、崇拝の形態自体についての価値判断を保留するという姿勢が卓越していたとも言える（網野 二〇二〇、Durston 2007: 58-66）。

鷹揚な宣教観の背景には、先住民の知性へのラス・カサス的信頼が伏在していたであろう。その思想のアンデスにおける実践者であり、優れたケチュア語学者でもあったドミンゴ・デ・サント・トマス師は、自著『ケチュア語彙集』の序論において、インディオにはキリスト教を受容しうる柔軟性と素質があるにもかかわらず、しかし宣教が進展しないのは、布教者側に越度があるからであると切言する。そして先住民は「キリスト教徒とは、盗人、人殺しと同義である」とみなし、その名が由来するイエス・キリストこそがこうした破廉恥なおこないを命じていると信じているのだ、と慨歎する。さらにフェリーペ二世に献呈された『文法書』でも、語彙の豊かさ、音の滑らかさ、アルファベットによる表記のしやすさ等を讃美し、ラテン語に匹敵する秩序だった文法構造を具える洗練されたこの言語を称揚する。「言語は体を表す」のですから、ペルー先住民を野蛮視し、粗末な扱いを正当化する人々にはけっして耳を傾けませぬように、と国王に進言していた(Santo Tomás 1560a; Santo Tomás 1560b)。

こうした言説に支えられつつ、先住民社会自体も潑剌としていた。それを示すのが、エンコミエンダ制の永代保有化の動きを阻止すべく組織された請願運動である。一五五〇年代、財政的危機に瀕するスペイン王権は、献金を提示しつつ同制度の恒久化を計図するエンコメンデーロ層の要求を受け、その検討に入った。これを知った先住民首長層は同志を糾合し、リマやクスコ、ワマンガなどアンデス各地で反対集会を開く。彼らはエンコメンデーロに対抗しうる金銭的貢献を王権に対して約束し、その交渉を二人のドミニコ会士、すなわち、ラス・カサス師とサント・トマス師に委任する。結果的には、エンコミエンダ制の永代保有化は実現しなかったのだが、インディオたちは、こうした折衝のなかで、スペインからもたらされた司法システムの使用法を少しずつ学び、彼らの文化の中に接げていったのだろう。

政治性を帯びたインディオの躍動に対しては、当然予想されるように、各方面からの反撥が誘起された。それは永代保有化問題を調査すべくペルーに派遣された副王ニエバ伯による王権宛ての報告書に露骨に現れている。副王曰く、インディオたちは生来の気質から訴訟を愛好する。〔中略〕また弁護人たちも、インディオから生活の糧を奪ってゆく。彼らにとっては、訴訟のなんたるかもわからず、またアウディエンシア〔聴訴院。植民地の高等裁判所・行政担当機関〕への道順すら知らないでいることが望ましい。(Levillier 1921: tomo I, 497s.)

「インディオの訴訟嗜好」は、一六―一七世紀を通じて彼らにつき纏う負の言説であったが、司法界において先住民が露わにする旺盛な闘争心は、インディオは体制転覆を企図する潜在的危険分子であるという臆説へと容易に転ずる。一五六四年、ニエバ伯に替わってペルーの統治を開始したカストロ総督は、着任後ただちに、先住民社会に充満する不穏な空気を察知し、リマ東方の高地社会ハウハにおいて、それまでスペイン人に対して協力的であった当地のインディオたちが三〇〇〇本の長槍を準備し、蜂起を企図しているという情報を得たとする。調査を命じたところ、実際五〇〇本が押収され、謀議の中心とされるインディオ首長も逮捕された。カストロ総督はことあるごとに、アンデス全域において先住民が叛乱を謀っている可能性を示唆し、本国に対処を訴えているが、為政者に潜在するこうした恐怖心に対して、大司教ロアイサは、インディオ蜂起説は無根拠であると一蹴し、捕縛されたインディオ首長と話してみると「わたくしたちには叛意など毛頭ございません、スペイン人の数が僅かだった昔ですらその気を起こさなかったのに、ましてや今、これだけ大勢いて、火器や馬もふんだんに手に入る時代に謀反だなんて」と一笑に付されたという(Levillier 1921: tomo III, 59ss. 94ss., 254ss.; Lissón y Chávez 1943: tomo II, 313)。想起すべきは、まさにこの時期、アンデス山岳地帯では、先住民が伝統的なワカ信仰に回帰しつつ、キリスト教、およびその文化を峻拒する千年王国待望主義的な「タキ・オンコイ運動」を展開していたとされることである。今日も議論が続くこの運動の歴史的性格を見定める際にも、統治者側に見られる叛乱への潜在的な怖気というバイアスを思慮する必要があろう(2)。長きにわたって開催されたトレント公会議が終わり、その成果が届けられる頃のアンデス世界の様相は叙上のごときものであった。

二、アンデスにおけるトレント公会議

一五四五年から始まり、二回の中断を経て、一五六三年に閉幕したイタリアにおける会議の巨大な成果について簡潔に述べることは難しいが、一般的には、そこに二つの柱を見定められよう。ひとつは、プロテスタントの攻勢を前にして動揺するカトリックの教義をめぐる諸問題を整序し、再定立したことであり、もうひとつは、教会内部に蓄積されてきたさまざまな負の問題を正視し、信徒への奉仕を喫緊の任務とする司牧体制を固めたことである。とりわけ、後者は、初期宣教の段階を経て成熟するペルー教会、とくに先住民への宣教に深く作用する。

トレント公会議では、信徒に寄り添う司教、司祭の理念が描き出された。まずすべての司牧者は管轄する教区に定住し、信徒の霊的ケアに専心することが強く要請された(Schroeder 2011: 166-168)。理想的な司祭は、信者によってまねぶべき鑑として仰ぎ見られる者でなければならず、衣服や仕草にいたるまでみずから律し、華美に走ることなく、歌舞や賭け事、遊興、世俗の営みに関わることは禁じられた(Schroeder 2011: 154-155)。さらにまた、聖務にある者の不純な内縁関係は全信徒にとっての醜聞であるがゆえに厳しく禁じられ、そうした女性とともにある司祭たちの処罰規定も整えられた(Schroeder 2011: 250-251)。さらに司牧における言語問題についても明確に規定された。司牧者は日常言語によって説教し、また公教要理も土着の言葉で伝えられる方針が示されたのである(Durston 2001: 34; Schroeder 2011: 150, 199-200)。

こうした理想的な司牧を実現すべく、さまざまな制度も調えられた。司牧の実態を統監するために命じられたのが管区の「巡察」であった。さらに良き司牧者育成のために、各司教区に神学校を設置することも決められた。また司教区内の多様な問題を討議すべく、大司教は管轄下の司教を招集して教会会議(concilio provincial)を、また各司教に

は司教区代表者会議(sínodo diocesano)を定期的に開催することをも命じたのである(Schoreder 2011: 177, 194-197)。

一五六四年七月一二日、スペイン国王フェリーペ二世はトレント改革の成果を全面的に受容し、翌年四月、王国内のすべての大司教に対し教会会議の開催を命じた。興味深いのは、公会議の決議が瞬時にスペイン王国各地に弘布され、それを受領した大司教たちによって、同じ基調で、いっせいに改革が実現してゆく様である。バレンシアではファン・デ・リベラ大司教(Ehlers 2006)、メキシコではモヤ・デ・コントレラス大司教(Poole 1987)、そしてのちに見るようにペルーにはモグロベッホ大司教という、いわばポスト・トレント時代を象徴する傑出した人材が出現し、公会議の精神はそれぞれの地域固有の土壌に播種される。

一五六五年、トレントの諸決議はリマで公示され、それを受けて大司教ロアイサは第二回リマ教会会議への参集を司教たちに呼びかけた(Lissón y Chávez 1943: tomo II, 313)。該会議は一五六七年三月に始まる。この会議はトレントの成果をアンデスで展開するために催されたが、しかしながら実効性を欠いており、トレントでの諸決定は、ロアイサを継いでリマ大司教となるモグロベッホの第三回リマ教会会議を経て本格的に結実する。とは言え、公会議の諸教令の多くは第二回会議の決議に確然と反映していた(Vargas Ugarte 1951: vol. 1, 225-257; Durston 2007: 57-58)。

この会議における重要な革新は、トレントにおいて日常言語による説教や要理教育の方針が示されたことを受け、布教区の司祭には、先住民言語の習得が義務づけられたことであった。「主の祈り」「天使祝詞」「使徒信条」「十戒」「教会の掟」は、スペイン語のみならず、土着語によって享受されなければならない、とされたのである。

公会議が提示した最重要課題は、司牧者改革であったが、それはアンデスの布教区司祭たちに向けて突きつけられる。まず上長の許可なく布教区を不在にすることが禁じられ、六年間はひとつの教区に継続して勤務することが命じられた。また信徒の鑑たるべき司祭は家内での奉仕という名目であっても、女性とともにあることは厳禁され、絹製品などの華美なものを身につけること、狩猟や骰子、トランプなどの賭博行為に耽ることも禁じていた。とくに先住民布教区の司祭は、いかなる類いの商行為に従事することも、また農地を所有し生産することも許されないと厳命している。こうした教令が会議後に批准されることはなかったものの、第三回リマ教会会議に吸収され、アンデス教会が宣教従事者に課した厳しい規矩となってゆく。

いっぽうで、先住民の偶像崇拝に対する監視の目は、第一回会議と比較するとより鋭さを増している。「聖体の祝日」などのカトリックの祭儀を隠れ蓑に異教的な儀礼を実践するインディオの存在が示唆され、先住民には自発的に崇拝物を申告させ、破摧《はさい》することが命じられている。また邪教的雰囲気漂う酒宴や副葬品を伴う埋葬の禁止、さらには確信犯的祭司の隔離など、のちに制度化される偶像崇拝根絶巡察を根柢から支えるイデオロギーが徐々に醸成されてゆくのが感知される。さらに第二回会議が終わる一五六八年、本国スペインでは、ペルー副王に任命されたばかりのフランシスコ・デ・トレドの統治方針を策定することを目的のひとつとする「重大会議」(Junta Magna)が開催され、そこでの決定事項は先住民宣教に新しいニュアンスを付け加えた。

該会議では、政治・経済的分野から教会の領域にいたるまで多岐にわたる植民地問題が論じられたが、宗教関係においても大きな変革がなされた。会議開催の背景には、スペインによる宣教事業の遅怠を打開すべく、ローマ教皇庁が「教皇大使」をアメリカに常駐させて介入する動きを見せているということがあった。これはスペイン国王が教皇より与えられていた新世界における教会保護権(Patronato Real)を侵犯する可能性を意味し、あらためて国王大権のもとに教会を建て直す必要が生じていたのである(Ramos 1986)。さらに先述したように、ラス・カサス的イデオロギーに支えられて先住民を統率し、ひいては王室のインディアス支配の正当性にすら疑義を呈すドミニコ会士たちを沈黙させねばならなかった。こうした混迷する情況に楔を打つべく導入されたのが「異端審問」であった(3)。一五世紀末、スペインの宗教的純度を高めるべく「隠れユダヤ教徒」などを訴追するために導入された異端審問所は、王権主導で運用できる宗教裁判機関であったが、新世界の精神的統合を達成するべく、メキシコ、ペルー各副王領に設置されることになったのである(網野 二〇一八)。ここで注記すべきは、該機関の訴追対象からはインディオが外された点である。彼らはキリスト教徒になったばかりの未成年的新信者であるから、というのがその理由であったが、しかし先住民の宗教的醇化と異端審問とを融合させようという動きはそれからも執拗に現れてくる。

副王トレドは重大会議での指針をえて一五六九年にペルーに着任し、植民地のさまざまな領野での抜本的改革を断行したが、宣教との関連では、「レドゥクシオン」が実現されたことはきわめて重要であった。アンデス地方の大きな高度差は多様な生態系をもたらしたが、こうした生産的飛び地にアクセスするために先住民が展開していた伝統的散住形態は、彼らを植民地体制に包摂する障壁となっていた。こうした情況に終止符を打つべく、住民が人工的に建設された村に強制的に集住させられた。これがレドゥクシオンである(Saito & Rosas 2017)。この政策によって産み出された、中心に広場と教会をもち、そこから格子状に道路が延びゆく集住村は、インディオに対する宗教教育が日常的に施される先住民布教区として再構築されたのである。

大変革を成し遂げた副王トレドと入れ替わるように、アンデスの舞台に現れたのがトリビオ・アルフォンソ・デ・モグロベッホであった。それまでスペイン・グラナダの異端審問官であった彼は、リマ大司教に抜擢され、一五八一年にペルーに到着する。この新大司教こそ、トレントの精神を一身に体現した存在であった。柔らかい若草のごときキリスト教徒たる先住民の生の権利を保全すべく宣教は進められなければならない、そのためには何よりも司牧者の生き様の根本的変革を求める、というモグロベッホの姿勢は、彼が一五八二年に主宰した第三回リマ教会会議における決議事項を一読すれば鮮やかに理解される。とりわけ第三決議の諸教令では、植民地の抑圧体制下で呻吟する先住民の置かれた状況が嘆かれ、聖職にある者に対し「残虐者(carnicero)となるなかれ、牧者(pastor)たれ」と喝破する。そして司牧者が営利活動に従事すること、具体的には、先住民を巻き込む商取引をおこなったり、農業生産や牧畜業、運送業、鉱山業に従事するといった営為に破門という厳罰をもって対峙した。さらに女性との関係の絶対的遮断が命じられ、賭博や狩猟に耽ることも厳禁された。この第三回会議の根調は、布教事業の停滞の因は先住民側にあるのではなく、責められるべきは我々司牧者の懶惰《らんだ》であるという「自己批判」であった。そのことは、宣教の現場において先住民と布教者を隔てる大きな障壁となっていた言語問題を解決すべく、ケチュア語・アイマラ語・スペイン語三言語による『公教要理』や『告解手引書』といった、宣教のための大切な道具が準備されたことにもあらわれている。これらは、該会議を知的に牽引したイエズス会士ホセ・デ・アコスタの主導のもと執筆、出版された。第三回リマ教会会議は、トレント改革をペルーの地でラディカルに応用する場となったのである(Vargas Ugarte 1951: vol. 1, 313-375)。

トレント公会議は先述のように教会会議のみならず、各司教区の代表者会議の定期的開催を求めていたが、モグロベッホはこれにも律儀に呼応し、一五八二年から一六〇四年にかけ管内各地で一三回にわたり開催した。諸会議で定められた教令を通覧するに、モグロベッホの改革の視線はつねに司祭層に注がれており、司牧の規律化の徹底が追求されている(Mogrovejo 1970)。いっぽうで、先住民の異教的逸脱を咎めたり禁圧するような教令は驚くほどに少ない。一五八二年の第一回リマ大司教区代表者会議の冒頭、モグロベッホは「教会の改革」と「悪徳の根絶」(extirpación de vicios)こそトレントの命ずることだと宣す。イタリアの史家プロスペリは、ポスト・トレント時代の司教たちには、教えの正邪を指し示す役目はなく、宗教に関する負の教育は異端審問が担ったとするが(プロスペリ 二〇一七:一六四頁)、モグロベッホの視界にもインディオ民衆の宗教的矯正という問題群はほとんどはいっていなかった。トレント改革・リマ教会会議に対する反動の一翼を担うのは、これから見てゆくように、まさしく異端審問的なイデオロギーに支えられた勢力であり、やがて教会当局は、その照準を教会の「悪徳の根絶」にではなく、インディオへと向け直す。「偶像崇拝の根絶」(extirpación de idolatrías)が全面に迫り出す。

トレント公会議の申し子たるモグロベッホは、神学校の創設にも精力を注ぎ、また同決議の柱のひとつ、司教による管区巡察も献身的に執行した。大司教在位期間二五年の多くをアンデスの風景の中で過ごしたとされるモグロベッホに対しては、長期におよぶ不在をめぐり、聖堂参事会などから遺憾の意が表明されていた。彼は、牧者として野を経巡る大司教であり、その死も、一六〇六年、巡察の途上で訪れた(McGlone 1993: 65-83)。

三、司祭を訴えるインディオたち

初期布教の時代からトレント公会議、第三回リマ教会会議へと連なるこうした歴史こそが、本稿冒頭に掲げたインディオによる訴訟が生起する背景であった。この節では、先住民がいかにして司祭を訴えるにいたったのか、その過程を分析したい。

司牧者の根柢的自己変革を要請した教会会議に対しては、予想されるように、司祭側の劇烈な反発があった。とりわけ聖職者の商行為や賭博などに対して破門という厳罰をもって対処するという決議に対して、彼らは不服を申し立てた。その結果、第三回会議で決定された諸教令の批准をめぐり、モグロベッホ、そしてそれに抵抗する司祭ら双方が、代理人をヨーロッパに派遣し、まずはスペイン、ついでローマにおいて政治的な交渉を繰りひろげた。しかし、大司教が派遣したイエズス会士アコスタの辣腕により、諸決議は若干の修正を経てローマ教皇により正式に承認される(Martínez Ferrer 2015)。抵抗する勢力を抑えつつ、モグロベッホは代表者会議の諸決定の細目を通じ布教区司祭を十全に統御してゆく。

トレントの風に鼓舞されていたのがインディオたちであった。冒頭に掲げた司祭アビラに対する訴状の項目一つひとつが、トレントを経てリマの会議において結晶した「不実な司牧者」を譴責する条項に対応していることはここまで読んでいただければ明瞭であろう。実際、先住民たちは、リマ教会会議や大司教区代表者会議の決議事項を手元に置き、随時参照しながら、訴状を推敲していた。たとえば一六一七年、布教区に勤務する修道士を訴追した先住民は、該修道士が「聖なる教会会議と代表者会議が、わたくしたちインディオの保護に配慮し、救済につとめるよう命じているにもかかわらず、そうしたことを省みず、むしろわたくしたちを虐げるのです」と訴えていた（AAL, Capítulos, Leg. 2, Exp. 16）。また時代は少し下るが、一七世紀の中葉、リマ大司教区に住む先住民首長の財産目録が作成されたが、その蔵書の一冊には、モグロベッホを継いだ大司教ロボ・ゲレロの『代表者会議録』が含まれていた（網野 二〇一七：第三章）(4)。インディオたちは勉強していた。一六―一七世紀を生きた先住民の記録者グァマン・ポマがその書物に含めた挿絵のひとつに、教会学校で学ぶ先住民の子供たちの姿を描き出したものがある。一人の少年は帳面に何か熱心に書きつけており、よく見ると「〔本状をご覧になる〕方々は〔以下のことを〕周知されたし〔Sepan cuantos〕……」という公正証書に特徴的に出現する冒頭部分であることがわかる。インディオはこうして書字に習熟するとともに、法務文書を運用する能力をも身につけていったのである(5)。

それでは本稿冒頭に掲げた訴訟をあらためて考察してみよう。事態の真偽はさておき、史料から導出される出来事の時系列に従うと、次のような流れが見えてくる。まずサン・ダミアン布教区の先住民は、アビラ神父から受けるさまざまな抑圧状況を回避すべく一六〇七年に彼を提訴し、その結果、司祭が収監される事態となった。その後、該司祭は一六〇九年、同地区に偶像崇拝が夥しく残存している状況を曝露し、それを機に根絶巡察が制度化する……。しかし、これとは異なったヴァージョンが存在する。それはアビラ自身が一六四八年に出版した自著において懐古する語りである（Ávila 1648）。それによれば、彼は一六〇八年八月の聖母被昇天祭において同地方の先住民を偶像崇拝者として叱責する説教をおこなった。これに逆上したインディオたちが、仕返しとしてアビラを弾劾したというのである。彼は巡察使の査問を受けたが、改悛したインディオが提訴の無根拠であることを自白し、神父の嫌疑は晴れた。その後アビラは、同地方の偶像崇拝の実態をさらに精査し、蒐集した偶像や先住民祭司を一六〇九年、リマ大広場で貴顕に披露する……アビラが歴史の流れを捩じ曲げていることは瞭然である。訴訟の記録から、まずは先住民による弾劾があり、そのあとに展開するインディオに対する宗教的抑圧は、むしろアビラの報復であったと読むこともできるのである。

アビラが構築したこの言説の虚偽性を鋭く指摘したのは、この訴訟記録をはじめて緻密に分析したスペインの史家アントニオ・アコスタであった。彼は巡察が制度化された要因としてそれまで指摘されてきた外因論、たとえば、同じ時期にスペインで執行されたモリスコ(キリスト教に改宗したイスラーム教徒)追放政策の影響下、宗教的浄化の機運が昂進していたという考えかたや、プロテスタント勢力のアメリカへの接近に対する防衛として先住民社会の宗教的立て直しが目論まれた、というような諸説に留保をつけ、むしろインディオ社会の内部を凝視することを提案した。すなわち一七世紀初頭、先住民人口の減少が加速するなか、植民地経済に食い込む一セクターとしての聖職者による搾取の強度が高まり、そうした社会的矛盾が布教区司祭に対する訴訟、さらにはその反動としての根絶巡察の立案につながったと論じたのである。

私も外因論に拠るのではなく、まずは先住民社会の内面を分析するアコスタの姿勢に共感する。その上であえて私なりの分析視角を示すのであれば、根絶巡察の起点には、インディオ宣教の遅滞の原因を、司牧者の怠慢にではなく、先住民側の落ち度に転嫁するという力学的変動が生じていたと考えてみたい。

そもそも、この布教区司祭に対する訴訟というのは、いつごろから始まっていたのか。リマ大司教座文書館が架蔵する「聖職者弾劾訴訟」記録の文書束は一六〇〇年の裁判から始まっている。それゆえアコスタは一七世紀初頭の先住民社会における変化に注視したのだが、司祭に対する訴訟は、文書こそ遺ってはいないものの、じつはずいぶん前からおこなわれていたのである。モグロベッホが一五九二年に開催したリマ大司教区代表者会議での決議には興味深い事項がある。それは弾劾条項を提示する者には保証金(fianza)を求めなければならない、というものであり、その理由として、軽々に思いつきで聖職者を訴える者により、司祭の名誉が毀損され、また（無根拠ゆえに）訴訟が頓挫し、裁判費用の未回収といった事態が出来していることがあげられている（Mogrovejo 1970）。それゆえ今後は、保証金払いのない弾劾は教会裁判所は受理しないと規定しているのだが、この条文からも、この時期、聖職者に対する訴追が頻繁におこなわれていたことが推測される。

チャルカス地方の布教区に勤務する司祭バルトロメ・アルバレスが一五八八年頃に著した報告書には、宣教の最前線に生きた聖職者の直截な感情が迸り出る。とりわけ第三回リマ教会会議以降、訴訟システムを通じて布教区司祭に向かって攻勢に出ていた先住民の動きと、インディオにいつ告発されるかと怖じ気づく司祭の姿が活写されている。「連中は、我々がいなくなることを祈念しつつ、司祭が職務上犯しがちなすべての過謬を告発してやろうと待ち構えており、布教区司祭を訴追しうる条項を覚書に記している。司祭を裁く人々は、インディオのこうした邪意を知るよしもなく、彼らを良きキリスト教徒と信じ、その証言を鵜呑みにするのである。ここではインディオのほうが司祭よりも敬われている」。先住民に対する雑口を吐きつつ、こうした「逆さまの事態」の根源として、神父アルバレスは、第三回リマ教会会議、その主宰者たるモグロベッホ、そして会議を知的に導いたイエズス会士アコスタに敵愾を募らせる。ピカレスク風な誇張はあるものの、アルバレスはトレントからアンデスにまで到達した司牧改革の波に呑み込まれた司祭たちを代言している（Álvarez 1998[1588]）。

インディオたちは、トレントから放たれた教令に支えられ、アンデスの富に群がる司祭たちに拮抗していたのである。その意味で、アビラに対する司法闘争は、アントニオ・アコスタが論ずるように一七世紀初頭の経済的コンテクストの反映であるかもしれないが、しかしそれは唐突に始まったのではなく、一六世紀後半のポスト・トレント時代に先住民が示していた強靭な意思のひとつの表現であったと言えよう。

だがアビラが訴追された一六〇七年の時点ではある大きな変化が生じていた。その前年にモグロベッホは他界したのである。さらに、アビラが先住民からの訴追に対抗すべく伝統宗教の残存情況の曝露に奔走していたまさにその時、リマに新しい大司教ロボ・ゲレロが着任する。ロボは異端審問所の検事としてメキシコにわたり、のちに彼地の審問官となる。その後ボゴタの大司教として勤務したのち、リマに到着した。これが危地にあったアビラを救うことになる。ロボはすでにボゴタ管区において先住民の異教的実践の根絶を試みていた。それゆえロボの大司教就任は、先住民の宗教的逸脱に対して「異端審問的心性」をもって対峙する人々が前面に出てくることを可能にした。ロボが異端審問官であったという経歴ではなく(モグロベッホ自身もグラナダの異端審問官であったことを想起せよ)、先住民布教の遅滞・不調を、司牧の自己批判的刷新によって克服するのではなく、インディオ社会の宗教的浄化、混入した異物＝異教の除去によって打破せんとする思想が優位に立ったことを示している。もとよりトレント的司牧改革の精神が卓越していた時代においてさえ、宣教を異端審問の制度的枠組みに接合させる構想は存在していた。奇しくも本稿に登場したドミニコ会士デ・ラ・クルス、副王トレド、そして今見たばかりのアルバレス神父は、インディオの確信犯的な逸脱者を、火刑を執行しうる異端審問所の管轄下に置くよう提言した者としても知られている。しかしこれまでは、そうした主張が前景化されることはなかったのである。

いずれにせよ、アビラに対する弾劾訴訟は、ふたつの宣教思想の交替を画するものとなった。先住民を異端審問の埒外に置くという理念は堅持されたはものの、ロボ大司教の肝煎りで、偶像崇拝根絶巡察がリマ管区内で制度化された。判事たる巡察使、検事担当者、書記官、刑吏で構成され、拷問を加えることも辞さなかった巡察部隊が、さながら小ぶりの移動審問所のようにしてインディオ村落を急襲してゆく。こうしてその後、一世紀以上にわたり、強度の波はあるものの、宣教を異端審問的イデオロギーが律するようになる(Mills 1997; 網野 二〇二〇：第七章)。アコスタはまた、根絶巡察使に任命された司祭たちの多くが、先住民とのあいだに何らかの司法的トラブルを抱えていたという興味深い事実を明らかにしているが(Acosta 2014)、アビラをめぐる出来事は、異端審問的心性を招き入れるとともに、トレントの圧力によって鬱屈していた司祭たちを奮い立たせるモメントとなったのである。「司牧者の悪徳根絶」から「インディオの邪教根絶」への転換がここに刻まれた。

一〇〇以上の弾劾条項を突きつけられていたアビラ司祭はその後どうなったか。大部の訴訟記録の詳細を叙述する紙幅はもはやないが、結論だけを述べれば、告訴されたはものの、実際多くの先住民が告発を取り下げたことにより、神父は無罪放免となった。アビラは、ロボの組織した巡察組織の中心的存在として馳駆し、その後は教会組織の出世階梯をのぼってゆく。

リマ大司教座文書館には、一七世紀に根絶巡察が遺した審問記録がたくさん保管されている。それはインディオ社会に対して行使された宗教的な抑圧の深度を示している。しかしながら、同じ文書館の「弾劾訴訟」セクションに保管されている同時代の数多の記録は、アビラの勝訴以降も、布教区司祭たちに対する弾劾の矢はけっして尽きることがなかったことを私たちに教えてくれる。トレントに萌芽し、モグロベッホによって涵養された司牧改革の精神は息絶えることなく、反動の風に抗しつつ、インディオたちの大切な武器として、アンデス社会をその後も規定し続けるのである。

注

（1）初期宣教時代の布教内容をめぐっては齋藤晃が精緻に探究している(齋藤 二〇二〇)。
（2）タキ・オンコイ運動をめぐる言説の政治性については旧稿において論じたが(網野 一九九五)、アバクロンビーもエンコミエンダ世襲問題とタキ・オンコイは同じ貨幣の表・裏面の関係であったとする(Abercrombie 2002: 113)。
（3）副王トレドは修道士の機先を制するうえでも異端審問が効力を発揮しうるであろうと考えていた(Ramos 1986: 24-25)。
（4）布教区におけるこうした訴訟についてはチャールズの研究も重要である(Charles 2010)。
（5）Guaman Poma(デンマーク王立図書館所蔵：http://www5.kb.dk/permalink/2006/poma/684/es/text/ 最終閲覧日二〇二二年一月一二日).

参考文献

網野徹哉（一九九五）「植民地体制とインディオ社会――アンデス植民地社会の一断面」歴史学研究会編『講座世界史』第二巻、東京大学出版会。

網野徹哉（二〇一七）『インディオ社会史――アンデス植民地時代を生きた人々』みすず書房。

網野徹哉（二〇一八）『インカとスペイン 帝国の交錯』講談社学術文庫。

網野徹哉（二〇二〇）「適応に抗した宣教者たち――アルバレスとデ・ラ・クルスの場合」齋藤晃編『宣教と適応――グローバル・ミッションの近世』名古屋大学出版会。

齋藤晃（二〇二〇）「福音以前の祖先と「粗野な人びと」の救済――一六世紀の日本とペルー」齋藤晃編『宣教と適応――グローバル・ミッションの近世』名古屋大学出版会。

プロスペリ、アドリアーノ（二〇一七）『トレント公会議――その歴史への手引き』大西克典訳、知泉書館。

Archivo Arzobispal de Lima（AAL と略記）.

Capítulos, Leg. 1, Exp. 9.

Capítulos, Leg. 2, Exp. 16.

Abercrombie, Thomas (2002), "La perpetuidad traducida: del 'debate' al taqui Onqoy y una rebelión comunera peruana", Jean-Jacques Decoster (ed.), *Incas e indios cristianos: elites indígenas e identidades cristianas en los Andes coloniales*, Cuzco: CBC.

Acosta Rodríguez, Antonio (2014), *Prácticas coloniales de la Iglesia en el Perú: siglos XVI y XVII*, Sevilla: Aconcagua Libros.

Álvarez, Bartolomé (1998[1588]), *De las costumbres y conversión de los indios del Perú: memorial a Felipe II*, Madrid: Ediciones Polifemo.

Ávila, Francisco de (1648), *Tratado de los evangelios que nuestra Madre la iglesia propone en todo el año…*, Lima: Gerónimo de Contreras.

Charles, John (2010), *Allies at odds: the Andean church and its indigenous agents, 1583-1671*, Albuquerque: University of New Mexico Press.

Durston, Alan (2007), *Pastoral quechua: the history of Christian translation in colonial Peru, 1550-1650*, Notre Dame: University of Notre Dame

Press.

Ehlers, Benjamin (2006), *Between Christians and Moriscos: Juan de Ribera and religious reform in Valencia, 1568-1614,* Baltimore: The Johns Hopkins University Press.

Levillier, Roberto (1921), *Gobernantes del Perú, cartas y papeles, siglo XVI: documentos del Archivo de Indias,* tomo III, IV, Madrid.

Lissón y Chávez, Emilio (1943), *La iglesia de España en el Perú: colección de documentos para la historia de la iglesia en el Perú,* tomo II, Sevilla: Editorial Católica Española.

Lockhart, James (1968), *Spanish Peru, 1532-1560: A social history,* Madison: University of Wisconsin.

Martínez Ferrer, Luis (2015), "Apelaciones del clero de Charcas al Tercer Concilio de Lima, 1583-1584", *Annuarium Historiae Conciliorum,* 47 (2).

McGlone, Mary M. (1993), "The king's surprise: the mission methodology of Toribio de Mogrovejo", *The Americas,* 50, nº 1.

Mills, Kenneth (1997), *Idolatry and its enemies: colonial Andean religion and extirpation, 1640-1750,* New Jersey: Princeton University Press.

Mogrovejo, Alfonso Toribio de (1970), *Sínodos diocesanos de Santo Toribio, 1582-1604,* Cuernavaca: Centro Intercultural de Documentación.

Poole, Stafford (1987), *Pedro Moya de Contreras: Catholic reform and royal power in New Spain, 1571-1591,* Berkeley: University of California Press.

Ramos, Demetrio (1986), "La crisis indiana y la Junta Magna de 1568", *Jahrbuch für Geschichte von Staat, Wirtschaft und Gesellschaft Lateinamerikas,* 23.

Saito, Akira and Claudia Rosas Laura (eds.) (2017), *Reducciones: la concentración forzada de las poblaciones indígenas en el Virreinato del Perú,* Lima: Pontificia Universidad Católica del Perú.

Santo Tomás, Domingo de (1560a), *Lexicon, o vocabulario de la lengua general del Peru,* Valladolid: Francisco Fernández de Cordoua.

Santo Tomás, Domingo de (1560b), *Grammatica o arte de la lengua general de los indios de los reynos del Peru,* Valladolid: Francisco Fernández de Cordoua.

Schroeder, H. J. (2011), *Canons and decrees of the Council of Trent,* Charlotte: TAN Books.

Vargas Ugarte, Rubén (1951, 1952), *Concilios limenses,* vol. 1/2, Lima: Tipografía Peruana S.A.

コラム｜*Column*

スペイン帝国文書ネットワークの昔と今

佐藤正樹

一六五〇年二月二七日、南米一の鉱山を擁するポトシから、ファナ・デ・ベラスコという女性がスペイン王に宛てて文書をしたためた。それによると、ポトシの南西三〇〇キロほどに位置する鉱山街リペスで生じた騒動において、鉱山業を営む彼女の息子がリペスのコレヒドールに殺害された。コレヒドールがペルー副王の腹心の部下であるために、同地を管轄するチャルカス聴訴院は手をこまねくばかりで、この間にリペスの混乱は深まり、銀の生産量も落ちているとのことだった。チャルカス、そしてリマ聴訴院という南米植民地の行政府が頼れないとみたベラスコは、裁きを直接スペイン王に求めたのである。これを受け、一六五一年五月三日、チャルカス聴訴院の議長に対し、ベラスコの訴えを聴くよう命じる王令がブエン・レティーロの王宮で作成された。

アンデスの地で一臣民が作成した文書が、遠いスペインの王の元に届き、のみならず王がその内容を吟味し応えている。このことは強い印象を我々に与えるかもしれないが、決して例外的な事態ではなかった。当時の史料を読むと、各地でさまざまな階層の人々が、スペイン帝国の文書行政のネットワークに一定の信頼を置いて参加していたことが分かる。本コラムでは、一七世紀当時のこのネットワークの構造と、現代においても史料の所在がその構造を反映していること、つまり、現在の研究者の史料探しについて記す。

スペイン帝国のアメリカ統治は、高橋均が指摘したように「裁定者とその協議機関」というパターンが三層構造を成す。文書のネットワークも、これに沿って構築されていた。第一のレベルはアメリカ植民地全体をカバーし、スペイン王とインディアス枢機会議が統括する。ここで扱われた文書は、大部分がスペインのインディアス総文書館に保管されている。第二のレベルは総督職とそれを補佐する聴訴院で構成される。聴訴院で扱われた文書は、現在では中南米各国の国立文書館・図書館に保管されている。第三のレベルは市町村単位に相当し、コレヒドールと参事会《カビルド》とで構成される。ここで扱われた文書は、各国の地方文書館や自治体の文書館・図書館が所蔵していることが多い。

冒頭で紹介したポトシやリペスは、前述の第三のレベルに該当する。ここで起きた訴訟は、それぞれのコレヒドールが参事会と協議して裁く。判決に当事者が納得しなかった場合、その上位審級であるチャルカス聴訴院に対して上訴が行われる。この第二のレベルでも問題が解決しなかった場合、第一のレベルであるスペイン王に対して上訴が行われる。ファナ・デ・ベラスコは、第三のレベルから第一のレベルに直訴

南米ボリビアのオルーロ裁判所付属文書館 Archivo Judicial de Oruro の様子．オルーロの街が建設された1606年以降の公証人文書が保管されている．

したことになる。ベラスコの作成した文書をインディアス総文書館で発見した際、私は、彼女が言及したリペスの騒動について、チャルカス聴訴院でも何かしら審議していた可能性が高いと考えた。その後、同聴訴院の置かれていたスクレのボリビア国立文書館で調査したところ、やはり関連する史料が複数見つかった。

　文書館でのこうした調査は楽しい半面、時間もお金もかかる。とりわけ日本で執筆中、読みたい史料がはっきりしている時ほど、電子化されていたら……と思うものである。文書史料の電子化に関して積極的なのはスペインで、特に国立図書館の手稿文書コレクションは質量ともにすぐれている上、館外からもアクセスが可能である。インディアス総文書館も電子化を続けているが、まだ分量は少なく、アクセスが文書館内に限られているものが多い。中南米では、私の知る限り、コロンビアの国立文書館が最も包括的な形で所蔵文書を電子公開している。

　二〇二〇年から世界で猛威をふるっている新型コロナウイルスによって、人の移動への制限が続いている。文書館への物理的なアクセスを妨げるこの状況は、各地で文書史料の電子化を促進するかもしれない。史料が破損や紛失から守られるという点でも、電子化は望ましい。一方、それに伴い、文書館に足を運ばなくなる研究者も増えるかもしれない。しかし、テーマにもよるが、研究を始めた時点ではどんな史料が必要かなど分からないものである。また、実際に史料を読んでいくうちに、あらかじめ設定していた研究テーマが変化していくこともあるだろう。また、興味深い史料に出会い、新しい研究が始まることも少なくない。スペイン帝国、とりわけ植民地期アンデスの歴史について、このような、史料に導かれる調査は、ウェブ上で実現できる状況にはまだない。文書館で直接史料をひもとくことの意義も、当分失われることはないだろう。

焦点｜Focus

一六世紀メキシコからみたグローバルとローカル
――女性と家族を中心に

横山和加子

はじめに

メキシコは、スペインがヌエバ・エスパーニャ、すなわち「新スペイン」と呼んで新大陸で最初に本格的植民地支配を敷いたインディアスの先進地域にあたる。インディアスとは、スペインが西インド諸島、アメリカ大陸、フィリピンの植民地を指して用いた名称である。一六世紀のメキシコでのグローバルな動きとは、宗主国スペインが体現する西欧世界に取り込まれ、スペインならびに西欧世界を通じてアフリカやアジアとつながることであり、ローカルな動きとは、グローバルが課す大枠の中で、先住民の伝統的社会と、旧世界からの渡来者とその子孫たちが織りなす営為であるといえよう。その結果、一方で西欧風の街並み、キリスト教の信仰、スペイン語の使用などで西欧世界に属しつつ、他方、人々の肌の色や相貌、食文化、民俗・風習、伝統工芸から美意識まで、西欧との違いが明らかなメキシコが誕生した。

ヌエバ・エスパーニャで顕著な社会の特徴として、人種の混交と階層間の際立った格差が挙げられる。この特徴が現れる過程は、女性と家族を介すると一層明確になる。本稿ではまず、統治機構、法制、諸制度などから、グローバルな力がメキシコに課そうとした枠組みを概観したのち、その下で伝統的先住民世界と重なり合いつつ生みだされるローカルな社会を、女性と家族に関する事例を挙げながら見てゆきたい。

一、グローバルな骨格

都市の建設と統治機構

現在、中南米諸国の首都となっている都市の大半は、一五五〇年までにスペイン人によって設立された。スペイン人が居住する集落 lugar には、重要性に応じて町 villa や市 ciudad の地位が与えられ、それに対応する特権が許されて、都市の発展を促した。正式な住民による自治的組織参事会《カビルド》の設置は、最も基本的な特権であった。メキシコ市(一五二一年設立)のような主要都市は、長距離移牧の牧畜業者の全国的協議組織メスタ、職人のギルド、商人の商館が設置されて、産業・経済の中心としての役割を担った。

王権の出先機関として、司法と行政を司る強大な権限を与えられたアウディエンシア(聴訴院)がメキシコ市で発足したのは一五二九年、同市を首都としてヌエバ・エスパーニャ副王領が設置された三五年からは、副王がアウディエンシアの長官を兼ねた。それらを本国から統括したのは、国王を補佐するインディアス枢機会議で、その実務機関である通商院がセビリアに置かれた。アウディエンシアの域内では、地方に長官(コレヒドール、アルカルデ・マヨール)が派遣され、先住民を含む管轄地域の司法と行政を司った。一五三〇年に司教座が、四六年には大司教座が設置されたメキシコ市は、ペルー副王領の首都リマと並ぶ西半球随一の都市であった。このような統治機構、都市の格付け、そこに設置された職能団体などは、スペインに原型があることから、インディアスに課せられたグローバルな大枠といえよう。官僚組織も本国からの移植であった。後述のように、本国から派遣される高官は、現地の有力層と結びついて植民地支配階層を生み出し、地元市民に配分される官職は、その任用や売官を通じて、王権のインディアス支配の道具となった。

他方、先住民は先住民固有の村 pueblo に集住化された。村ではスペイン人の都市の参事会《カビルド》に倣った村会の運営が認められ、一定の自治と慣習法が許容された。征服直後から急激に人口を減らし始めた先住民共同体を温存する目的で、スペイン人は都市、先住民は村にという住み分けが法で定められ、旧世界には存在しなかった空間上の二重構造ができあがった。先住民村から貢租と労役を徴収する権利(エンコミエンダ)を、征服・植民の功労者に与えるエンコミエンダ制は、メキシコでは征服直後から導入され、先住民とスペイン人入植者の関係を規定した。一六世紀中には、裕福なスペイン人都市では、格子状街路と大きな中央広場、キリスト教の聖堂・修道院・庁舎・邸宅などの石造りの建物が西欧風の街並みを作り上げた。同じく中央広場と教会堂を中心に形づくられた新たな先住民の村は、その簡素な相似形を呈した。多くの人口を抱える中心的村落では、宣教師の指導のもと大規模な修道院と付属聖堂が建設され、キリスト教の教えとともに本格的な西欧建築が移植された。そうして育成された先住民職人の手によって、周囲の村にも個性的な教会堂が生まれていった(横山 二〇〇四)。

法制

スペインが導入した法制もインディアスをグローバルな世界に接続した。スペインの新大陸征服・植民を担ったカスティーリャ王国では、カスティーリャ法と総称される中世以来の諸法が用いられていた。インディアスでも基本的にはこれが適用された。他方、植民地の特殊事情に対して勅令や王令が随時発せられた。インディアス法とよばれるそれらの規定は、一六八一年、『インディアス法典』にまとめられた。法典には、征服直後からインディアスにむけて営々と出された法が整理・編集されている(*Recopilación* 1987)。

インディアスでも婚姻は教会の管轄下に置かれた。教会法は、年齢や親等など婚姻をはばむ条件、正式な婚姻の手続き、教会外での結婚・同棲・姦通への処遇、婚姻に関する訴訟などについて定めていた。カスティーリャ法でも教会法でも、婚姻成立に必要な唯一の条件を「両性の合意」とする基本姿勢をとり、強制による婚約は解消できた。先述のような住み分け政策はあったものの、異人種間の婚姻に法的な問題はなかった。加えて植民地でも教会は地方公会議を開催し、実情に応じた独自の条項を定めた。先住民共同体では、婚姻についても一定の枠内で慣習法が許容された。誕生間もないインディアスの社会では、教会が結婚に課す規範の順守は困難だったが、教会法が示す、誰もが尊重すべき家族の形は、男女の関係の良し悪しの判断基準や社会通念となった。

債務と国際貿易

グレーバーは『負債論』で、コンキスタドール(征服者)たちの先住民に対する暴力的な所業を債務者の心理に帰している。「(自前で征服の費用をまかなったコンキスタドールたちの貪欲は)単なる貪欲ではなく、神話的な規模にまで達した貪欲である。(中略)(テノチティトランやクスコの征服で)莫大な富を獲得したあとでさえ(中略)さらなる財宝を求めて再出発している」。現地ではすべてが法外な値段で、全員がどっぷり借金漬け、スペイン人商人たちは基本的な必需品に無茶苦茶な価格を要求する。「ここで問題になっているのは(中略)恥辱と正当なる憤怒の複雑な混合、膨らみたまっていく一方の(有利子貸し付けの)借金へのせっぱつまった焦燥感、(中略)そういった心理学である」(グレーバー 二〇一六)。すなわち、萌芽期の資本主義も、もうひとつのグローバルな波としてインディアスへ打ち寄せたのである。コンキスタドールたちが抱えた負債は、スペインでジェノヴァ商人が牛耳る遠距離貿易を通じて、世界市場で展開する商業資本主義とつながっていた。まもなく、インディアスの銀がグローバルな経済の中心へ決定的なインパクトを与えるようになる。そして、奥地の鉱山町へと延びる商人のネットワークは、次節で触れる、大西洋の両側に分かれた親族の間の手紙のやり取りや送金などに利用されて、家族の連携も支えることになる。さらに、征服が個人の資金負担による事業であった事実は、獲得した領土に対してコンキスタドールとその子孫が権利を求める正統性の根拠となり、新大陸の豊富な銀は、彼らに与えられた土地の偉大さを意識させて、後述する反乱未遂事件の背景となった。

二、植民地の新秩序と女性・家族

エンコメンデーロの妻たち

王権は征服地の安定には家庭の役割が重要と考え、インディアスに向かう男たちに妻の同伴を命じ、独身者には結婚を促した。特に、社会の要であるエンコメンデーロ(エンコミエンダの受領者)にはそれを求めた。『インディアス法典』には、「エンコメンデーロの中には未婚の者や、妻子をスペインやインディアスの別の地方に置いている者がいる。彼らが良き手本となる生活を営み、居住地の人口が増えることが望ましい。(中略)各地の総督は、一定の年齢と経済力を有する独身者には結婚を勧め、促し、同じ手柄をあげた場合には既婚者に優先して先住民を割り当てる(＝エンコミエンダを与える)こと」(第四書第五章第五条　一五三八年)とある。

アルバレスによれば、一五四〇年、ヌエバ・エスパーニャに居住する一二〇〇人のコンキスタドールのうち三六二人がエンコメンデーロであった。その中で年間の貢租収入が一八〇〇ペソを上回るものが五三人、うち一八人は三〇〇〇ペソを超えていた。征服に功のあった指揮官らからなるこの一握りは、先住民数万人規模の大エンコミエンダを享受し、王権から植民地行政の重要な官職(前線総督、総督など)と、多くの恩典(放牧地・耕作地・粉ひき所などアシエンダの基盤）を与えられ、メキシコ市参事会《カビルド》の終身参事会員《レヒドール》職を拝領し、市民に配分される土地から最高の場所を分け合い、十分の一税の徴収を請け負い、蓄積した資本を鉱山開発などの新たなビジネスに投資した。こうして、エンコメンデーロ、官吏、企業家の顔を備えたメキシコ市の有力層が生まれる。貢租収入が八五〇から一八〇〇ペソの七八人は、自前で征服戦争に参加したが大きな功績のなかった者で、貢租収入だけでは生活できず、有力エンコメンデーロの家人《けにん》や郎党に甘んじた。貢租収入が一五〇から八五〇ペソの九五人は、弓兵や歩兵などとして従った者で、征服後は小売商、仕立て屋、運送業などにたずさわった。貢租収入がさらに低いものたちは、警吏補佐、門衛、大工、肉屋などあらゆる職業に従事するか、さらなる征服に向かった（Álvarez 1973）。

このようなエンコメンデーロの幅広い階層に対応して、そのスペイン人の妻たちも、さまざまな出身階層にわたり、それに応じた料理、衣服、読み書き・教養、信仰心などの生活文化を家庭という核心に植え付けて、新天地でのスペイン社会の再生産に貢献した。

スペイン人女性の渡航

インディアス総合文書館には、一五四〇年から一六一六年までの間に、インディアス移住者五二九人から本国の家族や親戚にあてて書かれた六五〇通の手紙が保存されている。インディアス枢機会議と通商院が発行する正式な渡航許可状の申請に添付された、かの地からの呼び寄せを証明する書状である。オッテによれば、宛先が特定できた四七四人からの手紙の受取人の居住地は、アンダルシアが三六・一六％、レオンと新・旧カスティーリャをあわせて四四・六二％、エストレマドゥーラが一六・二八％で、カスティーリャ王国の領域内で九七％を占めていた。インディアス植民がカスティーリャ王国の事業であったことを示している。また、新大陸への玄関口セビリアを抱えるアンダルシア地方の出身者が多いことは、植民地でこの地方の文化的特徴が色濃く現れたことを説明している。五二九人の差出人のうち女性は五一人（貴族階層の婦人は九人）で、この期間、インディアスに渡航する女性の割合が低かったことがうかがえる。手紙の宛先の多くは妻（一〇五通）、ついで甥であった（Otte 1993）。

手紙には、妻や肉親にあてて、返信がないことへの懸念や、呼び寄せる家族が大西洋を渡る旅に抱くであろう不安を和らげ励ます言葉が連ねられている。祖国で日々の労働に追われる妻に、先住民や黒人奴隷にかしずかれる豊かな暮らしを約束する夫、乗船前にセビリアで黒人奴隷を買うよう妻に指示する夫もいた。インディアスよりずっと安価に奴隷が購入できたからである。トレドに住む二人の娘に持参金を送り、スペインで結婚してから夫とともにインディアスへ渡航するよう促す父親からの手紙もある。先住民女性を妻としていたある男性は、一五七一年、メキシコ市で築き上げた財産を残すために甥を呼び寄せる手紙の中で、「わたしは自分から願ってこの女性と結婚した。〔中略〕ここは先住民を大変尊重する国なので、名誉が傷つくことはない」と述べている（Otte 1993）。先住民や黒人、混血者への強い偏見を示す手紙も少なくないなかで、こうした人種観が表明されたことも事実であった。

先住民妻の重要性

スペイン人女性が少ないなか、王権がエンコメンデーロの妻帯を強く促したため、先住民女性との正式な結婚は珍しくなかった。先住民王族の高貴な女性との結婚は、夫たちに大きな見返りをもたらした。なかでも、戦わずしてコルテスの軍門に降ったアステカ（メシーカ）王国の君主モクテスマ二世の娘イサベル・モクテスマとの結婚は破格で、イサベルの運命も数奇であった。

モクテスマ二世の後を継いだ二人の短命な王、クイトラウアクとクアウテモクへの権威づけのため、相次いでその妻となった経緯をもつこの王女は、テノチティトランの陥落時（一五二一年）、まだ一一歳か一二歳の少女であった。コルテスはこの高貴な娘に洗礼を受けさせ、イサベルの名を与えた。一五二六年、コルテスはイサベルをモクテスマ二世の嫡出の娘でその正統な相続者であると宣言し、部下のアロンソ・デ・グラドとめあわせ、それを機に、父親からの相続財産として、メキシコ市に隣接したタクバほかあわせて一二の豊かな先住民村落の首長の身分と特権を認めた。この夫の死後、コルテスはイサベルを保護下に置き(娘を)身ごもらせるものの、出産前に、征服の功労者ペドロ・ガリェーゴ・デ・アンドラーデと再婚させた。この結婚で一男を得たのち、まだ二一歳で再度寡婦となったイサベルは、翌年、やはりコルテスの部下であったファン・カノと結婚し、三男、二女を得た。彼女の最後の夫となったカノは、一五四四年、スペインへの一時帰国の帰途、カリブ海の港町サント・ドミンゴに滞在した際、国王からインディアス年代記作者に指名されその地で執筆していたフェルナンデス・デ・オビエドに、妻イサベルについて問われ、以下のように語っている。「スペインで育ったとしても、あれほどにキリスト教の教えを身に付けたよき信者になれるとは思いません。彼女の話術の巧みさは、その作法と気品とともに貴公をも満足させるでしょう。彼女の存在は、かの地の民におおいなる慰めと満足を与えております。全てにおいて君主である彼女がキリスト教徒の友であることで、彼女への敬意と彼女が示す手本が、メキシコ人の心に大きな平穏と安心を与えるからです」[1]。イサベルとカノの三男は、父の故郷カセレスで結婚し、アステカ王の血と姓をスペイン本国の貴族の中に注ぎ込んだ。法令、裁判記録、年代記など男性の手で書かれた史料の中に、男性の道具ではない女性の意思を読み取ることは難しい。イサベル・モクテスマのような特別な例でも、本人の気持ちを確認することはできない。しかし彼女が、征服という厳しい現実に、最大限の努力をもって立ち向かったであろうことは推測できる。

王権は各地のカシケ(先住民首長)にもカシカスゴ(首長の身分と特権)を認めて中間的支配層とした。カシカスゴは女性も相続できたため、カシカスゴを相続した先住民貴族の女性と、その地方のスペイン人(エンコメンデーロとその親族や配下)との正式な結婚も稀ではなかった。その結果、一七世紀には多くのカシケがメスティーソ(先住民とスペイン人の間の子)、もしくはカスティーソ(メスティーソとスペイン人の間の子)であったという。

黒人と黒人系混血者

銀の産出とならんでインディアスを国際貿易に組み込んだのが、大西洋をまたいでの黒人奴隷の取引であった。インディアスの黒人は、都市、鉱山、アシエンダなどで白人と居住域を共にした。奴隷が置かれた環境は、労働の場所や形態によって一様ではなかったが、一般的に都市の家内奴隷のほうが恵まれていた。ヌエバ・エスパーニャの黒人女性を研究したベラスケスによると、黒人男性との間に子供ができることを期待されて、一六世紀半ばからヌエバ・エスパーニャへ女性の奴隷も送られ始める。一六四〇年ごろ、ヌエバ・エスパーニャにはアフリカ出身の奴隷が八万人ほどいたと推定されている。その多くはアンゴラ出身であった。男性よりも価格が低かった女性の奴隷の割合は、正式な交易記録では三割程度であったが、女性の家内奴隷の需要が高かったメキシコ市では、女性が占める割合は四割以上で、男性と同等かそれ以上の値がつけられたという(Velázquez 2006)。

奴隷身分は母親から受け継がれるので、父親がスペイン人であっても奴隷の母親から生まれた子供は奴隷身分とされた。その場合、インディアス法では、父親にその子供を購入する優先権が認められた。奴隷が自由身分を得る方法は主に二つだった。主人が恩情や遺言で自由身分を与える場合と、自ら買い戻す場合である。征服に同行した黒人奴隷には、その功により、通常、国王から自由が与えられたので、植民地ではごく初期から自由な黒人と先住民の混血も始まった。黒人男性と先住民女性のかかわりについて『インディアス法典』には、「多くの黒人男性が先住民女性を囲い、痛めつけ、虐げていると思われるので、自由人であっても奴隷であっても、黒人〔の男女〕が先住民〔の男女〕を使役してはならない」(第七書第五章第七条　一五五一年・一五八九年)という規定がみられる。

一五二七年、植民地での奴隷の再生産を目的として、奴隷同士の結婚を奨励する法が出され、ヌエバ・エスパーニャでは一七世紀半ばまで、奴隷同士の結婚が主人により奨励された。主人が異なる奴隷の結婚では夫婦の同居が難しく、結婚生活は不安定であった。教会は、一五八五年、第三回メキシコ地方公会議の決定で、奴隷の夫婦の一方を遠方に売却することを禁じ、奴隷の夫婦が週一度は会うことを許すよう主人に求めた(Velázquez 2006)。

ブラジル、カリブ海、英領北アメリカで奴隷の取引が最盛期に向かう一七世紀末になると、ヌエバ・エスパーニャでは黒人奴隷の売買は下火になる。先住民人口が増加に転じ、植民地生まれの奴隷と、先住民・メスティーソ・ムラート(黒人とスペイン人の間の混血者)からなる自由人が労働需要を満たしたからである。一七世紀半ばのメキシコ市では黒人が人口の一定割合を占めていたのに対し、一八世紀になると、人口調査や各種記録で黒人に属する人数が減少もしくはほぼゼロになり、メスティーソを中心とする混血者の中に吸収された。この傾向はメキシコの他の地域でも見られた。

人種の混交

一六世紀半ば以降、メスティーソや黒人、黒人系の混血者の増加が顕著となり、歴代の副王は、彼らを社会秩序への深刻な脅威とみなすようになるが、他方で、先述のように、教会による正式な結婚を通じて、伝統的な先住民支配層の血がスペイン人の血と混ざりあって継承され、尊重されるという現象も生じていた。

一八世紀のメキシコで、公式な人口記録から「黒人」という項目が消えてゆく原因について、「婚外の結びつきによる混血の増加」という従来の説に対して、子供に有利な人種ステータス(黒人をムラートに、さらには先住民系混血のメスティーソへ)を与えるため、洗礼時の教区台帳記載に際して、司祭の恩情、黙認、見落としの上に、親族が詐称したからではないかとの見解が出されている(Gonzalbo 1998)。新生児に人種的特徴を見定めるのは難しい。それと歩調をあわせるように、複雑化した混血を示す名称が増えている。一八世紀のメキシコ市で多数制作された風俗画「カスタ(混血者、特に黒人系)の絵」には二〇種類以上が認められる。特筆すべきはそこに、「スペイン人と先住民の子供はメスティーソに」に始まり、「スペイン人とメスティーソの子供はカスティーソに」「スペイン人とカスティーソの子供はスペイン人に」まで、先住民が混血者を経てスペイン人に至る過程が、両親と子供の外見的特徴を示す絵とともに示されていることである。この風俗画には黒人系の混血者が白人化する道は描かれていないが、彼らにも、先に指摘したような先住民系の混血にスライドする迂回路があった。こうした混血の複雑化と白人化の可能性が、北米とは異なる緩やかな人種観の形成を説明しているかもしれない。

三、女性を介した植民地有力階層の形成——富・権力・姻戚

女性の財産

財産の継承とそれを前提とした姻戚関係の構築も、女性が家族のなかで果たした重要な役割であった。カスティーリャ法では、親からの財産相続は基本的に男女を問わず子供による分割相続であった。婚姻の際には、夫は妻に祝い金 arras を、妻側は持参金 dote を用意した。持参金には娘への生家からの財産分与の意味があった。妻の存命中、夫は持参金を適切に管理する義務を負い、夫が死亡した場合は、妻は夫の財産から持参金に祝い金を加えた額の返却を求めることができた。妻が死亡の場合は、それが妻の実家もしくは妻が遺言した先へ引き渡された(Beceiro 1990)。一六世紀、祝い金が象徴的な金額になっていたのに対し、持参金は上昇していた。なかでも、ヌエバ・エスパーニャの富裕層の婚姻ではその額は高騰していた。一方で条件の良い婚姻の機会を待つ男性がおり、他方で十分な持参金を準備できない娘たちがいた。このような事情を含めて、さまざまな理由による内縁関係が、社会的に公認される風潮がみられた。

エンコミエンダの相続

インディアス固有の制度であったエンコミエンダの相続についても、王権は現地の要請に押されるかたちで法整備を行った。一五七〇年までのインディアス法をまとめた法令集からその経緯がうかがえる[2]。一五一五年まで、エンコミエンダは一代限りで、受領者死亡後、王権へ返還するとされたが、同年、二代目への相続が認められた。相続者は妻か嫡子(嫡子がない場合庶子でも可)であった。一五三〇年代半ば、エンコミエンダは正式な結婚で生まれた嫡男、夫婦に嫡男がいない場合、寡婦が相続するとされ、寡婦の再婚に際しての規定も設けられる。嫡男もしくは寡婦への相続を保障するこの方針は、エンコミエンダの相続禁止と規模の適正化を謳うインディアス新法(一五四二年)で覆されるが、これに抗議してペルーでゴンサロ・ピサロの反乱(一五四五年)が起こると、王権はマリナス法(一五四五年)で改めて相続の可能性を残した。エンコメンデーロにはその地に居住し領土を防衛する義務が課せられていたが、征服の時代が終わる一六世紀半ば、エンコメンデーロに息子がいない場合は、娘が相続することも許されるようになる。これにより、持参金としてのエンコミエンダの役割が一般化する。

一五五五年、王権は三代目への相続を黙認することとした。背景には、植民地生まれの二代目エンコメンデーロたちの間で日増しに強まるエンコミエンダ永代化の要望があった。後述の反乱未遂事件を経て、王権は、三代目への相続を黙認しつづけたものの、特別な事例を除いてエンコミエンダの永代化は認めず、ヌエバ・エスパーニャでは、一六世紀末には多くのエンコミエンダが王権に戻された。

エンコミエンダとマヨラスゴ

エンコミエンダは王令による特別な許可がない場合、分割相続が許されなかった。分割相続不可で国王の許可のもと設立される永代財産として、スペインにはマヨラスゴ(長子相続制・長子相続財産)が存在した。これは、一家の財産の一部を、分割も売却も不可としたうえで、マヨールすなわち嫡出の年長の男子(いない場合は女子、最も近い血縁の者、遺贈者が指定する者など)一人に相続させるもので、カスティーリャ法の一部を成すトロ法によって、一五〇四年法制化された。貴族の血統継承を保障する財政基盤となるマヨラスゴは、領主権、世襲の職権、地代、不動産、国王債権など、持続的収入をもたらす財産で構成された。

王権は、エンコミエンダの永代化は認めなかったものの、植民地で王権に歯向かう勢力台頭の恐れが遠のくフェリーペ二世(在位一五五六—九八年)の時代になると、トロ法の規定を等しく適用して、植民地でのマヨラスゴの設立を許すようになる。領主権が存在しないインディアスでは、マヨラスゴは脆弱にならざるを得ず、この制度の普及も限定的であったとされるが、妻の持参金をもとにマヨラスゴを設立したり、妻が持参するマヨラスゴを加えて複数のマヨラスゴを所有し、大きな財産を形成する一族も出て、爵位をもつ「インディアス貴族」の成立を後押ししたのも事実であった。

娘にエンコミエンダ相続の道が開ける一六世紀半ば、ヌエバ・エスパーニャの有力階層は、富・権力・姻戚によって成立したとされている(Gonzalbo 1998)。潤沢な持参金をもつ良家の女性の好ましい結婚相手の筆頭は、本国から権力や由緒正しい血筋をたずさえて来るエリートたちであった。一六世紀末、地元有力者と植民地高官の癒着が植民地行政に及ぼす弊害を看過できなくなった王権は、副王や聴訴官(アウディエンシアの裁判官)などの植民地高官本人とその子供が、任地で結婚することを厳しく禁ずるが効果はなかった。王権自らが経済的見返りを条件に、例外を許可したからである。クリオーリョ(植民地生まれのスペイン人)を中心とするメキシコ市有力階層は、このような姻戚関係の上に形成された。彼らを「ローカル」としたとき、つぎに挙げる二つの事例は、クリオーリョ世代におけるローカルとグローバルの緊張関係を示したものといえる。

マルティン・コルテスの反乱未遂事件と姻戚構築の実際

一六世紀半ば、メキシコ市参事会《カビルド》の終身参事会員《レヒドール》には、妻をめとり、幼い子供をもつ有力家系の二代目エンコメンデーロたちが含まれていた。エンコミエンダの永代化を切望する彼らが巻き込まれたのが、一五六六年に発覚した王権への反乱未遂事件で、この時処罰された終身参事会員《レヒドール》、アロンソ・デ・アビラ、ベルナルディーノ・デ・ボカネグラ、アントニオ・デ・カルバハルは、いずれも、年齢が三〇代半ばまでのそうした二代目であった。

ポーラスは、一六世紀のメキシコ市で最も強力な姻戚を作り上げた例として、エストラーダ家とセルバンテス家をあげる。前出の三人もそのいずれかと姻戚関係にあった。アビラとボカネグラの妻は、国王が派遣した財務官アロンソ・デ・エストラーダの五人の娘のうちの二人が、それぞれ本国から赴任した高官との間にもうけた娘たちだった。また、カルバハルの二人の姉妹はいずれも、「騎士団長」の肩書をもつコンキスタドール、レオネル・デ・セルバンテスの娘が、セビリアの名家出身のコンキスタドールとの間にもうけた二人の息子に嫁いでいた[3](Porras 1982)。

事件の発端は、それまでフェリーペ二世に仕えていたマルティン・コルテス(一五三二―八九年)が、父エルナン・コルテスが征服の功により与えられた爵位と所領を受け継ぎ、一五六三年初頭、二代目デル・バーリェ侯爵としてメキシコ市へ戻ったことであった。同市の有力市民は、スペイン貴族の妻と大勢の一族郎党を伴って帰国したメキシコ生まれの侯爵を、メキシコ征服者の正統な後継者として盛大に歓迎した。程なくして侯爵は、副王ルイス・デ・ベラスコによる先住民貢租査定の甘さ——甘い査定はエンコメンデーロの収入低下を意味した——を批判するなど、エンコミエンダの問題に介入するようになる。国王は同年、巡察官ヘロニモ・デ・バルデラマを派遣し真相を調査させるが、そのさなか、老齢の副王が死去(一五六四年)、その統治権が暫定的にアウディエンシアに移り、侯爵の威勢はさらに高まった。これに対して前副王派が、侯爵を国王に戴く反乱・分離計画があるとアウディエンシアへ告発するが、巡察官はとりあわず帰国(一五六六年初頭)、ここに権力の空白が生じた。おりしも、エンコミエンダの三代目相続を禁ずる勅令がでたという噂が市民の間に広がり、聴訴官を殺害して現地政府を転覆させるという計画が真実味を帯びる。それは国王が、征服の功労者である父や祖父に負債を負ったまま適切に報いておらず――総督職を剝奪されたエルナン・コルテスはその象徴だった――、さらに今、エンコミエンダまで奪おうとしているという不満の広がりに根差していた。これを恐れたアウディエンシア側が、一五六六年七月、関係者と目される者たちを一斉に捕縛した。

侯爵と腹違いの兄二人が本国送還となるなか、首謀者とされたアビラは弟とともに斬首刑となった。同じく斬首の判決を受けたボカネグラは、刑の執行直前、メキシコ市屈指の名門夫人であった母と妻が身を挺して慈悲を請うた結果、減刑されガレー船送りとなった。カルバハルもメキシコ市から追放された。シェーファーに依拠すれば、コルテス家の三人を含めて処罰されたのはおよそ六〇名で、九人が死刑、八人が北アフリカのオランでの戦役やガレー船送り、残りの大半は罰金を科されたうえ、インディアスやメキシコ市などから追放された(4)(Schäfer 2003)。さらに、教会により裁かれた聖職者たちがいた。

両親から血筋、財力、職位を譲られた二代目たちは、一五四〇年代後半にヌエバ・エスパーニャを襲った壊滅的疫病を乗り越えて、いっとき平穏を回復した先住民村の数千におよぶ人々の主人であり、一五五〇年代から本格化する鉱山開発で経済的活況を呈し始めたヌエバ・エスパーニャの大消費地で、ヨーロッパから流入する贅沢品を身にまとう裕福な浪費家であり、遠い祖国へのあこがれと生まれた土地への愛着を、彼らなりの仕方で表現し始めたクリオーリョであった。他方、一家の女性メンバーと、持参金を目当てにその配偶者となる本国出身の高位高官によって、一族の富、権力、スペイン人としての血の純潔が支えられる現実は、エンコミエンダの先行きへの不安とともに、彼ら男性メンバーに影を落とした。その結果として、自身の家系が没落することへの恐れと、その反動としての、優越的地位を固定化するための格差への指向とが、クリオーリョの心性として醸成された。

一五六五年、フィリピンからの帰路航路が開拓され、ヌエバ・エスパーニャを介して二つの大洋をまたぐ全地球規模の往来が可能となった。マルティン・コルテスの反乱未遂事件は、大きな変貌を遂げつつあったメキシコ市で、最初のクリオーリョ世代に王権との関係を再確認させる機会となった。王権はといえば、その後、コンキスタドール世代の功績に配慮して、メキシコ市上流社会がこの事件で受けた衝撃を癒す姿勢を見せ、エンコミエンダの三代目への相続を黙認しつづけ、エンコメンデーロの子孫に対する官職登用、年金支給、農地や放牧地の下賜などにおいての優遇措置を講じ、マヨラスゴの設立を許可した。

フランシスカ・インファンテの結婚

一六世紀の末になると、一五七〇年代に再来した疫病の大流行で先住民人口の減少がさらに進み、エンコミエンダからの貢租収入は大幅に目減りした。拡大してきたアシエンダでも、放牧用の土地が限界に達するなどして、家畜数に減少がみられた。メキシコ市の上層を支えてきた経済基盤が揺らぐ中、女性の財産をめぐる駆け引きは、時として大事件となった。メキシコ中西部に大規模なエンコミエンダを拝領し、広大なアシエンダを所有していたインファンテ家の三代目相続人フランシスカ・インファンテの結婚がそれである。フランシスカの母方の祖母は、前述のアロンソ・デ・エストラーダの五人の娘のひとりで、当時すでに寡婦であった。母親を初産で亡くしたフランシスカはこの婦人に育てられ、九歳のとき、インファンテ家二代目当主の父も没すると、その唯一の相続人となった。事件は、一五八七年、フランシスカの父方の叔母の夫でアウディエンシアの聴訴官であったペドロ・ファルファンが、妻の実家の財産を我が物にしようと、一二歳になるフランシスカに、自分の長男との従姉弟同士の結婚を迫ったことに始まる。このとき、先述の祖母が、エストラーダ家の娘たちが築き上げた強固な姻戚の力を結集してそれを阻止し、代わりに、副王妃の兄弟で植民地高官のディエゴ・フェルナンデス・デ・ベラスコと結婚させたのである。そして、これに抗議するファルファンをインディアス枢機会議に訴え、この結婚を追認させた。この争いの行方を決定づけたのは、フランシスカ自らが従弟との結婚を拒否した証言であった。その後、遠い任地での勤務が続いたフランシスカの夫に代わって彼女の相続財産を管理したのは、この祖母とエストラーダ家の姻戚の男性メンバーであった(横山 二〇一〇)。クリオーリョ名家の婦人が、副王を味方につけ、聴訴官という強大な力に立ち向かったこの事件では、先のイサベル・モクテスマの場合には明確でなかった、政略結婚における女性の主体性が見て取れる。彼女たちをこのような政治的駆け引きに駆り立てたのは、反乱未遂事件の首謀者たちの没落への不安と表裏一体の上昇志向だったといえよう。

結び

一六世紀、グローバルとローカルの関係の中で、メキシコ固有の制度、慣習、家族の形が生まれた。本稿第一節では、本国が植民地に課したグローバルな骨格とローカルでの展開を概観した。王権が課した住み分け政策によるスペイン人都市と先住民村という空間上の二重構造は、支配・被支配の構造となり、植民地統治機構の中枢が置かれたメキシコ市は突出した首位性を与えられた。王権も教会も基本的に本国と同じ法を適用したが、そこに異人種間の婚姻をはばむ法的障害はなかった。王権は随時インディアス法を発令し、人種の混住から生ずる問題に対処した。教会による婚姻は家族に社会的ステータスを与えた。第二節では、人種の混交の進行を追った。王権は植民地の安定のために、社会の要であるエンコメンデーロに妻帯を求め、妻となったスペイン人女性と先住民女性が営む家庭は、混交する社会の最初の核となった。イサベル・モクテスマの生きざまや、黒人についてのインディアス法の規定は、人種混血が個人の大きな困難の上に進行したことを証言している。「カスタの絵」からは一八世紀の混血社会の姿を知ることができる。第三節では、女性の財産に着目し、それがクリオーリョを中心とする植民地有力階層の形成に果たした役割を説明した。その結果として、彼らと本国上層との姻戚関係が、宗主国と先住民世界の間でクリオーリョ階層を支えるとともに、格差への志向という心性を醸成したことに言及した。事例として挙げたメキシコ市での二つの事件は、彼らと宗主国との関係を示している。反乱未遂事件では、家族の長たる男性たちが、絶対王権の意思を思い知る手痛い結果を招いた。フランシスカ・インファンテの結婚では、女性たちが政略結婚をめぐり、王権の代理人たちと巧みな駆け引きをした。

本稿は、事例を繋ぐことでテーマに迫ろうとした試みである。その中で、人種の混交と階層間の格差が生まれる過程を示すことができたと考える。本稿で扱えた事例は決して多くないが、女性や家族に関連して王権が示した方針と、さまざまな立場の人間がとった具体的な行動や彼らの生々しい経験の記述は、征服後におとずれた社会を理解するための手掛かりとなろう。

注

（1）『インディアスの一般史と自然史』。イサベル・モクテスマについての記述は第二部第二巻五四八頁。Gonzalo Fernández de Oviedo y Valdés, *Historia general y natural de las Indias, islas y tierra-firme del mar océano*, 4 tomos, Madrid, Real Academia de la Historia, 1851-1855.

（2）“Gobernación espiritual y temporal de las Indias” en *Colección de documentos inéditos relativos al descubrimiento, conquista y organización de las antiguas posesiones españolas de ultramar*, segunda serie, vol. 22, Madrid, Real Academia de la Historia, 1885, pp. 46-55.

（3）有力家系の姻戚関係を示す史料として、自らの系譜を記して個人が国王へ提出した、官職を求めるおびただしい数の要望書 información de méritos y servicios がある。

（4）一五六六年七月から六八年三月にかけてメキシコ市で行われた裁判の記録の主要部分は、インディアス総合文書館 AGI, Patronato, 203-220 に収蔵されている。

参考文献

グレーバー、デヴィッド（二〇一六）『負債論――貨幣と暴力の五〇〇〇年』酒井隆史監訳、以文社。

横山和加子（二〇〇四）『メキシコ先住民社会と教会建築――植民地期タラスコ地域の村落から』慶應義塾大学出版会。

横山和加子（二〇一〇）「古文書が紡ぐ物語――フランシスカ・インファンテの結婚と転換期の植民地メキシコ」清水透他編著『ラテンアメリカ出会いの形』慶應義塾大学出版会。

Álvarez Morales, Victor Manuel (1973), "Los conquistadores y la primera sociedad colonial", tesis de doctorado, El Colegio de México, Citada en Daniel Cosío Villegas (coord.), *Historia general de México*, tomo 1, México, El Colegio de México, 1987.

Beceiro Pita, Isabel y Ricardo Córdoba de la Llave (1990), *Parentesco, poder y mentalidad. La nobleza castellana siglos XII-XV*, Madrid, CSIC.

Gonzalbo Aizpuru, Pilar (1998), *Familia y orden colonial*, México, El Colegio de México.

Otte, Enrique (1993 初版 1988), *Cartas privadas de emigrantes a Indias, 1540-1616*, México, Fondo de Cultura Económica.

Porras Muñoz, Guillermo (1982), *El gobierno de la ciudad de México en el siglo XVI*, México, UNAM.

Recopilación (1987), *Recopilación de leyes de los reynos de las Indias* (1681), 4 tomos, México, Miguel Ángel Porrúa.

Schäfer, Ernesto (2003 初版 1947), *El Consejo Real y Supremo de las Indias*, II, Madrid, Junta de Castilla y León & Marcial Pons.

Velázquez, María Elisa (2006), *Mujeres de origen africano en la capital novohispana, siglos XVII y XVIII*, México, INAH/UNAM.

コラム｜*Column*

スペインによるフィリピン統治

菅谷成子

スペインは一五六五年、西回り航海で到達したビサヤ諸島のセブ島から、太平洋を横断してヌエバ・エスパーニャ(メキシコ)に帰着する航路を発見した。ここにマニラ・ガレオン貿易(アカプルコ貿易)の航路が開かれ、スペインによるフィリピン統治は緒についた。

フィリピン諸島は、ヌエバ・エスパーニャ副王領管轄下で「スペイン帝国」最西端の植民地となり、フィリピン総督はアウディエンシアの長官を兼ね(一八六一年まで)、副王に匹敵する年額八〇〇〇ペソの給与を得る最高権力者であった。スペイン本国との文書の往復には最低二年を要し、国王に「服すれど従わず」の状況もあったが、その統治は帝国の文書ネットワークに組み込まれていた。総督による当面の施策などが、インディアス枢機会議を経て最終的には本国の指示に従って修正されたことなどが、インディアス総合文書館(AGI)に残る膨大な関係文書からわかる。

スペインのフィリピン統治は、一五七一年のマニラ市設置によって本格化した。スペインは、食糧調達の困難やポルトガル人との確執などから北上し、ルソン島の天然の良港——中国を含めた周辺諸地域との交易中心——パシグ川河口南岸の「マイニラ」に至り、当地を治めていた首長を降して本拠地とした。マニラ市は当初、木柵で区画され、その中の建物は木・竹造のニッパヤシ葺だったが、マニラ・ガレオン貿易の隆盛により、現地住民や福建からの中国人移民の労働力を活用しての建設が進んだ。一七世紀初頭までには総督府、大聖堂、市庁舎、各修道会の教会堂などの石造建築物が配され、サンティアゴ要塞を防衛の要とするスペイン統治の中枢——城壁と堀に囲まれた城壁都市イントラムロスが姿を現した。

スペインのフィリピン支配では、統治の正統性を支えた福音伝道事業を含めて、メキシコやペルー副王領での経験を踏まえた統治制度が導入された。総督は国王の代理として「教会保護権」を行使し、一五九五年にはマニラ大司教区が設立された。布教事業は、まず一七世紀初頭までに来島したアウグスチノ、フランシスコ、イエズス、ドミニコ、レコレクトの五修道会が担った。修道士たちは一五九四年の勅令に基づき、諸島の言語集団に沿った担当地域で布教・司牧活動に従事した。これは、やはり言語を基底に設定された世俗の地方行政単位と重なり、地域的な共通意識を醸成した。

フィリピンに最初に導入された統治制度は、遠征に従った個人への論功行賞としてのエンコミエンダであった(マニラ市やガレオン船が投錨したカビテ港などの住民は王室に属した)が、一七世紀中葉に廃止の方針が示され一八世紀末葉までには消滅した。その一方、一六世紀末葉からは、エンコメンデーロを監督し司法権を行使するため、王権による地方統治制度も整備されていった。最下層の行政単位であったプエブロの長は、当初ダトゥと呼ばれた先スペイン期の首長などが務め、他のプエブロの役職者とともに小教区修道司祭の監督の下に一定の自治を行い、カトリシズム受容の深化と相まってスペイン統治の末端を支える存在となった。

アジアにおけるスペインの前線基地であったフィリピンは、南部イスラーム地域をはじめ、中国、ポルトガル、日本、オランダ、イギリスなど対外関係への対処が継起し、総督府の財政を圧迫した。その一方、諸島が小人口世界に属し、かつ当初アジアの「交易の時代」にあってガレオン貿易の利潤が莫大であったこともあり、一八世紀中葉まで本格的な農業・産業開発はなされず、基本的に貿易に依存するものとなった。実際スペイン領マニラは、新大陸の銀が中国を中心とするアジアに流入するゲートウェイとなり、地球規模の銀の流通による世界の一体化を推進する結節として重要な位置を占めることになった。

マニラのサンティアゴ要塞(筆者撮影)

フィリピン総督府の財政は一八世紀に至るまで、アカプルコで徴収されたガレオン貿易の関税返戻金と王室の財政補填金からなる援助金「シトゥアード」に依存していた。さらに生糸、絹織物、陶磁器などを供給してガレオン貿易を支えた福建からの中国帆船貿易による関税収入や、マニラの経済的活況に惹きつけられて来住し、スペイン人人口を凌駕した異教徒の「他者」である中国人移民を「一時滞在者」とみなして交付した「一般居住許可証」(年額八ペソ。その後、徴収額は変遷した)も看過できない収入源であった。

この意味で、スペインにとって、植民地の維持に不可欠な「他者」、かつ統治の正統性原理に反する存在であった中国人といかに折り合いをつけるかが課題であった。一方で、カトリシズムを受容した中国人を父祖とする中国系メスティーソが一九世紀末葉のフィリピン革命に至る民族意識形成において中核を担ったことはスペイン統治の遺産の一つと言える。

ただし、スペイン統治は、その下におかれた人びとと事実上、統治が及ばなかった内陸山岳地帯やイスラーム化した南部ミンダナオ島、スールー諸島の人びととの分断をもたらした。アメリカによる統治を経て、それが拡大・固定化し、今日の国民統合の問題にも繋がっている。

「先住民の黄金時代」とセトラー・コロニアリズムの衝撃
――北米におけるイギリス人の経験から

金井光太朗

はじめに

人類の世界史的な流れから見ると、一七世紀初頭にヨーロッパ人が北アメリカ大陸東部沿岸部に入植して「荒野」の開拓を開始したとき、豊かさを追求する二つの生き方が競い合うことになった、ということができる。文化人類学者マーシャル・サーリンズが喝破したように、人間が豊かになるには二つの方法がある。「欠乏は、たくさん生産するか、あるいは、ほとんど欲しがらないかのいずれかによって「容易に満足される」であろう」(サーリンズ 二〇一二：九頁)。アメリカ先住民は狩猟採集に耕作を組み合わせて生きるのに必要なものを楽しく獲得しそれに満足していたのに対して、ヨーロッパは商品化経済を立ち上げ勤勉な労働を惜しまずに生産を効率化することで財産の蓄積に励んでいた。そして、先住民にとって国家組織は自らの生き方の保障ではなく否定であった。暴力を独占し税を課し徴収することが国家機構の基本である。季節に応じて移動しながら緩く結合しその場その場で生きる糧を分け合うのが豊かさなら、そのような暴力と富の独占は排除すべきである。他方、ヨーロッパでは国家体制を強化発展させ軍事財政国家のもと帝国の競合、拡大に邁進していた。できる限り富を獲得、蓄積し軍事力に転化させて勝ち残る(ブリュア 二〇〇三)。両者は相手の世界を理解するのが困難であり、妥協し共存することも最終的には不可能だった。

長年国家体制の外側にいた民族を研究し、また古代以来穀物栽培と貢納国家創造との間には緊張関係があり決して自然な「進歩」などではなかったと主張する歴史家ジェームズ・C・スコットが、「野蛮人の黄金時代」という見方を提示している。もちろん、「野蛮人」とは「まだ国家の臣民となっていない人びとのことを記述するとともに、非難の烙印を押すために、国家の中心地で発明されたもの」であり、文明の「進歩」を当然視しそこから離れた存在をあってはならないとする価値観を表明している(スコット 二〇一七：二〇一頁)。しかし、彼によれば、国家の外にある「野蛮人」は自由で幸福な生き方を謳歌しており、国家に取り込まれ徴税労役に苦しむ農民が可能であれば逃げ出してくる世界だったのである。北米先住民の非国家的生き方を知ると、まさに「黄金時代」といってもよい「豊かな」生き方があったと考えられる。

文明を進歩させるのが人類だとの世界観のもと、ヨーロッパ人は国家を持とうとしない民、狩猟採集耕作など多様な生業で必要な限り環境資源を利用する先住民の生き方を否定した。彼らは先住民が貧困に甘んじ怠惰に生きる「野蛮人」だと決めつけ、狩猟などの「遊興」にふけるためだけに使われている大地は、勤勉に労働で開発する者こそが権利を主張できると理論化した(クラストル 一九八七)。近年、イギリス帝国に顕著なそうした植民活動を「セトラー・コロニアリズム」という概念でとらえるようになった(1)。それは、入植者にとって「野蛮人」は交渉や協力の相手ではなく、殲滅《せんめつ》排除して勤勉なる入植者が定住を進めて文明社会を再現するのが正当だとするイデオロギーである。先行するアイルランド征服・入植で実践し、北米入植ではそれを徹底させた(Canny 1973)。それでは、「野蛮人」はただ圧倒されて殲滅排除に甘んじてしまったのであろうか。

この両極端にある二つの世界が出会い、交流対立を繰り広げたのが一七世紀の北米である。スコットによれば、「野蛮人の黄金時代」は最初期の国家の登場から千年紀で測るほど長く続き、それを終了させたのが近代であった。彼は以下のように説明している。

この長い時代の大半、近代国民国家に代表される政治的囲い込み運動は存在していなかった。物理的な移動、不断の変動、開かれたフロンティア、そして混合した生業戦略が、この時代全体の特徴だった。〔中略〕人口の増加は、それ自体としてさらに集約的な生業戦略を促しただろうが、国家の脆弱性、伝染病への曝露、そして国家のない巨大な辺縁世界は、国家の覇権を決して許さなかった。そうしたものが明確に見られるようになるのは、どんなに早くても、紀元一六〇〇年頃のことだ。それまでは、世界人口の大部分は(日常的に現れる)徴税官など見たことがなかった。(スコット 二〇一九：二二九頁)

ヌーヴェル・フランスの入植は一六〇四年、ヴァージニアは〇七年、ニューイングランドは二〇年、ニューアムステルダムは二四年である。この時期、近代主権国家が発展し国境は画定され管理されるようになる。伝染病が繰り返されたことでヨーロッパは免疫を獲得し、感染症による破壊は主に北米先住民に向かった。イギリスでは地税、関税に加えて消費税課税を執行する徴税官が全土に配置された。国家の覇権は近いであろう。しかし、黄金時代は簡単に崩壊したわけではない。セトラー・コロニアリズムのもと圧倒する勢いで植民地開発を進めてくるイギリス人に対抗して、先住民はイギリス人の法を利用し銃で武装し部族連合まで構成して自分たちの世界を守ろうとした。イギリス人は深刻な利害対立のある身近な諸部族に限定してセトラー・コロニアリズムを実践した一方で、その他の先住民との間には緊張をはらみながらも活発な相互交流の関係を保持したのであった。リチャード・ホワイトが五大湖地方でフランス人とアルゴンキン諸族との関係で読み取ったように、現地で相互の交渉・交流を通して双方の側が当初の認識・偏見を改め変容を遂げてゆく場である「ミドル・グラウンド」が形成されていたものと考えられる(White 1991)。

一、アメリカ先住民の黄金時代

非国家的アメリカ先住民の黄金時代は、季節に応じて豊かな生態系をめぐり移動しながら生きる生活にあった。早春から初夏には川べりに移動して魚を捕まえ、春からトウモロコシやマメ、カボチャを畑で栽培し、秋に収穫すると森での狩りへと移動する。収穫する場にあわせてグループをなし、簡易な移動式住居で過ごす(クロノン 一九九五)。当時の入植者の一人、トマス・モートンも「生存する人間が必要としているのは(全てが同じわけではないが)食料と衣類だけなのであるから、どちらも欠乏していないニューイングランドの先住民が豊かに生活しているとなぜ言われるべきでないのか」と問いかける。「彼らは、人間の合理性によって、また自然の理の導きに従うだけで、多くのキリスト教徒があれこれ悩まされている気遣いなどしないために、幸福で自由な生活を享受している。彼らは見せかけの派手さを歓迎しない、実用品に喜ぶのである」(Morton 1637: 177)。これに対して文明世界では、あくせく身を粉にして働いて見かけを飾り、評判を取ろうともがき苦しむ。それは豊かなのか。

農耕貢納国家は限られた穀物を狭い土地で集中的に栽培し収穫させるために厳しい労役を課すのに対して、「野蛮人」は嫌だと思う労働よりも楽しいと判断された労働による生計を選択していた(クロノン 一九九五)。入植者の一人ウィリアム・ウッドは「もし怠けという鎖に強く縛られていないなら、彼らは自分で、もっと多くの利益を上げられるだろうに。手間暇かけるよりも楽しみや得になることでなければ働きもせず、仕事をするより飢えた」と非難した(Wood 1634: 88)。しかし、実際には先住民が飢えることはまずなかった。とすれば、先住民にとって必要以上の利益を目指して手間をかけ時間を惜しむ勤勉は意味があっただろうか。カトリックのイエズス会士ピエール・ビアールはそのことを見通していた。カヌーを目一杯のペースで移動しないのは「彼らの日々が、すべて娯楽だからだ。彼らは決して急ごうとしない。急かされたり不安に駆られたりしなければ何事もできないような我々とはまったく違っている。不安に駆られてといったのは、我々が欲望に身を任せ平静を失った行いをしてしまうからである」(Biard 1616: 83)。「野蛮人」は必要なものを追って季節に従って移動し、蓄えはないが、自由時間に恵まれた生き方をとっていたといえよう。

先住民にとって自分が仕事をして作りあげる行為と所有は結びついていた。自分が生産、製造したものを所有し、そうした仕事に用いる用具類も所有する。女にとって籠やマット、鍬など、男にとっては弓矢、狩猟具、カヌーなどである。しかし、そうした品々は自分にとって役に立つから所有しているのであって、そうでなくなったり、他人が必要としたりするときはためらいもなく手放す(クロノン 一九九五)。モートンによれば、「どの所有者も自分の持ち物だとの認識はあるが、モノは全てが(使える限り)彼らの間では共同の使用がなされている」(Morton 1637: 177)。

共同体の問題解決はセイチャム(首長)が指導した。その権威は、個性的な活躍によって、富と親族ネットワークを拡大するために(男性の場合)複数の女性と結婚することによって、そして近親者から権威を受け継ぐことによって獲得できる(Biard 1616)。女性が首長となることもあり、また権威の基盤にある親族ネットワークは主として母系制であったために、女性の判断も重視されていた。ニューイングランドの宣教師、ダニエル・グッキンの観察によれば、首長は村の中では何人かの相談者とはかり、些事については彼らに任せていた。

> 首長の支配といっても、合わないと感じたり過酷な扱いを受けたりすれば遠慮無く離脱してゆき、自分を守ってくれる別の首長の下で生活するようになる。そんなことはよくあることだった。それゆえ、上に立つ者は人びとに見捨てられてしまい威力、権威、敬意を失ってしまわないように、彼らに対して気を抜かずに心を込めて務めを果たそうとするのである。(Gookin 1792: 15)

先住民社会に首長や部族長の制度的構造があるわけではなく、地域や状況、そして本人次第で首長の権威には差異が見られたのである。首長と首長との間では貢ぎ物の互酬関係を通じて階層的ネットワークが広がっていた。さらに、重大な脅威や戦争などの危機に対処するには、ヴァージニアのポーハタン連合や現ニューヨーク州北部のホデノショニ(イロコイ連合)のように、大きな連合体を形成することもあった。

こうした先住民部族共同体と関係を築くには親族ネットワークに加えてもらい、ともに平和を支える共同作業を実践することが必要であった。彼らは一体となった存在としか関係を築かない。同じ一族となった以上、一族の固めとして助け合いや贈り物、もてなしを提供する。それはイギリス人であれ、オランダ人であれ、フランス人であれ、同じであった(Dennis 1993)。しかし、西洋諸国にとってこのような関係構築のやり方は到底受け入れられないものであった。国家はそれぞれ独立した主体であり主権を最大化するために行動するのが国際関係の大前提である。ましてや文明国の現地政府が何ゆえ「野蛮人」の族長と親族関係を擬制して一つ世界を共有しないといけないのか、納得できるものではなかった。

交易についても同様であった。親族関係を築いてネットワークに参加している者同士が絆の贈り物を交わす。親族の一員が欲しいものであれば何とか用立てる。しかし、それには同じく返礼があるのが当然となる。こうしたやりとりを誠実に実践することで絆は固いものになった(Dennis 1993)。これは商取引とはまったく違う営為である。商取引はビジネスライクをよしとする。双方が等価交換に合意し、相互の商品納入によって関係自体が終了する。

土地の譲渡についても同じ原理が確認される。ある土地を譲渡するのは、共同体の平和を増進し双方の親族的協力関係を強化できるからだった。しかも、土地はもともと幅広い利用の可能性がある。譲渡の目的に沿って慣習的な権利の限定が伴い、西洋諸国の所有権概念とは違い土地を譲渡したらその他の利用が一切排除されてしまうのならば、それは先住民にとって不合理なことである。ロード・アイランド植民地立ち上げの指導者、ロジャー・ウィリアムズ牧師は住民の豚を放し飼いするスペースとしてピークォト族族長のミアントノモから二つの島を「購入」した。イギリス人がそう受け止めたのももっともである。しかし、彼は先住民の世界観を理解していた。島は、どちらも正確に言えば売られたものではなかったのです。なぜなら、〔貝殻を編み上げたワンパム(通貨として使われた)を〕長さが千尋ほども積み増したとして、その対価をもってしても、見知らぬ人はどの島も買えないといえるからです。実際にどちらの島に対しても一ペニーすら請求されず、支払われたものといえば贈り物だけだったのです。私はそれを分かりやすく確実にするために売買と表現しておきましたが。

と説明している(Williams to Winthrop 1638 in Bartlett 1874: 104)。ここで執り行われたことは、経済的な交換というよりも外交的な交換だったのである(クロノン 一九九五)。ミアントノモには贈り物に込められたウィリアムズとの友好と親密さが大事だった。だから木の実を採りにウィリアムズの「買った」島に先住民が入っても問題はない。

一六世紀初めからヨーロッパ人探検者が北米沿岸を訪れ、交易は始まっており、既に感染症で先住民に大きな犠牲が出ていた。一七世紀にはヨーロッパ人の植民活動が始まったことで先住民の黄金時代は危機を迎えた。ピエール・クラストルによれば、こうした先住民の社会と政治のあり方は人類の生き方の一つなのであり、創造的な努力によって豊かで自由な人間らしさを追求していたのである。それを未開と怠惰としか見ないのは西洋文明の自民族中主義にすぎず、セトラー・コロニアリズムの本質を露呈させている(クラストル 一九八七)。戦争や交易などヨーロッパ人との接触が深まるにつれて、「野蛮人の黄金時代」を状況にうまく適応させ自分たちの世界をいかにすれば守ることができるのかが、先住民の課題となった。

二、ミドル・グラウンドと先住民世界の変容

ヨーロッパ人の入植が本格化する頃、ヨーロッパでは宗教戦争が繰り返され三十年戦争に至り市民も含め残虐な暴

力に巻き込まれていた。入植者の中には戦闘経験を買われて植民に参加し、実際に先住民との戦闘で変わらぬ残虐性を発揮する者もいたのである。封建社会は絶対主義の変革に晒され領主は宮廷貴族へと変貌する途上にあった。さらに、市場交易が発展して資本を広く集めて投資するビジネスが活発となっていた。大西洋を渡って著しく生態系の違う北アメリカ大陸まで恒常的に行き来して人員、物資を送り込む事業を成功させるためには、巨大な初期投資と半ば強制的な労働力の確保が不可欠であり、会社から荘園まで新旧社会経済システムを総動員することになった。入植初期の労働強制には封建的な制度も活用された(Diamond 1961)。それでもオランダとフランスの植民地では入植者数の伸びが極めて緩慢だった。以下、両植民地建設の特質を具体的に見てゆく。それぞれの思惑で侵入してくる入植者に対して、先住民はいかにして自分たちの伝統的世界観を保持しながら入植者との安定した関係を築こうとしたのだろうか。

ニューネーデルラント植民地――ビジネスと平和のミドル・グラウンド

オランダのニューネーデルラント植民地はビジネス志向の強い人びとが入植した。植民地は毛皮取引を中心に開拓され、マンハッタン島のニューアムステルダムおよびオルバニー(オレンジ砦)近辺でいくつかの取引拠点が維持されていた。農耕に従事する人間はハドソン川下流域で入植労働者の確保により半封建的な荘園領主としての地位を得たパルトーンが連れてきた奉公人が主であり、入植者が多数に上ることはなかった。人口は一六六〇年までにわずか五〇〇〇を数える程度である。オランダ本国は宗教的寛容や経済的繁栄により多民族・多文化社会であり、その特質は植民地にも強く反映され、入植者も実に多様で、オランダ人以外の諸グループが人口の五分の三以上を占めていた。一七世紀オランダは経済的には繁栄しており、また、本国で生活に困窮して移民を求める者は少なく、やって来たのは見知らぬ北米の地で大きな利益を上げようと奮闘する人びとであった。オルバニーの住民などほぼ全員が毛皮取引に参加していたと言われる(Bailyn 2012)。

オランダが主要な毛皮取引の相手としたのは、モホーク族をはじめ現ニューヨーク州地域に拡がったホデノショニの五部族の人びとであった。彼ら五つの部族は闘争を止めて「長い家」(ホデノショニ)をともにする理念で親族ネットワークを築き連合を形成した。かつて相争った五部族で連合関係を樹立できたのは、平和をもたらすデガナウィダー神話を守り、守らせる関係に諸部族が参加しているからである。ホデノショニの人びとからすると、外の世界の人間が恒常的関係を結ぼうと求めてくるのであれば自分たちの神話的な平和の世界に参加する他ない。実際一八世紀に南部から逃れてきたタスカローラ族も新たにネットワークに加わることでホデノショニは六部族連合となった。しかし、この世界観の中で毛皮の交易も経済的な商品取引ではなく、親族関係のネットワークを拡げてその一員となり、毛皮のやりとりによる互酬関係の間柄になることだと理解された。それは「オランダ族」に対しても同じだった(Dennis 1993)。であれば、双方にとってありがたい品々を交換するのは一族成員としての誠意の証なのであった。毛皮交易が相互に恩恵があったことは確かである。ホデノショニはオランダ人のもたらす斧やナイフの金属製品、ビーズ製品、そして銃弾薬が是非ともほしいのであり、一方オランダ人の側では、ビーバーなどの毛皮がヨーロッパで高く売れ大西洋をこえて輸送しても利益が確実に期待できる商品であった。

ニューネーデルラントではすぐにホデノショニなどの先住民と交易を始めたものの、一六三〇年代、四〇年代と紛争、戦闘も絶え間なく度々使節が派遣されて再交渉が繰り返された。「兄弟」として一族関係の構築は受け入れざるをえなかったとしても、オランダ人は真の親密さを追求する気はなかった。さらに、実際に交易に従事するオランダ人業者にとってみれば、できるだけ有利な商品の買い付けにしか関心がなかった。五〇年代に関係が安定してオルバニーでの毛皮取引は毎年五月一日から一〇月三一日までと期間が設定されたが、その時期になると大勢の人が集まり熱狂的騒乱状態に陥った。砦市場での売買を出し抜いて周辺の森の中で先住民を待ち受け、自分の家に連れ込み監禁して買い付けの強制、果ては強奪しても儲けに狂奔する者が続出する有様であった(Dennis 1993)。

一六六〇年七月には「シネカス族」(ホデノショニの一部族か)の代表がオルバニーにやって来て、すさんだ取引の有様に困惑していると「兄弟」に対して不満を申し入れた。両者の会合は二日間にわたり、先住民側は兄弟の絆を築いてからもう長いのであるから「心を一つとしようではないか」と迫った。これまでのところオランダ人は誠意をもって先住民側の要望に対応していないと抗議し、続けて「あなた方は今まで眠りこけていたのだ。だから我々はもう一度あなた方の目を覚ますのだ」と告げた。先住民側の厚いもてなしに対してオランダ人は冷淡であり、大した返礼もなく互酬の精神に欠け、利己的だと非難した(Dennis 1993)。

オランダ人にとってホデノショニの世界観に同化するわけにはいかなかった。しかし、よいお得意様であるホデノショニとの関係を維持してゆくためには、彼らの求めるビジネス以外の支え合いも出来る限り歩み寄る方が賢明であろう。たとえば、先住民同士の戦争の時に銃や弾薬を特に供給するなど彼らの要請を受け入れることにした。それはビジネス上ある種のリベートとして飲み込めばよい。一七世紀は両者が真の相互理解まで追求せず、あえて誤解のまま自己の世界観をこわすことなく相手を受け入れ交流を続けていくミドル・グラウンドの均衡状態が成立した。

ヌーヴェル・フランス——相互依存と同盟のミドル・グラウンド

フランスの植民地建設は王国政府が積極的に関与した。政府はセント・ローレンス川流域の入植地を本国の貴族層に封土として分与、封土には封建的特権が付与されており、積極的に開拓者をそこに送り込むことが期待されていた。それにしても厳しい耕作労働に素直に従う人間を集めることは困難で年季奉公人の数自体も少なく、また入植者が農奴のような生活に甘んずるはずもなく多くは年季が明ければフランスに戻っていった。政府はイエズス会が先住民に対する宣教を行う施設を設けて宣教師を送り込み、わずかながら入信者を獲得するとともに先住民との関係を築いていった。ただ、セント・ローレンス川の水利を利用して遠方の先住民との毛皮交易で利益は上がったにしても入植民は思うように増えなかった。一六六三年まででわずか三〇〇〇人にすぎない。そのため、これまで毛皮交易会社に任されていた植民地開発を国王が直轄し積極的に推進するようにした(ティラー 二〇二〇)。

国王は年季奉公人の植民地移住に財政支援を行って農耕労役に携わる入植者を送り込んでいったが、彼らが定着しようとしないことが課題となった。年季が明けて土地を得たとしてもわずかな土地で結婚相手の女性もほとんどいない場所では将来を見通せない。国王は彼らの結婚相手となる独身女性としてパリの孤児院にいた身寄りのない女性たち、「国王の娘たち」と呼ばれた女性七四四人を送り込むこともした。旅費に加えて婚資までも現金で供与してヌーヴェル・フランスに送り込んだことで入植者の一部は結婚できたのである(ウダード 二〇一七)。家族を形成して現地に暮らし住民となる者が増えてはいった。

とはいえ、ヌーヴェル・フランスにとどまった奉公人の中には農地から逃れ先住民の森に入り込んで毛皮取引に従事したり荒野での生活を送ったりした者も多くいた。「森を走る人びと」と呼ばれ、広大な地域に分散して小さな入植地を築き、暮らしていた。一六八五年に総督ジャック・ルネ・ド・ブリセー・ド・ドノンヴィルが本国に報告している。「彼らの生活する森には、規制を加える司祭もいなければ、支配する父親も総督もいないのです。閣下、若者が皆何もせず、何ら束縛も受けず、ただ野蛮人の習慣に従い、矯正不可能なところに身を置いてしまう、そういった森の野蛮な生活に対して感じているその魅力を、私はどう説明してよいか分からないのです」(Diamond 1966 所収のNAF史料)。北アメリカ大陸ではまだ国家の外の世界に逃げる最後のチャンスが残っていた。黄金時代の「野蛮人」生活は封建的な農地での生活より魅力的だったのである。彼らは先住民首長の娘との結婚に積極的であり、親族となればネットワークの一員として黄金時代を満喫できたであろう。こうした関係が世代を重ねて独特な多文化世界を持つ混血民、「メティス」と言われるマイノリティ・グループが誕生した(White 1991)。文明生活でも快適かもしれないが、罠猟で生きる彼らは自己の独立性と狩猟採集生活が持つ相対的自由を優先したといえよう。

フランスは、一部のインディアン諸部族と同盟を結び良好な関係を続けてゆくために部族間での紛争を仲介する役割を負うことにもなった。部族の一員が殺されてしまった場合、復讐の連鎖も起こりかねない。和解のために殺されたインディアンを弔う「墓を覆う」と呼ばれた儀礼を執り行い、フランスの品々を贈ることが歓迎されていた(ティラー 二〇二〇)。そうした絆の構築は部族間戦争に巻き込まれざるを得ない。フランス人は同盟部族に銃と弾薬を供給することで有利に戦いを進める手助けを行い、相手によっては兵力の参加もあった。フランス兵と共に銃を得た諸部族が敵対するホデノショニに反撃を加え、追い詰められた彼らは一七〇一年に大きな譲歩を強いられる。ホデノショニは、伝統神話による平和世界を拡げるやり方が不可能な状態に追い込まれたことで、当面相手の攻撃を避け勢力を温存する方便として和平を受け入れた(Dennis 1993)。ヌーヴェル・フランスでも、先住民と入植者の関係はどちらかが一方的に支配するのではなく、ミドル・グラウンドと呼ばれる相互関係に落ち着いたのであった。

三、セトラー・コロニアリズムと民族浄化

イギリス人の入植は利益の大きな先住民との毛皮取引に頼ることなく、自分たちの植民地で生産する商品によって大西洋交易圏で利益を十分に上げることができた。ヴァージニア植民地ではタバコ栽培に成功しプランテーション経営が急速に発展していった。一方、商品作物の生産に適していなかったニューイングランド植民地では、穀物や保存食肉といった一般の農作物、魚の保存食、その他の原材料を西インド諸島など帝国の交易圏で売ることで発展の道筋が出来上がった。入植当初であれば先住民との交易でトウモロコシなど食料を調達する必要があったし、毛皮交易会社が遠くハドソン湾に拠点をおいて利益を上げるほど、毛皮交易は魅力的だった。しかし、人口が増加し農業生産が

軌道に乗るに従い、先住民との交易に依存する度合いは低下する。

そうなると北アメリカ植民地で問題となるのは、交易ではなく土地である。アイルランドでやったように、強引に住民の土地を奪い、生活基盤を崩していった(Canny 1973)。しかし、土地売買の形式だったとしても先住民にイギリス流の排他的絶対的土地所有権の概念はない。入植者と先住民は土地利用をめぐってすぐ紛争となり、それは戦争に発展した。戦争に勝って民族浄化を推し進め、当面「空いた」フロンティア空間にセトラーが入植し開拓に邁進していった。一方で、入植者が戦争に勝利するには他の先住民部族の同盟、協力が不可欠でもあった。

ヴァージニア植民地――タバコ・プランテーションと民族浄化

ジェームズタウンの入植は、有力者の資本を集めてアメリカに開拓・交易事業を起こし利潤を上げようとするヴァージニア会社が推進した。出資した貴族・ジェントリにゆかりのある層がイニシアティヴをとって入植活動が始まり、彼らはこの地で利益の大きな資源か交易品かを期待して、現地で労働する年季奉公人を駆りあつめて乗り込んでいった。食料の生産、自給のめどもないままの到着であっても先住民から交易で入手するつもりであり、うまくいかなければ奪ってでも入手したのである。一方、入植したヴァージニア一帯の先住民は族長ポーハタンの積極的攻勢で諸部族を支配下において強大なポーハタン連合を形成していた。当初ジェームズタウンの入植者が数百人という段階で、ポーハタン連合は二万人ほどの人口を擁し圧倒的な差があった。ポーハタンはその状況を冷静に把握し、イギリス人との交易で武器や布地、装飾品などを入手するのは望ましいことだと判断し、彼らを内地には入れず交易相手としてだけ受け入れるつもりであった(Bailyn 2012)。

イギリス人にとって入植から数年の間は危機的であった。厳しい環境にまともなシェルターも畑もなく、病疫流行もあり、到着した入植者の半分以上が一年経たずして死亡し、本国から新たな入植者と資材を運び込んでかろうじて植民を継続した。ポーハタン連合との関係は険悪となる。食料不足で飢餓に瀕した入植者が食料を調達できない場合は強奪したからである。その結果、三次にわたるアングロ・ポーハタン戦争となった。第一次は、入植開始すぐ、一六〇九年に始まり、イギリス側はアイルランド植民で実行した無差別の殲滅戦を戦うも大きな犠牲を出して劣勢であったが、ポーハタンの娘ポカホンタスがイギリス人のジョン・ロルフと結婚するなどして一四年に和平が成立した。その後も入植者の暴力行為は止まず、ジェームズタウン以外にも入植地の拡大が続いた(Bailyn 2012)。

入植地の拡大には、ロルフがヴァージニアの土地でタバコ栽培に成功したことが大きな要因となった。タバコは輸出商品として急速な拡大を遂げ、一六年に一〇〇〇ポンド余りの輸出額だったのが二一年に一〇万ポンドを超え、二五年には四〇万ポンドを本国に出荷し入植のブームを起こした(ティラー 二〇二〇)。タバコ栽培ならびに乾燥、梱包、出荷と大量の労力を必要とするプランテーション入植地の急拡大は、本国からの年季奉公人の流入を増大させた。流入するのは独身男性ばかりとなり現地に定着させるのは難しい。そこで、ヴァージニア会社は事業の一環として、女性を迎える渡航費用の負担を申し出ていて「非常に誠実で勤勉な農場主との結婚を求める若くて見目よく気立てのよい女性」(Bailyn 2012: 87)を募集し植民地に送り込んでいった。実際には孤児など身寄りのない女性が応じている。まだまだ渡航者の死亡率は高止まりであったが広大な地域の諸方面にプランテーションが開拓されていった。

それはポーハタンの死後族長を継承したオペチャンカヌーに強い危機感を抱かせ、奇襲攻撃を計画するにいたる。そして、仲間の伝説的勇士が殺害されたことをきっかけに一六二二年、第二次アングロ・ポーハタン戦争が勃発した。入植者は奇襲攻撃で大きな打撃を受けながらも反ポーハタン連合の諸部族を味方に誘い、双方ともに激しい暴力の応酬を重ねた。残虐性は、殺し合いが女性子供におよび、食料を強奪・毀損し、漁網やカヌーを破壊し、狩猟者を襲撃することで、相手の食料獲得・生産を断つ戦術にまでおよんだ。イギリス人側も戦病死で一〇〇〇人を超える犠牲を出したものの、ポーハタン連合の犠牲は数千人に達し、三二年オペチャンカヌーは住み慣れてきた地域の大半を譲渡する和約に応じた。イギリス人側は西洋での領土獲得に関する戦時の法・万国公法までも名目として土地への侵入奪取を正当化した。四四年にオペチャンカヌーは最後の凄惨な奇襲攻撃を仕掛けたが自身捕虜となり銃殺されてしまう(Bailyn 2012)。ポーハタン連合に対してセトラー・コロニアリズムが実践され、敵対部族の支援を得て集落破壊と追い立てにより民族浄化が完了する。五〇年にイギリス人入植者は一万三〇〇〇人を数え、タバコ・プランテーションが植民地の発展を支えることとなった。

ニューイングランド植民地――必需品生産とセトラー・コロニアリズム

ニューイングランド植民地は一六二〇年、移民の理由がイギリス国教会の弾圧を逃れピューリタン信仰を実践したいとする人びとが中心となって始まった。彼らの多くは生活に追われて移民したのではなく、家族と財産を持ってやって来たので開拓、開墾は急速に進んでいった。さらに、一六三〇年から一〇年間にわたって毎年大量の移民が相次いでやって来た「大移住」と言われる波によってボストンを中心に入植者が急増し一万四〇〇〇人ほどに達した。その人口の男女比率は六対四と安定し、奉公人も入植者の五分の一ほどにすぎない(テイラー 二〇二〇)。以後移住の大波は収まるが自然増だけで人口が拡大し、安定した社会の発展を支えたのである。また、周囲に広がる森林では、マスト材に適したシロマツなど船舶用木材が豊富にあり、木材からピッチやタールなどの船舶用材もとれた。大工や鍛冶屋といった職人層の流入も活発で造船業をはじめ製造業も盛んであった。ニューイングランドには好都合なことに、イギリス帝国では西インド諸島の入植に成功し砂糖など商品作物の奴隷制プランテーションの開発が進んでいた。島では土地と労力に限りがあり、食料や衣服といった日用必需品の生産をニューイングランドが担うこととなる(Bailyn 2012)。

そのため穀物や家畜、木材の生産に必要な土地を大量に入手しなければならなかった。実は、その土地は先住民にとって暮らしやすい生態系で、彼らは農耕で安定した食料を確保し季節に応じて魚、鳥、動物を捕らえて豊かな暮らしを営んでいたのである。ところが、イギリス人はそんな生活を非生産的で怠惰だと全面的に否定した。ロバート・クッシュマンの著した『イングランドからアメリカ諸地域への移入を正当権限ありとする理由と考察』(一六二一年)はセトラー・コロニアリズムの理念を端的に表明している。「先住民の大地は広々として空いており、人間はいないし草むらを走り回るだけである。キツネなどの獣がするのと一緒だ。先住民は働こうとしないし、土地やその産物を使おうとする術もなく工夫の才も、技も、つまり能力がない。施肥も収穫もそして後始末もきちんと行わないので、何もかもが傷んで、腐り、台無しにされてしまう」(Cushman 1621: 243)のであれば、イギリス人が先住民の土地に入植することは、聖書「創世記」のカナン入植に照らしても、まったく問題ないとクッシュマンは主張したのである。

入植者が以上のような正当な権限をもって土地の開拓に勤しんでいるのだとすれば、先住民から妨害を受けるいわれはないし、それに反撃することも正当な行いとなろう。ピューリタンの指導者、ジョン・コットン師が説いている。

> 神の恵みにより、誰であれ空いた領域を所有することは自由なのである。さらに言えば、イスラエルびとのように天からの特別なる許しを受けたのでもない限り、いかなる民族も他の民族を追い立てるものではなく、もし先住民が不当にも所有者に害を与え、平和的な形で損害を賠償しようとしないのであれば、所有者は合法的な戦争に訴えて回復を図りその領域を支配することが許されるのである。(Cotton 1630: 5-6)

「空いた土地」への入植侵入は拡大し、先住民との戦争はボストン入植後すぐに始まった。

入植者に対する「不当な害」は頻発しており、一六三四年に入植者の一人がピークォト族の一員に殺害され、同様な事件が繰り返されたことで、ピークォト戦争と呼ばれる凄惨な戦争が始まった。双方ともに極めて残忍な殺戮、破壊の攻撃を仕掛け、犠牲も大きいものであった。三七年最後の激戦を迎え、ミスティック砦攻撃で家族もともに立てこもる先住民に対して入植者は「神の虐殺」を成し遂げた。この時攻撃部隊の隊長は歓喜を爆発させ、「主が我々のために異教の者に向けて偉大なことをなさって下さった。喜ばしいことだ。神を讃えん」(Orr 1897: 45)と書き記している。ピークォト族は民族浄化の憂き目に遭い、部族民は大多数が殺され、残りは同盟諸部族が引き取るか、奴隷として西インド諸島に売られていった(Bailyn 2012)。

民族浄化の現実は入植者と同盟していた諸部族にも衝撃をあたえた。諸部族同士の関係にも変容を迫り、イギリス人との関係も複雑なものとなった。ピューリタンの宣教を受け入れてキリスト教に改宗し、信者集落に居住するグループも現れた。しかし、そこでの生活条件は満足のいくものではなく改善の請願が度々提出されている。入植地の拡大はなお一層進んでゆき、先住民の生活を確実に脅かし紛争、小競り合いも起きている。入植者の脅威に部族を超えた同盟の形成もある一方で「イギリス族」と結ぶ部族もあった。部族間の戦争を有利にするため交易では銃の入手が高い優先順位を占めるようになった(テイラー 二〇二〇)。

そうした複雑に動く情勢のもと、キリスト教徒の部族民が殺害されたことで「フィリップ王戦争」(2)に発展した。この戦争はワンパノアグ族の族長メタコム(父親のマソサイト族長がイギリス人との友好を深めようと息子たちに西洋的な名付けを依頼し、フィリップ王と呼ばれていた)が部族連合を画策し一六七五年夏にニューイングランド九〇タウンの内五二を襲撃して一二のタウンを壊滅させたことで始まった。しかし、地域の先住民諸部族でも三分の一ほどがイギリス人側に立って参戦し、ワンパノアグ族攻撃に参加した。この戦争も残忍な殲滅戦となり、入植者は敵の村の住居、食料に生産用具も破壊して飢餓を誘った。最終的に犠牲者は入植者側に一〇〇〇人、先住民側には三〇〇〇人を数える。ワンパノアグ族の生き残りの一部は北に逃亡してヌーヴェル・フランスのアベナキ族のもとに身を寄せた(テイラー 二〇二〇)。ニューイングランド南部地方では敵対部族の民族浄化が一段落するが、イギリス人も先住民諸部族との同盟を必要とし戦いを通じて先住民の虜囚となった住民を取り戻す交渉も必要だった(コリー 二〇一六)。こうした状況を通じて、入植者が優位に立ちつつも両者が認識を改めある種のミドル・グラウンドを作っていたといえよう。

おわりに

ヨーロッパ人入植者を迎えて先住民諸部族の黄金時代が重大な挑戦を受けたことは確かである。何よりも戦争となれば凄惨な破壊戦の様相を呈していくつかの部族が殲滅浄化されてしまった。入植者との交易は魅力的であるがゆえに銃や金属製の武器、諸道具、織物製品に依存することになった。猟場で毛皮獣が絶滅してしまうと毛皮獣獲得をめぐる部族間の権利争いは激化する。戦争は銃や鉄製武器を駆使することで相互に重大な犠牲をもたらすことになる。また、そうした戦争に備えて他部族との同盟関係を強化しておかねばならない。ヨーロッパ人との同盟も重要な選択肢となった。

しかし、先住民は自分たち本来の黄金時代の豊かさと自由に恵まれた生き方を放棄して農耕貢納に苦悩しビジネスに追われる人間に変身してしまうことは決してなかった。ブルックスが明らかにしたところでは、ポカセット族女性族長ウィートムーは、植民地間の管轄権争いにつけ込んだり、証書や証言などイギリス法制を狡猾に利用したりして部族地の権利を護る創造性を発揮した(Brooks 2018)。あるいは、モホーク族は「兄弟」たるオランダ人の不誠実を責め、単なるモノの売買関係に終わらせなかった。オランダ人にはリベートのつもりでも、それは互酬関係であろう。北の部族は農耕世界のつらさから逃げ出してきたフランス人を部族社会に迎え入れ、彼らと子孫のメティスは黄金時代を支える側に立った。

イギリス人入植者が状況に応じてセトラー・コロニアリズムを実践したにしても、現実には戦争勝利も同盟諸部族の協力なしには不可能だった。一七世紀末、先住民の黄金時代は終わっていたとしても、この段階で彼らはミドル・グラウンドでイギリス人との関係を模索しながら自分たちの世界を守っていたといえよう。

注

（1） セトラー・コロニアリズムの概念がアメリカ史でどのように有効であるかを検討した特集記事が以下にある。"Forum: Settler Colonialism in Early American History", *The William and Mary Quarterly*, Vol. 76, No. 3 (July 2019).

（2） フィリップ王戦争前後の植民地、先住民の動きを様々な立場の視点から再構成した力作が、Lisa Brooks, *Our Beloved Kin: A New History of King Philip's War*, New Haven, Yale U.P., 2018. また、ブルックスはこの戦争で先住民の複雑な絡み合いに注目して「先住民諸部族全体の間での諸戦争」というのが実態を表す名称だと指摘している。

参考文献

ウダード、コリン（二〇一七）『11の国のアメリカ史――分断と相克の四〇〇年』上・下、肥後本芳男ほか訳、岩波書店。

クラストル、ピエール（一九八七）『国家に抗する社会――政治人類学研究』渡辺公三訳、書肆風の薔薇。

クロノン、ウィリアム（一九九五）『変貌する大地――インディアンと植民者の環境史』佐藤敏行・藤田真理子訳、勁草書房。

コリー、リンダ（二〇一六）『虜囚――一六〇〇～一八五〇年のイギリス、帝国、そして世界』中村裕子・土平紀子訳、法政大学出版局。

サーリンズ、マーシャル（二〇一二）『石器時代の経済学』山内昶訳、法政大学出版局。

スコット、ジェームズ・C（二〇一九）『反穀物の人類史――国家誕生のディープヒストリー』立木勝訳、みすず書房。

テイラー、アラン（二〇二〇）『先住民 vs. 帝国 興亡のアメリカ史――北米大陸をめぐるグローバル・ヒストリー』橋川健竜訳、ミネルヴァ書房。

ブリュア、ジョン（二〇〇三）『財政＝軍事国家の衝撃――戦争・カネ・イギリス国家一六八八－一七八三』大久保桂子訳、名古屋大学出版会。

Bailyn, Bernard (2012), *The Barbarous Years: The Peopling of British North America: The Conflict of Civilizations, 1600-1675*, Vintage Books.

Biard, Pierre (1616), *The Jesuit Relations, vol. III, Acadia, 1611-1616*, Reuben Gold Thwaites (ed.) (1898), *The Jesuit Relations and Allied Docu-*

ments: Travels and Explorations of the Jesuit Missionaries in New France, 1610–1791, Cleveland, Burrows Brothers.

Brooks, Lisa (2018), *Our Beloved Kin: A New History of King Philip's War*, New Haven, Yale University Press.

Cushman, Robert (1621), "*Reasons and Considerations Touching the Lawfulness of Removing Out of England into the Parts of America*", Alexander Young (ed.) (1841), *Chronicles of the Pilgrim Fathers*, Boston.

Canny, Nicholas P. (1973), "The Ideology of English Colonization: From Ireland to America", *The William and Mary Quarterly*, Vol. 30, No. 4 (Oct.).

Cotton, John (1630), *Gods Promise to His Plantations*, London.

Dennis, Matthew (1993), *Cultivating a Landscape of Peace: Iroquois-European Encounters in Seventeenth-Century America*, Ithaca and New York, Cornell University Press.

Diamond, Sigmund (1961), "An Experiment in 'Feudalism': French Canada in Seventeenth Century", *The William and Mary Quarterly*, Vol. 18, No. 1 (Jan.).

"Forum: Settler Colonialism in Early American History", (2019), *The William and Mary Quarterly*, Vol. 76, No. 3 (July).

Gookin, Daniel (1674, published 1792), *Historical Collections of the Indians in New England*, Boston, Massachusetts Historical Society.

Morton, Thomas (1637), *The New English Canaan*, Amsterdam, in Charles F. Adams (ed.) (1883), *Publications of the Prince Society*, XIV, Boston.

Sept. 13, 1685, Nouvelles Acquisitions Françaises (NAF), 9272, Foll. 81 V-82 R.

Orr, Charles (1897), *History of the Pequot War: The Contemporary Account of Mason, Underhill, Vincent and Gardener*, Cleveland, Helman Taylor.

White, Richard (1991), *The Middle Ground: Indians, Empires, and Republics in the Great Lakes Region, 1650–1815*, Cambridge University Press.

Williams, Roger to John Winthrop (June 1638), John Russell Bartlett (ed.) (1874), *Letters of Roger Williams, 1632–1682*, Providence, Publications of the Narragansett Club.

Wood, William (1634), *New England's Prospect*, London, in *Wood's New England's Prospect* (1865), Boston, Publications of the Prince Society.

コラム｜*Column*

「辺境」カナダへの進出

――鱈と毛皮をめぐるイギリスとフランス

細川道久

カナダは、アジアへの航路探索の過程でヨーロッパ人によって「発見」された。中南米の貴金属とは比較にならぬとはいえ、そこにも彼らの関心を惹く産物があった。それは鱈と毛皮であり、同地への進出を企てたのは、スペインやポルトガルではなく、「北西航路」を探索した、後発のイギリスとフランスであった。本稿では、英仏によるカナダ進出について、他の北米地域やヨーロッパの事情と結びつけて素描する。

鱈は古くはヴァイキングによって捕獲されていたが、一四九七年にジョン・カボットがニューファンドランド島沖に漁場を発見して以降、同地にはヨーロッパ各地から漁船団が押し寄せた。鱈はヨーロッパ人にとって重要な栄養源であり、年に約一五〇日間獣肉を断つ習慣があったカトリック諸国では特に需要が高かった。干鱈作りに適した良質な塩が得られぬイギリスは、陸上での天日干し法(ドライ漁業)で優位に立とうとした。同国は、スペインの海上覇権に挑んでおり、一五八三年、ニューファンドランド島の領有を宣言した。同地ではフランスも操業を続けたため、漁場支配権が、一七世紀後半に始まる英仏戦争での争点となった。

一七世紀に南側のニューイングランドでも鱈漁場が発見されると、ニューファンドランド島は劣勢に立たされた。年間の操業が可能なニューイングランドは、良質の干鱈をヨーロッパに送り、引き換えに良質な塩を入手できたのに対して、寒冷のため操業が夏季に限られたニューファンドランド島は、質の劣る干鱈の大半をカリブ海地域に送らざるをえなかった。ニューイングランドでは農耕も進んでおり、季節的な漁業基地にとどまったニューファンドランド島との格差は広がった。

鱈と並んでヨーロッパ人を惹きつけたのが、毛皮である。ヨーロッパで絶滅に近かったビーバーの毛皮は珍重され、その帽子はステータス・シンボルであった。廉価な日用品との交換で先住民から入手した毛皮は、一度の輸送で莫大な利潤をあげることができた。毛皮の需要増を背景に、フランスは毛皮交易の独占と植民地建設に乗り出し、一七世紀初頭、ヌーヴェル・フランス(広義では北米でのフランス圏だが、ここでは「カナダ」と同義である)を建設した。

フランスは、入植者の誘致を条件に毛皮交易権を貴族層に与えたが、厳寒な気候や先住民による襲撃の危険もあって、入植は進まなかった。同時期に入植が始まったヴァージニアなどと比べて、ヌーヴェル・フランスの人口は格段に少なかった。毛皮交易が多くの人手を要しなかったからである。防御も手薄で、沿岸部のアカディアが私掠船の攻撃を受けたほか、内陸部では先住民との抗争に翻弄された。特にイロコイ連合との敵対関係は、和平を結ぶ一七〇一年まで続いた。

ユグノー戦争など内紛を抱えていたフランスは、ヌーヴェル・フランスにほとんど関与しなかったが、ルイ一四世が親政を始めると状況は変わった。一六六三年、国王直轄となり、コルベールの重商主義政策の下、自給自足かつ自衛可能な植民地の建設が目指された。最高評議会の設置や領主制の整備に加え、連隊の派遣による防衛強化が図られた。

だが、最高評議会の中枢をなす総督・地方長官《アンタンダン》・司教の間では対立が絶えなかった。総督と地方長官は、権限分担が曖昧であったため、しばしば衝突した。総督には帯剣貴族が、地方長官には法服貴族が、それぞれ就くことが多く、本国での対立が植民地に持ち込まれた面もあった。また、司教は、教皇権に対する王権の優越を説くガリカニスムを信奉する世俗勢力と対立した。遠方の地ゆえに本国とのコミュニケーションは円滑ではなく、植民地側は、紙幣発行やニューイングランドとの貿易など、本国の意向に反する行動をとることも少なくなかった。国王直轄化後には農耕に力が入れられたが、毛皮交易への依存は続いた。経済の中心が農業に移行するのは、一八世紀に入ってからである。また、本国政府から渡航費等を支給された「国王の娘たち」と呼ばれる女性が送られたり、連隊兵士や年季奉公人に対して契約期間満了後の滞在が奨励されたりしたが、人口増にはつながらなかった。

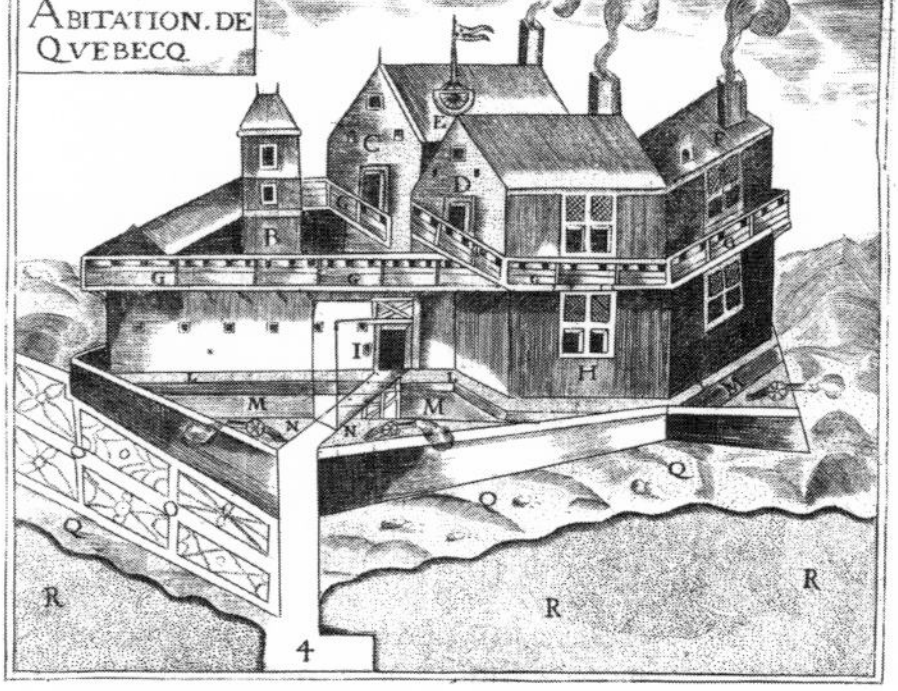

1608年にケベックに建てられたアビタシオン(毛皮交易所), 1613年の図版(Paris: Jean Berjon), Library and Archives Canada, Item no. 5012228.

一七世紀末、フランスの版図はメキシコ湾まで広がったが、毛皮交易所が点在するにすぎなかった。対するイギリスは、一六七〇年にハドソン湾会社を設立し、北西部に毛皮交易網を拡大した。フランス領は同社と南東部の一三植民地に挟まれる形となり、英仏の対立は激化した。一世紀におよぶ英仏戦争でフランスが敗北すると、一七六三年、ヌーヴェル・フランスはイギリス領となった。

以上みたように、鱈と毛皮が「辺境」カナダへの英仏の進出を促し、両者の対立を熾烈化したが、既に一七世紀前半から、同地とのちにアメリカ合衆国となる地域の間には格差が生じていた点にも留意されたい。

焦点｜*Focus*

一七世紀フランスの初期植民会社と小アンティル諸島

大峰真理

はじめに

私たちはカリブ海の歴史についてどれくらいのことを知っているだろうか。

カリブ海域史とりわけハイチ史研究の第一人者・浜忠雄はかつて「ハイチという国をご存じだろうか」と読者に問いかけた(浜 二〇〇三:一頁)。浜は東海散士による『佳人之奇遇』(一八八五年刊行開始)の一部や雑誌『少年園』(一八九〇:第五巻第四九号)の付録作品「黒偉人」の一節を引用しながら、一九世紀末にはハイチ独立に関する情報が広く伝わっていた一方、二一世紀初頭の日本人は黒人奴隷の組織的な反乱(一七九一年)も彼らによるフランスからの独立(一八〇四年)も世界史上初の黒人共和国の成立(一八〇六年)も忘れ去ってしまったと指摘した。

ハイチ共和国は、カリブ海エスパニョラ島の西側三分の一に位置し、フランス領有開始(一六九七年)から一八〇四年の独立までサン=ドマング(Saint-Domingue)と呼ばれた。同島は、キューバ島、ジャマイカ島、プエルトリコ島とともに大アンティル諸島を構成し、メキシコ湾と大西洋との境界を成す。その南東に連なる弧状の島々は小アンティル諸島と呼ばれ、カリブ海と大西洋とを分けている。本稿ではこの小アンティル諸島のうち、サン=ドマング領有に

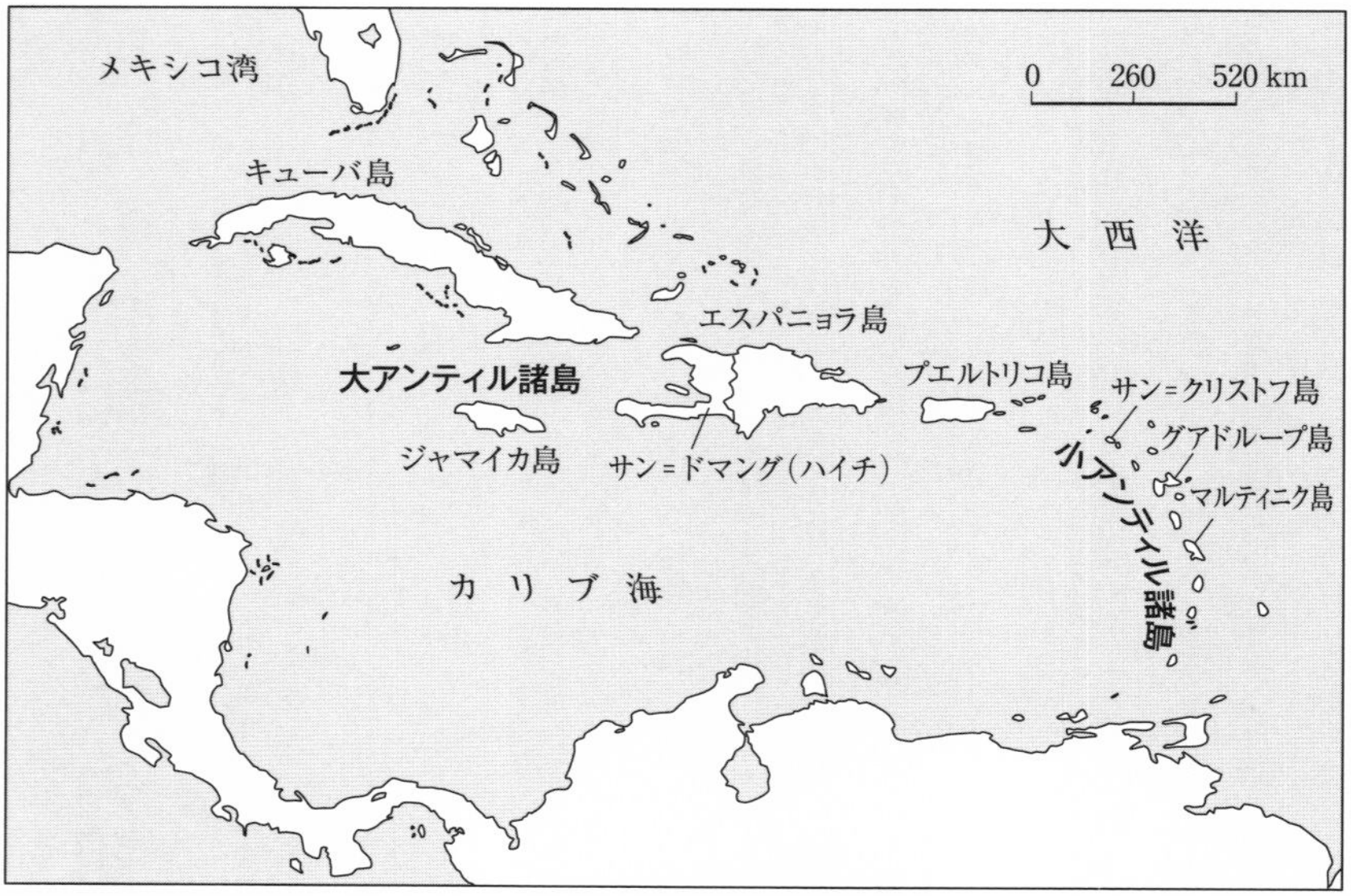

図1　17世紀末カリブ海域図
（典拠：https://mall.aflo.com/map/detail.php?product_id=80456をもとに筆者が作成）

先立ってフランスが植民したサン＝クリストフ島(Saint-Christophe)とグアドループ島(Guadeloupe)を考察する。私たちにとって両島はハイチよりもさらに馴染みが薄い。浜にならって読者に「ご存じですか」と問えば、ほとんどの人は「知らない」と答えるに違いない[**図1**]。

しかし、一八世紀カリブ海域の社会経済史的展開を学び、サン＝ドマングがわずか数年でさとうきび栽培と粗糖生産を発展させ「アンティルの真珠」という異名を与えられるまでになったことを知ると、「なぜフランスは植民や栽培や加工生産をこれほど急速に進めることができたのか」という疑問が浮かぶ。そして、「この島におけるフランスの成功は、それよりも前の時代に別の場所で経験したことを適用したからではないか」と推察できるのである。ここに「カリブ海におけるプランテーション型植民地形成の初期形態は小アンティル諸島に見出せるのではないか」という本稿の問いがある。

近年、フランス海外県の文書館は一次史料の整理と分類を進め、とりわけグアドループ県とマルティニク県のそれは史資料のデジタル化にも積極的である。また歴史学研究者協会などが設置され、定期的に学術雑誌を発行している(1)。本稿では、こうした研究環境と成果を活用し初期プランテーション型植民地形成の展開を考察する。

一、フリビュスティエが拓く小アンティル諸島

一四九三年一一月、コロンブスはマリア＝ガランダ島(一七世紀のフランス語表記ではマリ＝ガラント島)と北のカルケラ島に到着し、後者をグアダルーペと名付けた(一七世紀にフランスはこの島をグアドループと呼ぶようになる)。翌年、スペイン船団は再びこの島に接岸して住民に食料を要求したが叶わなかったので、上陸して襲撃し集落を建設した。拠点をえたスペイン王国は、以後、貴金属発見のための探検事業を組織するとともに、布教や香辛料産地への航路探索を目的とする航海を許可してカリブ海域に進出した。しかし、小アンティル諸島に期待した富がそれほどないとわかると、諸島に対する王権の関心は急速に小さくなった。海上帝国スペインのプレゼンスが弱まった海域では、まもなく多様な航海者たちが活動を始める。

スペインの覇権とフリビュスティエ

一六世紀半ばまでカリブ海の船乗りたちを生かしたのは、それでもやはりスペインだった。というのも、中南米地域にむかう船団の積み荷は、彼らにとって格好の略奪対象だったからである。船団は小アンティル諸島を抜けてカリブ海に入り、大陸沿岸部で銀を積んだ後、大アンティル諸島のあいだを通って大西洋に出る。略奪者たちは、海域に持ち込まれるヨーロッパ商品を狙うこともできれば、海域からもちだされる銀を狙うこともできた。大西洋とカリブ

海における スペインの覇権は、略奪者集団を存続させる要因にもなったのである。スペイン船団の富を狙う船乗りはホラント地方の言葉(オランダ語)でvrijbuiterと綴られ記録された。「気ままに戦利品を狙う人々」と訳せるこの単語は、英語ではflibutor、フランス語ではフリビュスティエflibustierと綴られる。彼らは一般に「略奪者」「流れ者」と訳され、時には「海賊」と同義で用いられる。

ピエール・ブラン・デナムビュック

フランスを代表するフリビュスティエの一人は、ピエール・ブラン・デナムビュック(Pierre Belain d'Esnambuc 一五八五―一六三七年)であるが、ブラン家は船乗りの家系ではない。父ニコラは、セーヌ川河口のエナムビュック(Esnambuc)とクヌヴィル(Quenouville)に所領をもつ名士だった。ところが、フランス宗教内乱期に二つの所領は荒れ果て家族はすべての家産を失ったので、一族はあらたに生きる糧を探さなければならなくなった。一六〇三年ブランはル・アーヴル(Le Havre)を出港する船に水夫として初乗船し、その後、大西洋航海の経験を重ねた(Margry 1863)。

ブランはネーデルラント独立戦争(一五六八―一六四八年)の休戦期(一六〇九―二一年)にフリビュスティエとして活動し始め、一六一〇年代には船乗り仲間ユルバン・デュ・ロワセ(Urbain du Roissey)と共同で船を艤装しカリブ海で略奪をくり返す。一六二〇年には船団を組み、スペイン船の襲撃にも成功した。しかし、休戦が解けた後の襲撃(一六二三年)は激しく反撃され自船が損傷したので、彼は乗組員とともにサン=クリストフ島に避難した。

ドミニコ会士ジャン=バティスト・デュ・テルトル(Jean-Baptiste Du Terre 一六一〇―八七年)はサン=クリストフ島の自然と歴史を詳述し、伝承をまじえてブランの活動を記録している[2]。デュ・テルトルによれば、ブランが島に避難した時、同じくスペイン船から攻撃されたイングランド船の乗組員たちも上陸していた。彼らの代表は総督トマス・ワーナー(Thomas Warner 一五八〇頃―一六四九年)だった。ブランとワーナーは協約を結び二つの集団の居住地域を定め、両地域の往来と物資の融通を決めた。島の熱帯降雨林は豊かな淡水をたくわえたので、まもなくたばこ栽培が始まり沿岸部にプランテーションが拓かれた。

私たちは近世の英仏関係をもっぱら植民地戦争や重商主義戦争の枠組みでとらえがちであり、ことさら競合と対立の場面に関心をはらうが、植民と開墾にまつわる背景や状況を少しでも知れば、そこには協調と共存の関係もあったとわかる。経済的ナショナリズム——保護主義や排他制——に先立つ一七世紀前半、カリブ海の小さな島では植民の原初的ないとなみが展開されていたのである。

二、王立植民会社と実務者たち

とはいえ、植民の萌芽を国の経済政策に活かしたいフランス王国政府(以下、王国と記す)は、多国間の協調や共存を黙認しない。一六二六年、宰相リシュリュ(一五八五—一六四二年)はブランを召還した。小アンティル諸島の現状を聞き取り、王権による植民に役立てるためである。こうして同年一〇月三一日、王国史上初めて植民のための特権会社——サン＝クリストフ会社に関わる名士協会 Association des seigneurs de la Compagnie de Saint-Christophe ——が設立された。

サン＝クリストフ会社

一般にサン＝クリストフ会社と呼ばれるこの団体の筆頭出資者は宰相リシュリュで、ブランとデュ・ロワセは設立メンバーに加わった。彼らは植民担当官として現地に赴き、会社の名のもと改めてイングランド総督と交渉した。一六二七年五月一三日には「イチジクの木の契約[3]」と呼ばれる協定を結んで島の二分割線を確定し、漁場・塩田場・船着き場・木材などの共同管理を決めた(Du Tertre 1667: t. 1-7)。この「契約」によってイングランドとの協調関係は確認されたが、会社による植民活動が保証されるわけではない。会社は一六二八年初めまでに少なくとも一五〇人の入植者を移送するはずだったが、実際には航海の途中で多くが死亡し、島に到着した者も健康状態が悪く開墾には役立たなかった。くわえて、物資輸送も不十分だった。一方、イングランドは順調に植民をすすめたので、担当官たちは入植者数の多寡によって勢力均衡関係が崩れるのではないかと懸念した。そこでブランはいったん帰国し、宰相に入植者と物資を確実に輸送するよう要請した(Du Tertre 1667: t. 1-9)。

一六二九年六月、宰相は三〇〇人の入植者を島に送った。ブランと輸送船船長フランソワ・ド・ロトンディ(François de Rotondy)は再びイングランド総督と面会し、「イチジクの木の契約」を順守するよう求めたが期待した回答はえられなかった。そこでブランは、宰相からの指示にしたがって沖合のイングランド船三隻を急襲した。ドミニコ会士はこの奇襲の詳細を記録していないが、その規模に照らしてみて近隣のフリビュスティエたちも協力したのではないかと推測できる。そうだとすれば、これはもはや「気ままに戦利品を狙う」略奪ではなく、「国家から許可を与えられ敵国の船を襲撃して積み荷を奪う」私掠と呼ぶべきだろう。この急襲はグアドループ島におけるイングランド入植者との共存保持に効果を発揮し、総督は「契約」の順守を約束した。

一六二〇年代末、サン＝クリストフ会社の活動を阻害したのはスペイン船団だった。一六二九年一〇月にはガレオン船と武装商船が島南部のバス＝テール地区(Basse-Terre)に接岸し、ここを一晩で攻略した。入植者たちは東のカペステール地区(Capesterre)に逃げ込んだが、追撃が続いたのでブランは約四〇〇人の入植者と一緒に北のアンティグア島に脱出した。その後、彼らは周辺のサン＝マルタン島、モンセラ島、サン＝バルテルミ島などに分かれ住んだ[**図2**]。流浪する人々を救ったのは、「イチジクの木の契約」確認時に陪席した船長ド・ロトンディだった。サン＝ウスタシュ島に拠点をおきフリビュスティエとして活躍していたド・ロトンディは、国王の名のもと船を艤装し、離散した入植者たちを集めて島南東部の領有域カペステール地区に再び上陸した。

サン＝クリストフ島にもどったブランは活動を立て直した。具体的には、本国からの不定期で不十分な物資供給を無策に待つのではなく、カリブ海域内の生活必需品調達ネットワークを活用して入植者の生活を安定させることに専心した。必要な食糧——小麦、肉類、ぶどう酒など——と生活雑貨を定期的に供給してくれるのは、この海域を自由に動き回るオランダ船だった。ネーデルラント北部七州の市場でたばこの需要が高まると、オランダ船はますます盛んに活動した。彼らは、取引相手がイングランドであれフランスであれ入植者たちに食糧と生活必需品を販売し、引き換えにたばこを大量に買い集めたのである(Du Tertre 1667: t. 1-15)。

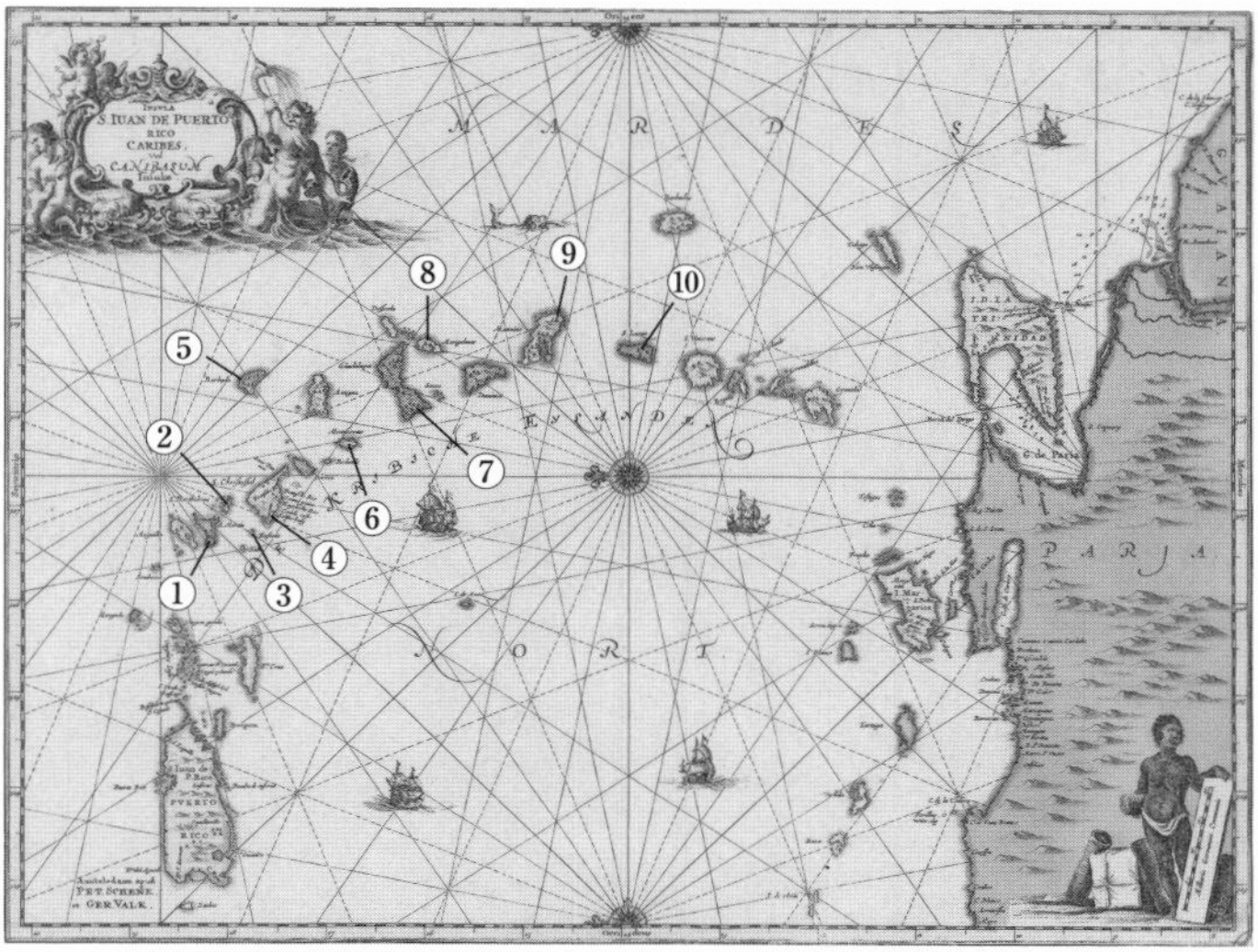

図2　17世紀末—18世紀初頭の小アンティル諸島
①サン＝マルタン島，②サン＝バルテルミ島，③サン＝ウスタシュ島，④サン＝クリストフ島，⑤アンティグア島，⑥モンセラ島，⑦グアドループ島，⑧マリ＝ガラント島，⑨マルティニク島，⑩サント＝ルシ島．この地図は，1686年から1719年にかけて発行されたもの．作者は不明．現在は，フランス国立図書館に所蔵され，ストラスブール大学との共同作業でデジタル化され，公開されている．左が北としてあらわされているため，地図の左手にプエルトリコ島，右手に南アメリカ大陸が描かれている（典拠：https://www.numistral.fr/fr/caraibes-amazonie-et-guyane#v/s%20%3Cnolink%3E をもとに筆者が作成）

こうして、王国が目指した自立的な植民は失敗した。現状を知った本国の共同出資者たちは、会社の清算と自由な植民・商取引を宰相に求めた。国王は彼らの請願を認め、会社は一六三四年一一月二五日に解散する。

アメリカ諸島会社

サン＝クリストフ会社の解散は、入植者たちの野心を刺激した。とりわけシャルル・リエナール・ド・ロリーヴ(Charles Liénard de L'Olive 一六〇一頃–四三年)とジャン・デュプレシス・ドソンヴィル(Jean Duplessis d'Ossonville 生年不明–一六三五年)は、自らが共同出資者となるあたらしい特権会社の認可を宰相に要請した。アメリカ諸島会社 Compagnie des îles d'Amérique の設立(一六三五年)はその結果である(ANOM F2A13: 12/2/1635)。

この会社の使命は、あたらしい島の植民である。リエナールとデュプレシスは一六三〇年代はじめにサン＝クリストフ島で植民と開墾の難しさを経験し、狭い土地を拓いても十分な利益が上がらないことを知っていた。そこで、より大きなグアドループ島(面積は一四三六平方キロメートル、サン＝クリストフ島の約八倍)に入植者を移送し、大規模に開墾することを目指したのである。彼らは国王から「島でのすべてを指揮する権利」を与えられ、五月二五日ノルマンディの港町ディエップ(Dieppe)から出航した。当時、ディエップは冒険航海のための船舶艤装港として王国の海運をけん引する港町だった。会社は二〇年間で四〇〇〇人の輸送を目指したが、実務者たちはより迅速に入植者を移送して島の領有と開墾を確実に進めたかったのだろう。早くも六月二八日には五五四人を乗せた二隻の船がグアドループ島に到着した。

リエナールとデュプレシスは開墾のために二つの集団を活用する。第一の集団は、フランスから移送する年季奉公人[4]である。六月に到着した五五四人の多くはこの年季奉公人だった。第二の集団はアフリカから連れてくる黒人である。実際、リエナールたちは一六三五年にオランダ船から黒人を購入した。こうして、年季奉公人と黒人奴隷の労働力を投入する典型的なプランテーション社会が形づくられはじめた。

ところで、広い土地と大量の労働力を必要とした栽培作物はたばこだけではなかった。アメリカ諸島会社は、さとうきびの栽培と粗糖生産に着手する。

三、初期プランテーション型植民地の実像

イエズス会士ジャック・ブトン(Jacques Bouton 一五九二―一六五八年)は、一七世紀前半のグアドループ島の様子を記録した。彼によれば、島に初めてさとうきびの株を植えたのはスペイン出身者だったが、まもなく畑は放置され株は野生化した(Bouton 1640: 83)。アメリカ諸島会社が栽培を試みるのは、この野生化したさとうきびだった。

さとうきび栽培のはじまり――オランダ・ユグノー トレセル家

会社の取締役会は、一六三八年からさとうきび栽培に関する議論を始めた。この年の一〇月と翌年四月の議事録は、その経過を語る史料である(ANOM F2A13: 6/10/1638, 6/4/1639)。一〇月六日の議事録は「ある人物が、さとうきび栽培を始めるために一二人を送りたいので島への自由な航行と免税を求めたいと会社に申し出た」ことと「[彼に]六人の上陸を許可した」ことを記録している。また四月六日の議事録は「ダニエル・トレセル[Daniel Tressel、史料によってはTrezel]に二つのさとうきび農園開設を許可した」ことと「しかし自由な航行と免税は許可しなかった」ことを記録した。これまで、航行の自由と免税特権は共同出資者――リエナールとデュプレシス――を中心とするディエップの海運業者に与えられてきた。会社の経営方針は実質的に彼らによって決められたので、既得特権を脅かす新規参入者を認めなかったのは当然だろう。

ところで、さとうきび農園の開設許可を与えられたダニエル・トレセルとはどんな人物だろうか。一六三九年四月

六日に結ばれた契約書を読んでみよう。トレセルはルアン(Rouen)の商人で、アムステルダムから逃れてきたオランダ・ユグノーだった。一七世紀はじめ北部七州ではカルヴァン派内の対立が生じ、宗派内対立は政治論争に発展したので「反主流派」の論客グロティウス(一五八三—一六四五年)は投獄された(一六一九年)。グロティウスを支援してきたトレセル家は、「反主流派」の政治的敗北によって亡命を強いられた(Rossignol 2015: 3-4)。トレセル家がフランスに逃れた正確な時期は分からないが、カルヴァン派の一部がフランスに流入し王国による植民活動に参加する様子は、当時の北西ヨーロッパ地域における宗派・政治・経済の絡み合いをよく示す。契約書によれば、トレセル家はすでにマルティニク島にさとうきび農園を所有し、ルアンで精糖場を経営する多角的実業家だった。おそらくトレセル家は、今回の契約を通じて栽培・製糖の技術と経験をより広い農園に適用し、さらに多くの粗糖をルアンに持ち帰って精糖事業の拡大を目指したのではないかと推測できる。一方、アメリカ諸島会社は確かな技術と豊富な経験をもつトレセル家に土地をあたえ、グアドループ島のさとうきび栽培と粗糖生産を円滑に始動させようと目論んだのだろう。

実際に島に向かったのは、ダニエルの息子サミュエル(Samuel)だった。彼は会社から与えられた土地について「荒れ果てた広い林でしかない」と不満を表明し、すぐに総督リエナールに代替の土地を求めた。そして、まもなくあたらしい土地が提示される。その土地は「豊かな水量があり、適当な広さがあった」が、会社は三万五〇〇〇リーヴルのたばこ葉と引き換えに購入するよう促した。トレセル家は代金相当のたばこ葉をすぐに準備できないことを回答し、支援を求めた。取締役会は、「トレセル氏が島の事業から退けば植民と開墾が滞る。そうなれば、結果として〔自分たちに〕配当される利益が少なくなるか無くなってしまう」として、二万リーヴル相当の資金援助を決めた。くわえて「さとうきびを加工するために必要な道具や機械を会社の船をつかって無賃で輸送する」ことも約束した(ANOM F2 A13: 20/08/1639)。こうした記録は、ルアンの実業家を頼ってグアドループ島の開発を進めようとする会社の内実をよく示す。

さらに一六四〇年、トレセル家はグアドループ島とマルティニク島における一五年間のさとうきび栽培特権と会社経営に参画する権利を求めた。三月の取締役会はこの要請を審議している(ANOM F2A13: 13/3/1640)。共同出資者たちはトレセル家の要請を国王に上梓し、「フランスに搬入されるトレセル家の粗糖のうち最初の一〇回分には課税しない。王国の船をトレセル家に一隻提供し、二つの島の植民と開墾に必要なひとや道具やその他の物資輸送を許可する。以上の決定は、トレセル家による事業が順調に進むよう、王国が彼を支援することを意味する」と決した。王国と会社は限定的とはいえ初めての免税特権をトレセル家に与えたのである。

サミュエル・トレセルと会社取締役会、現地総督

会社は同じ年に年季奉公人の募集もはじめ、彼らを乗せた輸送船がディエップを出港した。また、サミュエルは島で最初と思われるさとうきび圧搾機を設置した。残念ながらこの時期の農園に関する史料は欠落しているが、一二月の取締役会議事録は会社とトレセル家の緊密な関係を証言する(ANOM F2A13: 16/12/1641)。共同出資者たちは「有能な年季奉公人を集めてサミュエル・トレセルの事業に役立てる」ことを話し合い、支援の継続を決めた。この議決それ自体が両者間のあたらしい契約かどうかははっきりしないが、会社がサミュエルのさとうきび栽培と粗糖生産を強力に下支えしたことは明らかである。

ほぼ同じころ、任期満了が近い総督リエナールは私有する二つのたばこ農園を会社に譲渡した(ANOM F2A13: 22/12/1641)。会社は、これらをさとうきび栽培地に転化しようと試みている。一六四二年、後に総督となるシャルル・ウエル(Charles Houël 一六一六―八二年)がグアドループ島に立ち寄って、リエナールの後任者から作物転換の可能性を聞き取ったのである(Du Tertre 1667: t. 1-207)。一六四三年、新総督ウエルは二つの土地を調査して労働力と資材の投入計画を立て、一〇〇人以上の年季奉公人とほぼ同数の黒人を使って開墾と栽培をすすめ、圧搾機を設置するこ

とを決めた(5)。

総督ウエルの実務的な態度は、サミュエル・トレセルを心配させたはずだ。とりわけ一六四四年に会社従業員の木工職人たちが圧搾機の建造に成功したことは、トレセルを動揺させたようである。六月、彼は「すでに〔自分に〕与えられている免税特権と圧搾機の新規設置特権を脅かさないように」と取締役会に請願した(Schnakenbourg 1968: 278)。これを受け、翌年三月の取締役会は、新規圧搾機の設置許可を議決し、「島の農園主はトレセルの機械でさとうきびを圧搾してもよい」と通達を出してサミュエルがいだく懸念の払しょくに努めている(Schnakenbourg 1968: 278)。

このように、一六四〇年代前半のグアドループ島開発は本国取締役会と現地総督と実業家という三者間のかけひきのなかで進められた。ここでは特権会社内にある経営方針の不一致に留意しよう。つまり、総督は会社による主体的な島の開発を目指す一方で、共同出資者たちは実業家がもつ技術と経験に依存し続けた。圧搾機の運用に関する会社の独占もまた不完全だった。本来、会社は農園主たちに会社の圧搾機を使わせることで使用料を徴収し、設置のための初期投資を回収し整備費用を調達するが、前述の通り、島ではトレセル家の圧搾機が稼働し、取締役会は農園主たちにその利用を認めた。一貫した方針を打ち出せない特権会社内の不一致は、実業家が発揮する影響力の強さと表裏一体である。ここに初期プランテーション形成期のひとつの特質がある。

黒人奴隷の確保

この時期、会社には別の課題があった。それはさとうきび栽培のために必要な労働力の確保である(Roulet 2016: 49)。一六四三年一月の取締役会は、六〇人の黒人購入とその費用一万二〇〇〇リーヴルの支払いを議決し、共同出資者の一人ジャン・ロゼ(Jean Rozée)に輸送させた(ANOM F2A13: 7/01/1643)。ルアンの海運業者ロゼは、さっそく五六人の黒人をグアドループ島に運び、その後も黒人を輸送したが、会社は十分な奴隷を確保できなかった。そこで、取締役会は黒人奴隷の調達を専門にする顧問職を設け、サミュエル・トレセルを任命した(ANOM F2A13: 3/06/1644)。なぜ会社はトレセルを顧問に任命したのだろうか。答えの手がかりは、港湾都市ルアンにある。

ルアンはセーヌ川の河口から約一三〇キロメートルさかのぼったところに位置する港町である。この河口内港はそれ自体が都市を形成すると同時に広い後背地をもち、さらに河川交通によって王国最大の消費市場パリと接合した。こうした地理的条件は都市の経済発展を保証する。とりわけ、イベリア半島産の羊毛を輸入して毛織物を製造し、完成品をパリおよび北西ヨーロッパ諸地域に輸出する国際的な商業取引は一六世紀後半のルアン実業界を強化した。もちろん、宗教内乱やペストや飢饉を経験しネーデルラント独立戦争の影響も受けたので、都市の経済活動が衰退する時期もあった。しかし、一七世紀初頭に王国が海外拡大政策を推進し始めると、都市の貿易商人たちは冒険航海をけん引してきた沿岸港ディエップの海運業者と連携して新規事業に参入した。ロゼはまさにその一人だった。一六二六年、彼は二人の海運業者——このうちの一人はディエップ出身——とともに団体を結成し奴隷貿易を始めた。彼らは西アフリカ・セネガルに船を派遣し、停泊地を建設して黒人を取引した。マルティニク島のトレセル家に黒人を供給したのもロゼだった(Ly 1993: 35)。宰相リシュリュは彼らの先駆的な活動に関心を寄せ、一六三三年に奴隷貿易特権をあたえて王立会社化しセネガル川とヴェルデ岬の会社 Compagnie du Sénégal et du Cap-Vert と命名した(Gosselin 1876: 105)。ロゼはその後アメリカ諸島会社にも出資し、黒人取引を独占する貿易商人として植民事業に参入する。こうして、ロゼとトレセルの個別の取引関係は王国による特権事業の中に取り込まれた。黒人奴隷の調達を担当する現地顧問職にトレセルが選任された背景に、ルアン＝ディエップの貿易商人＝海運業者と小アンティル諸島さとうきび農園主が結んできた紐帯を見出すことはそれほど難しくないように思われる。

拡散し定着するオランダ・ユグノー

さて、黒人奴隷労働力を活用する粗糖生産の初期モデルが形づくられた時代、プランテーションを運用するための知識や技能は誰が提供したのだろうか。取締役会は、一六四五年から翌年にかけて「さとうきび栽培と加工についてはマデイラ諸島、またはブラジルから移動してくる人々を利用する」ことをくり返し議決した。マデイラ諸島はモロッコの西方、大西洋上に位置し、さとうきび栽培と粗糖生産に関する技術と経験をポルトガルに植民された一五世紀以来蓄積してきた。総督ウエルは一時帰国(一六四五年)ののちマデイラ諸島に立ち寄ってからグアドループ島に戻っている。史料が無いので確かなことは分からないが、ウエルが諸島で熟練工を採用し任地に戻った可能性も無くはない。

しかし、一七世紀半ばのフランス領小アンティル諸島に作物栽培と加工の最新技術を与えたのはブラジル北東部から移動してきた人々だった。ブラジル北東部はかつてポルトガル領であり、黒人奴隷を使った大規模なさとうきび栽培と加工が発展した。一五八〇年のポルトガル併合時、スペインはこの粗糖生産地も領有する。しかし、ネーデルラント独立戦争がはじまると北部七州がここに進出し、次第にスペインの領有を脅かした。先着の入植者たちは北部七州勢力に抵抗するが、レシフェとオリンダが陥落(一六三〇年)すると、北東部はネーデルラント連邦共和国の領有地になりオランダ西インド会社(一六二一年設立)によって経営された。会社は粗糖関連事業を掌握し、強力な海運力のもと労働力(黒人奴隷)と商品(粗糖)の取引を独占した。一六四〇年にスペインから独立したポルトガルはブラジル北東部の再領有を期待したが、西インド会社は撤退しなかったので、ポルトガル系住民がネーデルラント出身者に対する抵抗運動を強め、結果としてネーデルラント出身者——オランダ系住民——を流出させた。

ブラジル北東部を離れたオランダ系住民の一部は帰国し、また別の一部はカリブ海諸島に移動した。アメリカ諸島会社があてにしたのは後者の集団である。残念ながら、会社が一六四〇年代に雇ったオランダ系移動民に関する記録はほとんど残っていない。一六四三年の「ペルナンブコからキューバ島に逃れたのちグアドループ島にやってきたある木工職人に圧搾機の見本を作らせるため木材や鉄を支給し、六〇リーヴルの俸給を支払った」という記録は、オランダ系移動民の雇用を推定させる数少ない例である(ANOM F2A13: 10/05/1643)。その後、アメリカ諸島会社の独占が解消(一六五一年)されると、[6] 彼らに関する情報が散見されはじめる。

あたらしい農園主たち

近年、島での記録と本国での記録と農園主の出身地での記録とを対照させながらグアドループ島におけるプランテーションの実態を分析する成果が発表されている。[7] ここでは、いくつかの個別研究に依拠しながら一七世紀半ばの様子をみていこう。

ドミニコ会士デュ・テルトルはサミュエル・ヴァン・ガンポエル(Samuel Van Ganspoël, 史料によってはVan Ganspoul, Vanspoul または Ganspoule)の名を記した。会士によれば、サミュエルはブラジル北東部ペルナンブコの砂糖加工道具取扱の熟練者("maistre d'engins à sucre")であり、さとうきび栽培と加工の技術を島に持ち込み、加工場の設置をはじめた人物である(Du Tertre 1667: t. 1-437)。ペルナンブコはポルトガル、スペイン、ネーデルラント北部七州によって領有された地域であり、さとうきび栽培と粗糖生産の一大中心地だった。

家系史研究の成果を参照すれば、サミュエルは一六一二年一二月にケルンで生まれ、一六三九年にアムステルダムからペルナンブコに移動してさとうきび農園の経営に関わり、一六四三年一〇月一四日にアムステルダム出身の女性と結婚している。グアドループ島に到着した時期は分からないが、彼の名は一六五四年のカペステール小教区簿に残る。七月一四日の息子ダヴィッドの洗礼記録である。その中で「父サミュエルはルター派信徒、母ポリーヌはカルヴァン派信徒」と記された。二年後に誕生する娘リュクレスの洗礼記録の内容も同様である(Rossignol 2018: GHC, 2-7)。

ドミニコ会士は、サミュエルが所有した不動産も記録した。彼はカペステール地区に約三三ヘクタールの土地をもち、うち約一八ヘクタールをさとうきび栽培に、残りの約一四ヘクタールを菜園と草地にあてた。さらに彼は約三九ヘクタールの森林地も所有している。目的に応じて広い土地を活用する農園主の姿がここにある。じつはアメリカ諸島会社は一六四〇年代末に経営難におちいり会社名義の二つの農園を総督とその親族に払い下げた。会社は経営権も委譲したので、総督は土地所有者として経営判断を迫られた。つまり、すべての農園を自分(と家族)で経営するのか、分割して誰かに貸しだすのかあるいは売却するのかを決めなければならなくなったのである。結局、総督はバス=テール地区の農園だけを手元に残し、カペステール地区のそれを売却すると決めた。この時の土地購入者の中にサミュエル・ヴァン・ガンポエルが含まれていた可能性はきわめて高い。会社の財務状況と総督の経営判断がオランダ系移動民をカペステール地区に引き寄せ、粗糖生産の中心地が形成されるのである。(8)

おわりに

最新の研究によれば、グアドループ島における粗糖生産活動の飛躍期は一六六一年からの一〇年間である。さとうきび農園登録数は七一件(一六六一年)から一〇七件に増え(一六七一年)、島で取引された黒人は年間二七六〇人(一六六四年)から同四一七六人(一六七一年)に増加した[図3](Régent 2019: 85)。

一六六四年、財務総監コルベール(一六一九-八三年)はフランス西インド会社を設立し、王国による大西洋貿易の独占を決めた。会社は小アンティル諸島における粗糖生産も独占するので、総督が経営するバス=テール地区の農園も買い戻して直轄農園と位置づけ直した。さらに、フランス臣民以外の農園主が生産する粗糖には従来の三倍に相当する重課税措置を適用した。

西インド会社による排他的独占政策は南ネーデルラント継承戦争期（一六六七―六八年）に強化され、臣民以外の農園主は動産と不動産の相続を禁止された。彼らが財産相続権の保持を望むなら、カトリックに改宗して帰化申請するしかない。土地登録簿を分析した研究者は一六六〇年代末から「ホラント出身、帰化済」という記載が増えはじめ、一六七二年にはグアドループ島のほとんどの「外国人」――その多くはオランダ系――が帰化し名前の綴りもフランス風にかえたと指摘する（Casagrande 2018: 37）。農園主たちの実利本位的ふるまいがここにある。

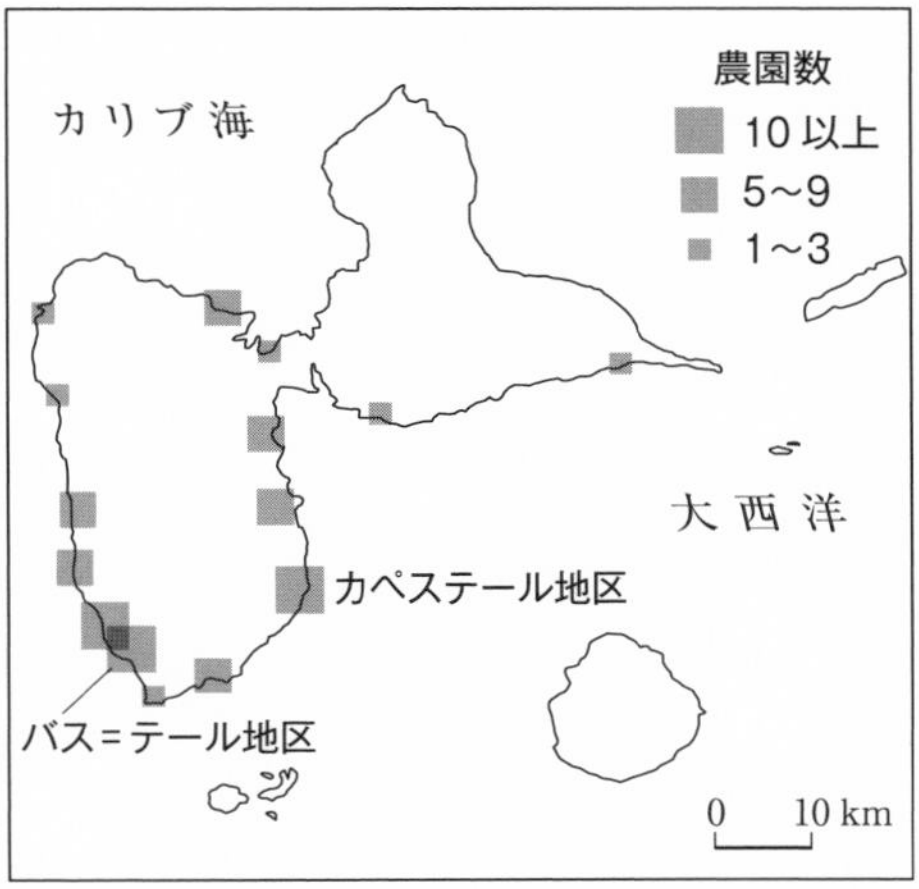

図3 グアドループ島のさとうきび農園（1671年）（典拠：Régent 2019: 102）

一方、王国が臣民ではない農園主の財産を即時に没収せず、追放もせず、相続の禁止のみにとどめた点に着目すれば、排他制をめぐる王権の思惑を推しはかることができる。当時、スペインとイングランドは大アンティル諸島の領有権を争っていたが、マドリード条約（一六七〇年）によって後者が粗糖の最大生産地ジャマイカ島を得た。カリブ海における覇権は、海上帝国イングランドの盤石な最初の一歩である。こうした状況の中、フランスはいくつもの危機を想定しただろう。第一の危機は、国庫を満たす優良商品――粗糖――生産地グアドループ島を覇権国家イングランドに奪われることであり、第二のそれは行き過ぎた排他政策によってオランダ系農園主たちが島を離れ、彼らがもつ技術と経験を失う危機である。王国は、臣民ではない農園主を「王の民 sujet du Roi」に置き換える余地を残すことで第二の危機を回避したのである。これもまた一種の実利本位的ふるまいといえよう。

こうして一七世紀第三四半期のグアドループ島では、初期植民時代を生き抜いた多様な出自の入植者・農園主と彼らの技術と経験を最大限活用したい王権が、野心としたたかさをしなやかに織り交ぜながらプランテーション社会を編成した。それゆえ、まもなくサン＝ドマングが経験する急速な発展はカリブ海のこの小さな島で習練された柔軟で巧妙な社会経済的適応力が源となって準備されたのではないか、と結論付けられるのである。

注

（1） 史資料は http://www.archivesguadeloupe.fr と https://www.patrimoines-martinique.org で検索でき、一部は閲覧もできる。一九六四年創刊の *Bulletin de la Société d'histoire de la Guadeloupe* は、グアドループ島とカリブ海域に関する歴史学および考古学の研究成果を掲載する。

（2） Jean-Baptiste Du Tertre は一六四〇年アンティル諸島に派遣され、滞在期間中に *Histoire générale des îles Saint-Christophe, de la Guadeloupe, de la Martinique et autres de l'Amérique* を、帰国後に *Histoire générale des Antilles habitées par les Français* を著した(参考文献参照)。

（3） 契約名は島の二分割線を引く場所にイチジクの木が立っていたことに由来する。

（4） 商人や海運業者が渡航費を支払い現地での生活を保障することと引き換えに、一定期間植民先の農園で無償労働することを約束した人々。

（5） Ch. Schnakenbourg によれば、新総督の計画に投じられた莫大な資金が会社の経営を圧迫し業務停止(一六四八年)の一因になった。

（6） 会社が所有した複数の農園は総督ウエルとその代理人ジャック・ディエル・デュ・パルケに売却されたので、一六五〇年末までに会社による直轄経営農園は無くなった。

（7） 近年の研究をけん引するのは、ジェラール・ラフルール(Gérard Lafleur)である。彼は、一九八〇年から二〇〇四年までグアドループ県文書館の教育担当官もつとめた。

（8） リストリ家(Listry、または Listric)やスウェート家(Sweerts、または Suers、de Suers)やヴァン・ルーヴレン家(van Looveren、または de Loouer)が農園を所有した。

参考文献

ジャカン、フィリップ（二〇〇三）『海賊の歴史——カリブ海、地中海から、アジアの海まで』増田義郎監修、後藤淳一他訳、創元社。

浜忠雄（二〇〇三）『カリブからの問い——ハイチ革命と近代世界』岩波書店。

ANOM=Archives Nationales d'Outre-Mer

GHC=*Généalogie et Histoire de la Caraïbe* (www.ghcaraibe.org/)

Bardet, Jean-Pierre (1983), *Rouen aux XVIIe et XVIIIe siècles. Les mutations d'un espace social*, Paris : SEDES, 2 tomes.

Bouton, Jacques (1640), *Relation de l'établissement des Français depuis l'an 1635 en l'île de la Martinique*, Paris : Sébastien Cramoisy.

Butel, Paul (1992), *Les Caraïbes au temps des flibustiers*, Paris : Aubier Montaigne.

Casagrande, Fabrice (2018), "Le destin d'une habitation-sucrerie de l'île de la Basse-Terre en Guadeloupe", *Les nouvelles de l'archéologie*, 150.

Du Tertre, Jean-Baptiste (1654), *Histoire générale des îles Saint-Christophe, de la Guadeloupe, de la Martinique et autres de l'Amérique*, Paris : Chez Iacques Langlois.

Du Tertre, Jean-Baptiste (1667-1671), *Histoire générale des Antilles habitées par les Français*, Paris : Chez Thomas Iolly.

Gosselin, Edouard (1876), *Documents authentiques et inédits pour servir à l'histoire de la marine normande et du commerce rouennais pendant les XVIe et XVIIe siècles*, Rouen : Imprimerie de Henry Boissel.

Jacquin, Philippe (2002), *Sous le pavillon noir : Pirates et flibustiers*, Paris : Gallimard.

Lafleur, Gérard (2012), "Familles hollandaises en Guadeloupe aux XVIIe et XVIIIe siècles", *Bulletin de la Société d'histoire de la Guadeloupe*.

Ly, Abdoulaye (1993), *La Compagnie du Sénégal*, Paris : Karthala.

Margry, Pierre (1863), *Origines transatlantiques : Belain d'Esnambuc et les Normands aux Antilles, d'après des documents nouvellement retrouvés*, Paris : A. Faure.

Moreau, Jean-Pierre (2006), *Pirates : Flibustiers et piraterie dans la Caraïbes et les mers du sud (1522-1725)*, Paris : Tallandier.

Régent, Frédéric (2019), *Les maîtres de la Guadeloupe. Propriétaires d'esclaves 1635-1848*, Paris : Tallandier.

Rossignol, Bernadette et Philippe (2015) (document signalé par Pierre Bardin), "Traité entre la Compagnie des Iles d'Amérique et Daniel TRESEL, 1639, et la famille TREZEL en Guadeloupe", *Généalogie et Histoire de la Caraïbe* (www.ghcaraibe.org/articles/2015-art16.pdf) 最終閲覧日二〇二一年八月二一日。

Rossignol, Philippe et Bernadette (2018), "Famille Van ou de GANSPOËL. Pays Bas, Allemagne, Brésil, Guadeloupe", *Généalogie et Histoire de la Caraïbe* (www.ghcaraibe.org/articles/2018-art16.pdf) 最終閲覧日二〇二一年八月二一日。

Roulet, Eric (2016), "La famille. L'habitation sucrière de la Compagnie des îles de l'Amérique à la Guadeloupe (1642-1649)", *Revue d'histoire de l'Amérique française*, 69-3.

Schnakenbourg, Christian (1968), "Note sur les origines de l'industrie sucrière en Guadeloupe au XVIIe siècle (1640-1670)", *Revue française d'histoire d'outre-mer*, 200.

コラム｜*Column*

ポルトガル帝国からみた環大西洋世界

鈴木　茂

ポルトガルは、一五世紀初頭から海洋進出を開始し、一六世紀初めにはアフリカ、アジア、南アメリカに領土をもつ世界帝国を形成した。アフリカやアジアにおいては、各地に設けた商館を結ぶ交易ネットワークを展開したのに対し、ブラジルでは、当初こそ同様のシステムで染料木（パウ・ブラジル）の取引を行ったものの、一五三〇年代以降、輸出向け農業を中心とする開発を進めた。スペイン領アメリカ植民地では土地の私的所有が厳しく制限されたのとは対照的に、最初から民間資金を利用した輸出向けの農業開発をめざした。それが砂糖生産であり、主な労働力はアフリカ人奴隷であった。

西アフリカのガーナ共和国の海岸沿いには、かつての大西洋奴隷貿易の拠点が点在している。首都アクラから西へ一五〇キロメートルほどにあるエルミナの要塞は、一四八二年、ポルトガルが金取引のために設けた商館を起源とする。その後、ブラジル植民の本格化とともに、奴隷貿易の拠点となった。

大西洋奴隷貿易というと、ヨーロッパで綿布や金属製品などを積み込み、アフリカで奴隷を購入してカリブ海地域へ運び、砂糖などの物産をヨーロッパへ運ぶという三角貿易が連想される。イギリスのリヴァプールやフランスのナントなどは、奴隷船の母港となり、最近ではBLM（ブラック・ライブズ・マター）の運動が高まる中で、奴隷商人などの責任が追及されたのは記憶に新しい。ただし、これは一八世紀に最盛期を迎えた北大西洋を舞台とした奴隷貿易にほぼ限定され、奴隷輸送数では大西洋奴隷貿易の約四割を占める南大西洋、つまりブラジルを輸入地とする奴隷貿易には必ずしも当てはまらない。ブラジルの場合、サルヴァドールやリオデジャネイロ、レシーフェといったブラジル内の港から奴隷船が西アフリカや大西洋側の中部アフリカに向かい、各地の商館に集められたアフリカ人を取引するという双方向的な貿易が圧倒的に多かったのである。一七世紀に入るとエルミナはオランダ西インド会社の支配下に入り、ブラジルへの奴隷の供給地はさらに東の現在のベナン、トーゴ、ナイジェリア、あるいは一五七〇年代に商館を築いたアンゴラへと移動したが、双方向的な形は崩れなかった。

双方向的な貿易ができたのは、ポルトガルの国内産業の遅れもあるが、奴隷を集め、ポルトガルの奴隷商人と取引するアフリカの首長たちが好む特産品がブラジルで生産できたことも大きい。それはタバコであり、火酒であった。例えば、ブラジルのタバコの主産地バイーアでは、高級品はポルトガル以外への輸出が禁じられたが、糖蜜で香りをつけた低級品

エルミナのサン・ジョルジェ・ダ・ミナ要塞跡(ガーナ共和国, 筆者撮影)

が製造されており、これがナイジェリアなど西アフリカで珍重されたのである。一方、バイーア以外の地域では、糖蜜から製造される火酒が奴隷貿易の重要な交易品となった。一七世紀後半から一八世紀にかけて、砂糖生産の中心がイギリスやフランスのカリブ海植民地に移ると、ブラジルの砂糖は国際市場を失うが、奴隷貿易で取引される火酒を増産することで、サトウキビ栽培は衰退を免れることができた。火酒の主要な供給先はアンゴラであり、アンゴラはブラジルへの最大の奴隷供給地となるのであった。

　南大西洋での奴隷貿易についてもう一つ忘れてならないのは、ゴアなどでポルトガル商人が調達した綿布の存在である。高級綿布も奴隷を獲得するのに欠かせない商品であったが、ブラジルを拠点とする奴隷貿易業者は、ポルトガル帝国の商業ネットワークを利用して、リスボンを経由したり、直接インドから綿布をアフリカの貿易拠点に送ることができた。そもそも、ある意味で、ブラジルにおける植民地開発そのものが、ポルトガル帝国における大西洋交易圏とアジアとの関係を前提としていた。ブラジルの領土確保と農業開発のために導入された世襲カピタニア制では、海岸線に沿ってブラジルを一五の区画(カピタニア)に分け、統治や防衛、徴税などの義務と引き換えに土地を譲渡した。一二人の譲渡を受けた者(ドナタリオ)の多くは、インドや東南アジアで武勲や功績をあげた軍人や官僚であった。例えば、サトウキビ栽培で成功したペルナンブーコのドゥアルテ・コエーリョは、アフリカやアジアで征服事業に参加し、シャムの大使を務めた貴族であった。また、ブラジルからフランス人の海賊を追放した功績によって、現在のサンパウロとリオデジャネイロにあたる地域を与えられたマルティン・アフォンソ・デ・ソウザは、その後、インドに赴任し、インド総督にまで昇りつめた。こうした最初のドナタリオたちのプロフィールは、アジアで蓄積された資金をブラジル開発に利用しようとする王室の思惑とともに、ドナタリオや彼らの資金提供者たちにとって、ブラジルが有望な投資先に見えていたことを物語っている。

焦点｜*Focus*

アメリカ植民地の経済とスペイン黄金世紀
――《宮廷の侍女たち》のエンコミエンダ

小原　正

はじめに

一七世紀のスペインでは、ベラスケス、カルデロン、ケベードといった画家や詩人、戯曲家が数々の優れた作品を生み出し、文化的には黄金世紀と呼ばれる。しかし同時にこの時期のスペインは、ヨーロッパにおける覇権争いに敗北し、政治経済的には衰退しつつあった。「太陽の沈まぬ帝国」と呼ばれた時代は、すでに過去のものとなっていたのである。それでは、黄金世紀のスペインをささえた収入源は何だったのであろうか。

このように問うのは、この時期、衰退しつつある帝国の中心マドリードでは、王族や有力貴族が非常に贅沢な暮らしをしていたことも知られているからである。彼らはビロードやサテンなどの高価な布地で仕立てた衣装を身にまとい、宝飾の施された剣や懐中時計、指輪やブローチで身を飾り、豪華な馬車に乗り、何十人もの使用人を雇い、仮装舞踏会や饗宴を開いたのである。さらに有力貴族は、画家や詩人の後援者となって資金を提供し、交友関係を築いた。なかには、個人の邸宅に画廊をもつ者もあったほどである（エリオット　一九八二、Domínguez Ortiz 2012）。多くの有力貴族が芸術活動を奨励したことが、スペイン黄金世紀の経済的な土台となっていたのである。

しかし本稿で論じるように、スペインの一七世紀は、多くの有力貴族が深刻な財政難に陥っていたことでも知られている。一六世紀末から一七世紀中葉にかけてのスペインでは、疫病による人口減少と農業危機が起こり、そこに国内主要通貨である銅貨の通貨危機が重なった。このため、多くの経済活動が停滞し、有力貴族が領地から得ていた地代や税収が大きく減少した。また当時の有力貴族の重要な資産のひとつであった長期国債は、スペイン王室の財政破綻によって著しくその価値を減じた。領地の地代や税収、そして長期国債の利子を主な収入としていた多くの貴族は、その収入源が崩壊してしまったのである。彼らは、それでも財政をやりくりし、危機を乗り越えるために新たな財源を探し求めた。

このような有力貴族が一七世紀を通じて獲得していったもののひとつが、アメリカ植民地のエンコミエンダ、つまり特定の村落のインディオから貢納をうける権利であった。スペイン王室の側でも、莫大な債務が累積し、国家財政が破綻していく中で、アメリカ植民地のエンコミエンダは、恩賞として与えることのできる残り少ない財源のひとつであった。また、銅貨の通貨危機が起きる中、アメリカ植民地のエンコミエンダから届く銀には、その額面以上の価値があった。その結果、有力貴族はアメリカ植民地のエンコミエンダを王に嘆願し、交渉し、獲得していったのである。

さて、黄金世紀のスペインの宮廷というと、読者は何を思い浮かべるであろうか。スペインの歴史や文化に詳しくなくとも、この時代を代表する宮廷画家ディエゴ・ベラスケスの絵画《宮廷の侍女たち》(ラス・メニーナス)[図1]を目にしたことのある方は多いのではないだろうか。この絵画では、中央の王女の両脇に恭しく仕える二人の侍女が描かれている。この二人は、現代においてもっとも多くの人の目にふれている黄金世紀スペインの貴族であるといっても過言ではないだろう。しかし、彼女たち自身について実はあまり多くは知られておらず、ましてこの絵画に描かれた彼女たちの華やかな様相から、アメリカ植民地のインディオの暮らしを連想する者はまずいないだろう。しかしこの

図 1　《宮廷の侍女たち》(ラス・メニーナス)ディエゴ・ベラスケス作，1656 年，プラド美術館蔵．右は一部拡大図．

二人の侍女について調べていくと、ひとりについては本人と父親が、もうひとりについてはその両親がアメリカ植民地のエンコミエンダを獲得しており、アメリカ植民地のインディオとの経済的なつながりが見えてくるのである。

そこで本稿では、《宮廷の侍女たち》に描かれた二人の侍女をとりあげ、彼女たちとその親がどのようにアメリカ植民地のエンコミエンダを獲得したのか、そしてインディオの貢納が生み出す富が、どのようにして彼女たちとその家族の手にわたり、貴族としての身分や生活を支えたのかを描き出していきたい。

本稿がアメリカ植民地のエンコミエンダに着目し、二人の侍女とアメリカ植民地のインディオの経済的なつながりを明らかにする意義は、次の二つの点にある。

ひとつは、アメリカ植民地におけるエンコミエンダの理解に関わる。これまでエンコミエンダは、スペイン人によるアメリカ大陸征服直後から一六世紀中葉までの間、植民地の支配と統治の根幹をなした制度として理解されてきた。この制度の下で、征服者であるスペイン人は現地のインディオから貢納を受け、彼らに賦役を課し、主従関係を確立したからである。そして一六世紀末以降、インディオの人口減少とこの制度に対して課された様々な規制のため、エンコミエンダの重要性はうすれたと考えるのが通説である(ギブソン 一九八一)。しかしそれでは、一七世紀のマドリードの有力貴族が、なぜアメリカのエンコミエンダを獲得しようとしたのか、理解することができない。スペイン本国の宮廷政治を視野に含めれば、一七世紀のスペイン王室はアメリカ植民地のエンコミエンダについて大きな政策転換を行い、有力貴族や廷臣への恩賞として利用したと捉えることができるだろう。

もうひとつは、一七世紀のエンコミエンダに着目することによって、マドリードの有力貴族とアメリカ植民地のインディオとの具体的な関係が浮かび上がってくることである。両者の関係について言及されることはほとんどないものの、黄金世紀のスペインがアメリカ大陸に植民地をもち、インディオとよばれた先住民の人びとを支配していたことは周知の事実である。本稿が明らかにするように、マドリードの有力貴族は、エンコミエンダという制度を通じて、アメリカ植民地のインディオが貢納として生み出す利益を受け取り、高価な衣服や他の貴族への贈答品の代金など、様々な日常の出費にあてていたのである。

まずエンコミエンダ制の変化を概観したうえで、ベラスケスの描いた二人の侍女の実像に迫り、スペインの黄金世紀を支えた歴史背景をより広い視点から捉えなおしたい。(1)

一、エンコミエンダ制の変遷

初期のエンコミエンダ

アメリカ植民地のエンコミエンダとは本来、この大陸の各地を征服し新たな領土をスペインにもたらした征服者たちの功績に報いるため、スペイン王室が彼らに与えた恩賞であった。私財を投じて遠征隊を組織し、アステカ王国やインカ帝国を征服したスペイン人たちは、この恩賞によって、服従させた地域の村落を彼らの間で山分けし、自身が割り当てられた村落のインディオから貢納を受ける権利を獲得したのである(Zavala 1973)。

この権利は、スペイン王室がその臣民となったインディオを個々のスペイン人に預け、委ねるという形で授与されたため、委託を意味する「エンコミエンダ」の名で呼ばれた。

征服直後から一六世紀中葉までの約三〇年間は、このエンコミエンダが根幹となり、植民地の支配がなされた。この権利をえたスペイン人は、征服以前に各村落・地域を支配していたインディオ貴族を従わせて巧みにインディオ社会を支配し、貢ぎ物の品々を徴収したり、賦役を課したのである。エンコミエンダの権利をもつ個々のスペイン人が小君主のようにふるまい、各村落のインディオと主従関係を確立することで、スペインによる植民地支配は確固たるものとなった(García Martínez 2010)。

エンコミエンダの規制

しかしエンコミエンダによる支配の仕組みは、スペイン王室にとって諸刃の剣であった。征服者に何らかの褒賞を与え、なおかつ征服直後の混乱をおさめるには他に方法がなかったとはいえ、この仕組みの下では、新たな領土の支配と統治が、征服者を中心に構想されてしまうからである。彼らは、エンコミエンダとして割り当てられた村落を封土として子々孫々まで受け継ぐ、一種の貴族となることを望んだのだった(García Martínez 2010)。

そしてスペイン王室は、遠く大西洋で隔てられたアメリカの地で、征服者が富と権力を蓄え、彼らを支配構造の頂点とする社会が根づくことを危惧した。そこで一五三〇年代以降、スペイン本国から高位の官僚を次々と植民地に派遣し、征服者に一度は与えた統治の権限を徐々に官僚機構へと移行させたのである。この政策の下、強力な権限をもつ副王がメキシコとペルーに派遣されるようになり、アメリカ植民地の各地には行政と司法を担う聴訴院が設けられる。同時に、エンコミエンダの権利に様々な規制を定め、征服者の政治力・経済力をそぎ落とそうとしたのである

(高橋 一九九一)。

エンコミエンダの相続・返上・新たな付与

なかでも重要なのは、一五三六年に課された二つの規制である。ひとつは、エンコミエンダの相続を一度に限定するものであった。それまでスペイン王室はその相続に関して曖昧な態度をとってきたが、この規制によって、エンコミエンダの権利保有は二代限りとすることが定められた。二代目の権利者が死亡すると、そのエンコミエンダはスペイン王室に返上されたのである(Zavala 1973)。

ただし、メキシコ市を拠点とするヌエバ・エスパーニャ副王区とそれ以外とでは、返上後の政策が異なる。前者では、一六世紀後半を通じて、返上後の各エンコミエンダは事実上の廃止となり、そのインディオは王室直属となった。その貢納は国家財政に組み込まれたのである。したがって二代目権利者の多くが死亡した一六世紀後半に、エンコミエンダの数が著しく減少した。しかし後者である、ペルー副王区や中央アメリカなどでは、返上後のエンコミエンダは原則として空位扱いとなり、現地に暮らす征服者の子孫や縁戚者、植民地官僚などに新たな権利として与えられたのである(Zavala 1973; Ruiz Rivera 1975)。

エンコミエンダの変質——インディオの支配から、貢租の徴収・受領へ

一五三六年に課されたもうひとつの規制は、貢納の査定である。それまでは、エンコミエンダの権利者が各村落のインディオ貴族と交渉しつつ、比較的自由に貢納の内容を決めていた。しかしそれ以降は、植民地官僚が各村落の人口規模に応じて貢納の内容を制限し、貢租の品物と量を定めたのである(Zavala 1973)。

そして一五四九年には、エンコミエンダを決定的に変質させるような、さらなる規制が課された。その規制とは、

賦役の禁止である(Zavala 1973)。以前は、エンコミエンダの権利者が賦役の名のもと、一定数のインディオを拘束し、実質的な支配下においた。これが、権利者をして小君主のようにふるまわせ、主従関係を生じさせていたのである。しかし賦役の禁止以降、エンコミエンダの権利者は、植民地官僚が査定する貢租をインディオから徴収するだけの存在となった。

またペルー副王区では、一五七〇年代に貢租の徴収方法が大きく変更された。エンコミエンダのインディオが納める貢租を、「コレヒドール」と呼ばれる植民地官僚が一旦は徴収し、それをエンコミエンダの権利者に渡すようになったのである(Andrien 1986)。ペルー副王区のエンコミエンダは、インディオとの直接的な関係を失い、植民地官僚から特定村落の貢租を受け取るだけの権利へと変化したのである。

一七世紀のエンコミエンダ——スペイン本国の有力貴族・廷臣への恩賞

一七世紀に入ると、スペイン王室はアメリカ植民地のエンコミエンダについて、もうひとつの大きな方針転換を行った。それまでは、征服者の子孫や縁戚者、植民地官僚など、植民地のスペイン人に与えることが原則となっていた恩賞を、スペイン本国の有力貴族や廷臣に優先的に与えるようになったのである(Zavala 1973; Hampe Martínez y Puente Brunke 1986; Amadori 2013)。

その結果、エンコミエンダの権利によって得られる富の大部分が、スペイン本国の有力貴族や廷臣の手へと流れていく事態が生じる。ペルー副王区では、特に一六三〇年代以降、エンコミエンダの権利者の約四割がスペイン本国の有力貴族や廷臣、その家族や縁戚者という状況になった(Puente Brunke 1992)。また一六二〇年代以降の中央アメリカにおいて一人の権利者に授与されたエンコミエンダの収入金額は、アメリカ植民地のスペイン人が平均五〇〇ペソであったのに対し、スペイン本国の貴族や廷臣はその二倍から三倍もの額であった(Wortman 1982)。人口の規模が大きく、より多くの収入を生み出すエンコミエンダが、有力貴族や廷臣の手に渡っていったのである。

さらに、一六世紀後半のヌエバ・エスパーニャ副王区では、事実上のエンコミエンダ廃止政策がとられていたが、一七世紀にはペルー副王区のように、返上されたエンコミエンダを新たな権利として授与するようになった(Zavala 1973)。恩賞として授与可能なエンコミエンダの総数を増やすための方策であった。

スペイン王室と有力貴族——恩賞授与をめぐる相互依存

スペイン王室が方針転換を行った背景には、次のような事情がある。一六世紀のカルロス一世やフェリーペ二世は、大学で学問をおさめた文官を重用し、有力貴族を宮廷政治の中枢から極力排除してきた。しかし一七世紀に入ると、フェリーペ三世と四世は、一人の有力貴族を寵臣としてとりたて、政治の多くを委ねた。結果として、寵臣とその取り巻きの有力貴族が、宮廷内の要職を掌握するようになり、彼らは王からの恩賞を容易に引き出すようになった。すると他の有力貴族も寵臣にとりいり、王から恩賞を引き出さそうとしたのである。そして王は、スペイン国内の反乱鎮圧や帝国各地の統治に有力貴族の忠誠と協力を以前にもまして必要としたため、非常に気前よく恩賞の授与を行わねばならなくなったのである(エリオット 一九八二、増井 一九九八、Jago 1979)。

そして有力貴族の側にも、宮廷政治に加わり、スペイン王室から恩賞を引き出さねばならない事情があった。一七世紀には、次にあげる三つの要素が重なって、多くの有力貴族が深刻な財政難に陥っていたからである。

一つめは、一六世紀末から一七世紀中葉に、疫病によってスペイン各地で人口が減少し、農業危機が起きたことである。これにより多くの地域で農村が荒廃し、有力貴族が領地内の農地や牧草地からえていた地代は大きな打撃をうけた(ケイメン 二〇〇九)。

二つめは、スペイン王室のその場しのぎの政策によって引き起こされた、銅貨の通貨危機である。前世紀に累積した巨額の債務を抱えるスペイン王室は、それでもヨーロッパにおける戦費を捻出しなければならず、国内主要通貨であった銅貨を改悪して大量発行し、資金調達を行った。このため、特に一六二〇年代後半から銅貨の実質的な価値が著しく下落し始めたのである。この通貨危機によって多くの経済活動が停滞し、有力貴族の重要な収入源であった領地からの税収も減少した。また地代や税収などの現金収入は銅貨で入ってきたため、通貨危機の影響にさらされ、すでに減少していた収入全体の実質的な価値が、さらに目減りしたのである(Jago 1979; Álvarez Nogal 2000; Álvarez Nogal 2001)。

三つめは、財政破綻したスペイン王室が、一六三〇年代以降、長期国債の利払いを停止したり、半額を没収したりするなどの政策をとったことである。一六世紀を通じてスペイン王室が大量に発行してきた長期国債は、同世紀末まで、スペインの富裕層の重要な金融資産であった。長期国債の利子を主な収入源として生活する者まで現れたほどである。それが、この政策によって安定収入を断たれた。その上、たとえ利払いがあったとしても、それは実質的な価値の低い銅貨によってなされた。資産構成によってその影響は異なるものの、一七世紀の有力貴族の中には、長期国債の破綻によって収入の大部分を失う者がでてきたのである(エリオット 一九八二、Álvarez Nogal 2000)。

そして収入が崩壊していたにもかかわらず、彼らは一族の生活費や数十人もの使用人の給料、そして債務の利払いなど、一定の支出は以前同様に行わねばならなかった。さらに、長子相続制で法的に守られた領地と資産は切り売りできないため、広大な領地と莫大な資産を所有するにもかかわらず、債務の利払いにさえ困窮するような有力貴族が出現するという、一見奇妙な事態さえ起こり始めたのである(Jago 1979)。

このように財政難に陥った有力貴族と、スペイン国内および帝国各地の統治に有力貴族の忠誠と協力を必要としていたスペイン王室の間には、恩賞を媒介とした相互に依存しあう関係があったのである(Jago 1979)。

エンコミエンダの新たな価値——銅貨の危機とアメリカの銀

銅貨の通貨危機が一六二〇年代後半に始まったことと、ペルー副王区のエンコミエンダ権利者に占めるスペイン本国の有力貴族や廷臣の割合が一六三〇年代から急激に増えたことは、偶然の一致ではない。

銅貨の信用が下落し、様々な取引の場で銅貨が拒否されるようになると、銀の相対的な価値が上昇した。銀行家も銅貨での返済を拒むようになり、代わりに銀貨や銀塊での返済や利払いを要求するようになった(Álvarez Nogal 2000; Álvarez Nogal 2001)。銀にもとづく収入を得ない限り、銀行家との借金の交渉すら難しくなったのである。このような情勢の中、アメリカ植民地の銀を入手することのできるエンコミエンダの権利に注目が集まったのは、当然の結果と言えよう。エンコミエンダのインディオが納める貢租は、現地で銀貨ないし銀塊に換金させて、スペインまで送らせることができたからである。

銅貨が危機に陥った一六二〇年代後半以降、アメリカ植民地のエンコミエンダには新たな価値が生じたのである。

二、宮廷の侍女たちとエンコミエンダ

マリア・アグスティナ・サルミエント

絵画《宮廷の侍女たち》で、王女に対して跪き、水の入った小瓶を差し出しているのが、マリア・アグスティナ・サルミエントである(Palomino Velasco 1724)。

彼女はスペイン北部のバスク地方で一六三七年に生まれた。祖父母の代から宮廷で仕えてきた家柄の出である。親族の中で特に注目すべきは、父方の祖母レオノールである。レオノールは、フェリーペ四世が即位してまもなく、王女や王妃の側近として宮廷で仕え、一六四九年からは、宮廷内の重職である皇太子養育係となった。この祖母の影響

下で、父や伯父たち、そしてマリア・アグスティナも、国王夫妻からの恩恵に浴したと言えよう(Moreno Meyerhoff 2008; Novo Zaballos 2015)。

マリア・アグスティナはレオノールの孫娘として、すでに一〇歳の頃から宮廷への出入りを許されていた。そして一六四九年、一二歳のとき、フェリーペ四世が二番目の妻をめとる際に、宮廷で侍女として仕えることとなった。王妃からは、皇太子養育係の孫娘として特に信頼されていたようである。一六五八年一月、王妃が産後初めてのミサに出席する際、生後一カ月の皇太子を抱きかかえていたのは、マリア・アグスティナであった(Malcolm 2005; Hortal Muñoz y Labrador Arroyo 2015)。

父ディエゴ・サルミエントとアメリカ植民地のエンコミエンダ

マリア・アグスティナとアメリカ植民地のインディオとの経済的つながりは、父のディエゴ・サルミエントが、現在のコロンビアとグアテマラにエンコミエンダを獲得したことに始まる。これらのエンコミエンダの授与は、マリア・アグスティナが生まれる前の一六三〇年から三二年に、父ディエゴが、アメリカのエンコミエンダを財源とする年金三〇〇〇ドゥカドの恩賞を手に入れていたことに基づく。

ただしこの種の年金の恩賞は、アメリカ植民地で何らかのエンコミエンダが空位となった際にそれを与えるという約束であったため、即座にその収入金額のエンコミエンダを獲得できたわけではない。特に一六三〇年代以降は、多くの有力貴族や廷臣が競うようにアメリカのエンコミエンダを獲得しようとした時期であり、年金の恩賞授与から実際のエンコミエンダ獲得までには、かなりの時間を要することもあった。

ディエゴの場合、一六三一年に、現在のコロンビア南西部に位置するポパヤン郡の村落プラセのエンコミエンダ、そして同じくコロンビア北部のカルタヘナ郡の二村落シンセレホとサンプエスのエンコミエンダを獲得している。これほど早くにエンコミエンダを獲得できたのは、フランドルでの任務がすでに決まっており、旅費や滞在費を緊急に補助するためであったのだろう(Houben 2015)。ただしこの二つのエンコミエンダによって得られる収入は合計六五四ドゥカドと見積もられ、約束された金額には程遠かった。

コロンビアに二つのエンコミエンダを手に入れた後も、ディエゴは入手可能なエンコミエンダを探し続けた。ペルーのエンコミエンダで徒労に終わる経験を経て、一六三七年、グアテマラにエンコミエンダを得ると、合計一五三二ドゥカドの収入となった。これは、年金の恩賞三〇〇〇ドゥカドのほぼ半分にあたる。最初に年金の恩賞を手にしてから七年が経過しており、ちょうどマリア・アグスティナが生まれた年のことであった。

マリア・アグスティナとアメリカ植民地のエンコミエンダ

それから一〇年以上がたった一六五三年、父ディエゴは、新たにエンコミエンダを獲得し、恩賞三〇〇〇ドゥカドの九割がようやく満たされた。しかもそれは、一六歳になった娘マリア・アグスティナと、ひとつのエンコミエンダを共有する形で実現したのである。

まず一六四七年、ディエゴは、アメリカ植民地のエンコミエンダを財源とする新たな年金三〇〇〇ドゥカドをフェリーペ四世より授与され、その権利を二人の娘、マリア・アグスティナと妹のホセファに半額ずつ譲った。そして幸いにも翌年、ディエゴの兄ガルシアがペルー副王に着任した。副王の任務のひとつは、空位となったエンコミエンダを誰に与えるか、現地で差配することであった。兄の強力な後押しをえたディエゴは、一六五三年、現エクアドル中央部に位置するアラウシなどのエンコミエンダ(四四五〇ドゥカド相当)から、一〇八〇ドゥカド分の貢租を受けとる権利を獲得した。そしてこの同じエンコミエンダから、マリア・アグスティナとホセファもそれぞれ一五〇〇ドゥカドの権利を獲得した。そしてその数カ月後に妹が亡くなり、妹の分もマリア・アグスティナが受け継いだ。こうして彼女は、年金三〇〇〇ドゥカド相当のエンコミエンダを獲得したのである。

ただし、このエクアドルのエンコミエンダの場合、実際に貢租を受けとれるようになるまで、長い時間を要した。一七世紀初頭より、エンコミエンダの権利はその取得から原則四年以内に、マドリードのインディアス枢機会議において承認を得ねばならないことになっていた。ディエゴの場合、六年の猶予期間を与えられたが、四年後の一六五七年になっても承認の手続きを開始せず、さらに三年の猶予期間を認めさせている。そして遅くとも一六六二年には手続きを始めたはずだが、書類不備を指摘され、最終的に権利が承認されたのは、一六六七年のことであった。

マリア・アグスティナの権利については、いつ承認の手続きがとられたのであろうか。資料の不足から詳細は分かっていないが、一七一〇年に作成された彼女の遺産目録によれば、一六七三年七月九日付けの勅書によって権利が認められたという。つまり、最初に権利を獲得してから承認をうけるまでに、二〇年もの歳月を要したことになる。

このとき、三六歳のマリア・アグスティナはすでに侍女の職を辞しており、バラハス伯爵夫人となっていた。彼女は、一六五九年に大貴族のアギラル伯爵と結婚して宮廷を去り、九年後に夫を亡くしたあと、七〇年にやはり大貴族のバラハス伯爵と再婚をしていた(Moreno Meyerhoff 2008)。

イサベル・デ・ベラスコ

絵画《宮廷の侍女たち》で、中央の王女に対して少し前かがみになり、軽く会釈をしているのが、イサベル・デ・ベラスコである(Palomino Velasco 1724)。

彼女はマドリードから南東に四五キロほど離れたコルメナル・デ・オレハで、一六三八年に生まれた。父の家は、スペインの名家であるベラスコ一族の傍系にあたる。父ベルナルディノは一六二五年にコルメナル伯爵位をフェリーペ四世から授与されたが、一六五〇年には亡くなった伯父からフエンサリダ伯爵位を相続し、大貴族の身分となった。

母は一三年間、王妃の侍女をつとめた後、ベルナルディノと結婚した。

両親は一六三三年に結婚すると、コルメナル・デ・オレハに領主として暮らし、そこで二男八女を授かった。イサベルはその三女である。そしてマリア・アグスティナと同じく一六四九年に、一一歳にしてひとり故郷を去り、王妃の侍女として仕え始めた(Obara-Saeki 2023)。

宮廷におけるイサベルは、国王夫妻から特に好感をもたれていたにちがいない。《宮廷の侍女たち》を描く際、ベラスケスが、国王夫妻のお気に入りの侍女を慎重に選んだであろうことは想像に難くない。実際、フェリーペ四世はこの絵画を非常に気に入り、自らの執務室に飾らせたという(Palomino Velasco 1724)。だが、《宮廷の侍女たち》が完成してから三年後の一六五九年、イサベルは病で急死してしまう。このとき王妃の馬丁頭であったモンタルト公爵は、私信のなかで、イサベルを「宮廷でもっとも光り輝やいていた侍女のひとり」と評し、その死を悼んでいる(Obara-Saeki 2023)。

イサベルの両親とアメリカ植民地のエンコミエンダ

イサベルは王妃の侍女として独身のまま亡くなり、生涯を通して、アメリカ植民地のエンコミエンダの権利を自身が得ることはなかった。しかし彼女の母は、イサベルがまだ幼い頃に、現在のメキシコ南部にあたるチアパス郡にエンコミエンダを獲得している。

一七世紀、侍女が結婚をして職を辞する際、持参金の一助として年金の恩賞が授与されるのが宮廷の慣習であった。王妃の侍女として仕えたイサベルの母にも、結婚して宮廷を去る際、アメリカ植民地のエンコミエンダに基づく年金の恩賞二〇〇〇ドゥカドが与えられていた(Obara-Saeki 2023)。ただし年金の恩賞授与が即座にエンコミエンダの獲得に結び付かないことも、マリア・アグスティナの父ディエゴを例に見てきたとおりである。

イサベルの母の場合、一六三三年の恩賞授与からエンコミエンダの獲得までに八年を要した。まずエンコミエンダの授与を命じる勅書をグアテマラ聴訴院に送付させたが、状況に進展はなかった。次にインディアス枢機会議に働きかけ、一六三七年に年金二〇〇〇ドゥカドの九割を満たすようなエンコミエンダがグアテマラ市民二名に与えられており、その権利が承認の手続き中であることを知る。イサベルの両親は、即座にインディアス枢機会議で訴訟をおこし、四年後の一六四一年、グアテマラ市民二名に一度は与えられた権利が無効とされ、イサベルの母にその権利が与えられたのである。一六五二年、イサベルの母が亡くなると、父ベルナルディノがこのエンコミエンダを相続した(Obara-Saeki 2023)。

インディオの貢納——メキシコ南部チアパス郡のシナカンタンなど

イサベルの両親が獲得したエンコミエンダは、チアパス郡のシナカンタン、サン・フェリーペ、イクスタパ、オスマシンタ、シモホベルの五村落から成り、その貢租の約七割を受け取る権利であった。

当時は、夫婦一組を貢納者一名、独身の男女を貢納者〇・五名として数えることが植民地政府によって決められており、これら五つの村落には九〇〇名ほどの貢納者がいた。その貢租を定める文書によれば、貢納者一名につき綿布一枚(幅五〇センチ×長さ七・五メートルほど)、鶏一羽、トウモロコシ一ファネガ(約五五・五リットル)、唐辛子とインゲン豆については村によって多少の差はあるがだいたい半アルムー(ファネガの一二分の一の単位)ずつを毎年納めた(Obara-Saeki 2023)。

これらの品々を納めるだけならば、それほど大きな負担とはならなかったのかもしれない。しかしインディオたちは、その上さらに、植民地政府に貨幣で納めることを義務づけられた別の貢租もあれば、カトリックの儀礼・祭礼のための支払いも村の神父にしなければならず、村に巡察などにくる様々な植民地官僚に強要される労働や支払いにも応じねばならなかった。特に貨幣を手に入れることはインディオにとって大きな負担であり、貨幣を稼ぐために多くの男たちが年に二、三カ月、村から離れた農園に出稼ぎにいったという。

そのような中で、女たちは家事・育児をこなしつつ、鶏の世話をし、綿から糸を紡ぎ、紡いだ糸で貢租の綿布を織った。さらに現地の官僚にも強要されて綿布を織り、農繁期には畑仕事にも出た。男たちは日々薪集めをし、トウモロコシ・唐辛子・インゲン豆を畑で育て、農閑期には出稼ぎに行くという暮らしであった。

イサベルの両親は、このような生活をいとなむインディオたちから貢租として毎年、綿布七九一枚、鶏七二〇羽、トウモロコシ六八五ファネガ、唐辛子とインゲン豆四八ファネガを受け取る権利を有していたのである。

インディオの貢納——グアテマラ南部チキムリジャ

しかしインディオたちは、ただひたすら受動的に、強制された貢租の品々を生産し、種々の支払いを行っていたわけではない。植民地政庁によって定められた貢租の負担が重すぎる場合には、当該政庁に嘆願書を出し、貢租を軽減してもらえるよう交渉することもあった。また、その予期せぬ結果として、エンコミエンダの権利が放棄され、権利が別の者の手に渡るというように、マドリードの宮廷におけるエンコミエンダをめぐる交渉に影響を及ぼすこともあったのである。

たとえば、マリア・アグスティナの父ディエゴの手にしたエンコミエンダの中に、現グアテマラ南部に位置するグアサカパン郡の村落チキムリジャの権利がある。

このエンコミエンダは、一六三五年に一旦は、当時インディアス枢機会議の議員であったロレンソ・ラミレス・デ・プラドに与えられた。そのとき、グアテマラ聴訴院によって新たな貢租の査定が行われ、カカオ豆を中心とするこの村の貢租は、二〇七五ペソに相当すると見積もられた。フェリーペ四世は、ラミレス・デ・プラドに一六五四ペソの年金を約束していたので、これを十分に満たすのが、このエンコミエンダの権利だったのである。

しかしこの村のインディオたちは、貢租の負担が近隣の村落に比べて重すぎるとして、貢租の軽減を同聴訴院に訴え出たのである。その結果、一六三六年二月には貢租の内容が見直され、貨幣価値に換算して三割ほど負担が軽減された。見直し後のこの村の貢租は、一五〇七ペソ相当となり、ラミレス・デ・プラドが約束された年金額には、わずかに足りなくなってしまったのである。

これを知ったラミレス・デ・プラドは、即座にこのエンコミエンダを放棄してしまった。インディアス枢機会議の議員であったので、比較的容易に、より収入の大きいエンコミエンダを獲得することができる見込みだったのだろう。あるいは、すでに他のエンコミエンダを獲得していたのかもしれない。いずれにせよ、放棄されたチキムリジャの権利を獲得したのが、マリア・アグスティナの父ディエゴだったのである。

アメリカ植民地からの送金

当然のことながら、スペイン本国の有力貴族や廷臣は、アメリカ植民地のエンコミエンダのインディオから(ペルー副王区ではコレヒドールから)、貢租の品々やお金を直接受け取ることはできなかった。そこで、現地の商人にエンコミエンダの管理を委託し、貢租の徴収と銀への換金、そしてスペインへの送金を任せていた。

しかし現地の商人の中には、責務を果たして決められた額の銀を送ってくる者もあれば、そうでない者もあった。大西洋をまたいで、アメリカ植民地のエンコミエンダから毎年決まった額の銀を送らせ、それをマドリードで受け取るのは、それほど容易なことではなかったのである。

たとえば、現エクアドル中央部にエンコミエンダを獲得し、一六七三年から三〇〇〇ドゥカド相当の貢租を受け取る権利をえたマリア・アグスティナは、当初、父ディエゴのエンコミエンダを管理していたペドロ・デ・ラ・クエスタに、貢租の受け取りと送金を任せた。しかし、一六八〇年からはマルティン・デ・アイバルという別の人物にエンコミエンダの管理を委託し、さらにこのエンコミエンダの会計について、前任のデ・ラ・クエスタに対しキト聴訴院で訴訟を起こしている。後任のデ・アイバルとその息子は、マリア・アグスティナが亡くなる一七一〇年までの三〇年間、その任をとかれることはなかった。詳しい資料は見つかっていないが、キト市から毎年決まった額の銀を送りつづけたのであろう。

エンコミエンダからの収入の用途

マリア・アグスティナ・サルミエントと彼女の父ディエゴ、そしてイサベル・デ・ベラスコの両親は、エンコミエンダから得た収入を何に使っていたのだろうか。このように問うのは、その用途こそが、アメリカ植民地で貢租を納めるインディオとマドリードでその収益を受け取る権利者との経済的つながりを、具体的に表すからである。

現メキシコ南部に、シナカンタンなど五村落のエンコミエンダを所有したイサベルの父ベルナルディノも、やはりグアテマラ市のある商人にエンコミエンダの管理を委託し、貢租の収益を送金させていた。ベルナルディノがこの収入を何に使ったかについては会計資料がいくつか残っており、一部ではあるがその用途を知ることができる。たとえば一六五八年四月、ベルナルディノは、グアテマラ市から送られてきた銀一万六四六四レアル相当をある銀行家に受け取らせ、一・六六倍のレートで銅貨に替えた額、二万七三三〇レアルを入手している。そして翌五月から一一月までの半年の間に、この会計から二万四五六〇レアルを使った。その内訳は、四割が債務の支払い及び理由を明示しない支払い、二割弱が衣服の仕立て職人への支払い、同じく二割弱が他の有力貴族への贈答品(馬と火縄銃)の代金、一割が家賃の支払いであった。そして一割弱が、長女マリアナの婚礼に際して用意されたドレス数点と、式で客人に配った贈答品の合計費用のほぼ半分にあてられていた。さらに一家の食料や、馬の飼料である麦わらの代金もここから支払っている。また一六五九年の会計記録では、馬車を組み立てる代金、馬小屋の諸経費、家具の修理費、剣及びその装飾の代金、琥珀の装飾が施された手袋の代金、末娘フェリチャの修道院入りの費用なども、エンコミエンダの収入から支払われていた。

マリア・アグスティナとその父ディエゴについては、残念ながらエンコミエンダからの収入の用途を示す資料は見つかっていない。しかしイサベルの父の事例は、経済的に困窮していた当時の有力貴族の典型として解釈できるだろう。この時代の有力貴族の多くが財政難に陥っていたことを考慮すれば、エンコミエンダからの収入が当座をしのぐために使われ、日常の様々な支出にあてられていたことは想像に難くない。実際、イサベルの父も債務の利払いにすら困窮する状況にあり、エンコミエンダからの収入によって日々の支払いを何とかやりくりしていたのである。

おわりに

本稿は、エンコミエンダという制度を通じて、黄金世紀スペインの有力貴族とアメリカ植民地のインディオの経済的なつながりを描き出そうとする試みであった。

スペイン王室は一六世紀中葉からエンコミエンダ制に様々な改変をくわえ、これが一七世紀における同制度の政策転換を可能にした。そして寵臣政治や通貨危機、有力貴族の財政難といった要因が重なり、スペイン王室は、アメリカ植民地のエンコミエンダを有力貴族や廷臣に与えるようになったのである。これにより、スペイン黄金世紀の有力貴族とアメリカ植民地のインディオの間に、経済的な関係が生じたと言える。

さて、もう一度、《宮廷の侍女たち》[**図1**]を見てみよう。二人の侍女、マリア・アグスティナ・サルミエントとイサベル・デ・ベラスコが、中央の王女の左右両脇に描かれている。二人とも光沢のある白い絹のドレスに、パニエで膨らみをもたせた深緑およびグレーのスカートを合わせている。ドレスの袖には当時の流行である大きなスリットが入っており、マリア・アグスティナは二重の袖口、イサベルは黒いレースの袖口である。それぞれ黒と赤のレース飾りのブレスレット、蝶の形の髪飾りをつけ、イサベルの左手の小指には指輪が微かに光っている。彼女たちは、当時の宮廷において、華やかさと優雅さを演出する存在だったことだろう。

そしてこの同じ時代、大西洋の向こう側のメキシコやグアテマラに目を向ければ、インディオと呼ばれる人びとが畑を耕し、トウモロコシを育て、カカオの木の世話をしていた。女たちは日夜、糸を紡いで綿布を織り、男たちは農閑期になると出稼ぎに行くという生活であった。もちろん植民地支配をただ受け入れるだけではなく、ときには村の人びとで話し合い、植民地政府に貢租の軽減を訴えた。

一見、両者は別世界に住んでいるかのようである。しかし本稿で見てきたように、インディオが貢租として納める綿布、カカオ豆やトウモロコシなどは、銀に換えられて、マリア・アグスティナと彼女の父、そしてイサベルの両親の手に渡り、日常の様々な出費に使われていた。この二つの世界は、エンコミエンダという制度を介して、相互に深くかかわり合っていたのである。

注

(1) 本稿の記述は、特に指示のないかぎり、インディアス総合文書館(セビリア)、貴族歴史文書館(トレド)、サラゴサ県立歴史文書館(サラゴサ)、中央アメリカ総合文書館(グアテマラ)、マドリード公正証書歴史文書館(マドリード)、スペイン国立図書館(マドリード)の資料に基づく。

参考文献

エリオット、J・H(一九八二)『スペイン帝国の興亡 一四六九―一七一六』藤田一成訳、岩波書店。

ギブソン、チャールズ（一九八一）『イスパノアメリカ――植民地時代』染田秀藤訳、平凡社。

ケイメン、ヘンリー（二〇〇九）『スペインの黄金時代』立石博高訳、岩波書店。

高橋均（一九九一）「植民地時代」『アメリカ論Ⅱ』放送大学教育振興会。

増井実子（一九九八）「ハプスブルク朝スペインの時代」立石博高ほか編『スペインの歴史』昭和堂。

Álvarez Nogal, Carlos (2000), *Sevilla y la Monarquía Hispánica en el siglo XVII: Dinero, crédito y privilegios en tiempos de Felipe IV*, Sevilla, Ayuntamiento de Sevilla.

Álvarez Nogal, Carlos (2001), "Los problemas del vellón en el siglo XVII: ¿Se consiguió abaratar la negociación del crédito imponiendo precios máximos a la plata?", *Revista de Historia Económica*, 19-S1.

Amadori, Arrigo (2013), *Negociando la obediencia: Gestión y reforma de los virreinatos americanos en tiempos del conde-duque de Olivares (1621-1643)*, Madrid, Universidad de Sevilla.

Andrien, Kenneth J. (1986), "El corregidor de indios, la corrupción y el estado virreinal en Perú (1580-1630)", *Revista de Historia Económica*, 4-3.

Domínguez Ortiz, Antonio (2012), *Las clases privilegiadas en el Antiguo Régimen*, Madrid, Akal.

García Martínez, Bernardo (2010), "Los años de la conquista", *Nueva Historia General de México*, México, El Colegio de México.

Hampe Martínez, Teodoro y José de la Puente Brunke (1986), "Mercedes de la Corona sobre Encomiendas del Perú: Un aspecto de la política indiana en el siglo XVII", *Quinto Centenario*, 10.

Hortal Muñoz, José Eloy y Félix Labrador Arroyo coords. (2015), "Etiquetas y ordenanzas de Felipe IV (1621-1665)", *La corte de Felipe IV (1621-1665): Reconfiguración de la Monarquía católica*, tomo II, Madrid, Ediciones Polifemo.

Houben, Birgit (2015), "La casa del cardenal infante don Fernando de Austria (1620-1641)", *La corte de Felipe IV (1621-1665): Reconfiguración de la Monarquía católica*, tomo I, volumen III, Madrid, Ediciones Polifemo.

Jago, Charles (1979), "The 'Crisis of the Aristocracy' in Seventeenth-Century Castile", *Past and Present*, 84.

Malcolm, Alistair (2005), "Spanish queens and aristocratic women at the court of Madrid, 1598-1665", *Studies on medieval and early modern women 4: Victims or viragos?*, Dublin, Four Courts Press.

Moreno Meyerhoff, Pedro (2008), "Ascendencia y descendencia de don Juan de Isasi Idiáquez, I conde de Pie de Concha", *Hidalguía*, 328/329.

Novo Zaballos, José Rufino (2015), "Las casas reales en tiempos de Carlos II: La casa de la reina Mariana de Austria", Tesis doctoral, Universidad Autónoma de Madrid.

Obara-Saeki, Tadashi (2023), "Isabel de Velasco, menina de Las Meninas, y los indios del antiguo señorío de Zinacantán en 1642-1659", *Hispanic American Historical Review*, 103-1 (February 2023) or 102-4 (November 2022) forthcoming.

Palomino Velasco, Antonio (1724), *El museo pictórico y escala óptica*, tomo III *(El Parnaso Español Pintoresco y Laureado)*, Madrid, Viuda de Juan García Infançón.

Puente Brunke, José de la (1992), *Encomienda y encomenderos en el Perú: Estudio social y político de una institución colonial*, Sevilla, Diputación Provincial de Sevilla.

Ruiz Rivera, Julián B. (1975), *Encomienda y mita en Nueva Granada en el siglo XVII*, Sevilla, Escuela de Estudios Hispano-Americanos de Sevilla.

Wortman, Miles L. (1982), *Government and Society in Central America, 1680-1840*, New York, Columbia University.

Zavala, Silvio A. (1973), *La encomienda indiana*, México, Editorial Porrúa.

集点 | *Focus*

徳川家康のメキシコ貿易交渉と「鎖国」

清水有子

はじめに

ポルトガル人がアフリカ南端を通る東回り航路でアジア、そして日本に到達し、鉄炮やキリスト教を伝え、日本史に多大な影響を及ぼした事実はよく知られている。一方デマルカシオン(世界分割)の取り決めをもとにポルトガル人とは反対の航路で、つまりアメリカ大陸から太平洋を渡る西回り航路を介して日本に現れたスペイン人の役割については、その重要性にもかかわらず取り上げられることは少ない。そこで本稿は徳川家康が展開したメキシコ貿易交渉の顚末に着目し、その史的意義を検討することを目的としている。[1]

当該の時期は、マニラ・ガレオン船が太平洋航路で結ばれたスペイン植民地間を——すなわちフィリピン諸島のルソンとメキシコ間を往来し、地球規模での銀の流通が実現した。家康はこの大航路に近接する三浦半島浦賀港でのスペイン船貿易を構想し、ルソン総督やメキシコ副王と交渉したが、ある時期に断念し、以後日本・スペイン間の通交は終息に向かった。**表1**は、この間の重要な出来事を記した年表である。

かつて朝尾直弘は、家康が貿易を断念した時期を慶長一四―一六年(一六〇九―一一)の間と推定し、その原因は家

表 1　徳川家康のスペイン外交関連年表

1596(慶長元)年	10.17	スペイン船サン・フェリーペ号が土佐国浦戸浜へ漂着する(サン・フェリーペ号事件).
1597(慶長 2)年	2.5	長崎の西坂でキリスト教徒 26 名が火刑に処される(二十六聖人殉教).
1598(慶長 3)年	12.7	ヘロニモ・デ・ヘスースが徳川家康に謁見し，日本・スペイン交渉を依頼される.
1600(慶長 5)年	4.29	イギリス人ウィリアム・アダムスとオランダ人ヤン・ヨーステンの乗るオランダ商船リーフデ号が九州の豊後臼杵湾に漂着する.
	10.21	関ヶ原合戦.
1602(慶長 7)年	10〜11	家康がフィリピン総督にキリスト教布教厳禁の旨を伝える.
1609(慶長 14)年	10.1	前フィリピン総督ロドリゴ・デ・ビベロの乗船したサン・フランシスコ号が上総国岩和田に漂着する.
	11.25	ビベロが駿府で家康に謁見する.
1610(慶長 15)年	8.1	ビベロの乗る日本船サン・ブエナ・ベントゥーラ号が浦賀を出帆する．家康は京都商人田中勝介のほか，フランシスコ会神父アロンソ・ムニョスをスペインへの使者に任じて乗船させる.
	10.27	ビベロの一行がカリフォルニアに到着する.
1611(慶長 16)年	6.10	サン・フランシスコ号でアカプルコを出発したメキシコ副王の答礼使節セバスティアン・ビスカイノが，田中勝介らと浦賀に到着する.
	6.22	ビスカイノが江戸城で徳川秀忠に謁見する．ルイス・ソテロが通訳を務める.
	7.4	ビスカイノが駿府城で家康に謁見する．ソテロが通訳を務める.
1612(慶長 17)年	4.21	岡本大八が処刑される(岡本大八事件)．幕府が直轄領にキリシタン禁令を発する.
	7.9	ビスカイノが駿府城を訪れ，家康に測量図を提出する.
	9.1	幕府が直轄領を中心にキリスト教禁止令を発令し，江戸の教会を破壊する.
	10.3	家康のメキシコ派遣使節ソテロの乗船するサン・セバスティアン号が浦賀を出帆してすぐに難破する.
	11.7	暴風雨に襲われたビスカイノ乗船のサン・フランシスコ号がメキシコ渡航を断念し，浦賀に寄港する.
1613(慶長 18)年	6.20	スペイン国王フェリーペ 3 世，家康宛て返書案文を作成し，メキシコから日本へ毎年一艘の貿易船を派遣することを許可する.
	10.28	支倉常長およびソテロらを乗せた黒船(サン・フアン・バウティスタ号)が牡鹿郡月浦よりメキシコに向けて出帆する.
1614(慶長 19)年	1.25(29)	サン・フアン・バウティスタ号がアカプルコに到着する.
	2.1	幕府，伴天連追放文を公布する.
	2.8	メキシコ副王がスペイン国王フェリーペ 3 世に書簡を送り，禁教令を理由に国王使節の日本派遣の中止を申請する.
	3.4	常長一行の先遣隊がメキシコ市に到着する．24 日，本隊が到着する.
	12.23	フェリーペ 3 世がメキシコ副王に書簡をもって，家康宛て書簡を新たな内容のものと差し換えて返礼使を送るよう指示する.
1615(慶長 20)年	1.30	常長がスペイン王宮でフェリーペ 3 世に謁見して，伊達政宗の書状と進物を呈し，使節の使命を述べる.
	8.15	アカプルコ港を出帆したサン・フアン・バウティスタ号が浦賀に到着し，スペイン国王使節サンタ・カタリーナ神父らが来日する.

(参考：仙台市史)

康がこの間にキリシタン禁教令を発するなど国内権威を確立し、[2]長崎のポルトガル貿易の統制と掌握に成功して、関東で直接貿易を推進する必要がなくなったからである、とした(朝尾 一九七五)。実はこの指摘は、後年成立する「鎖国」にかかわる重要な意味を持つ。「鎖国」令は幕府の貿易統制とキリシタン禁制の二つの要素から成るが、とりわけキリシタン禁制のために南蛮(ポルトガル、スペイン)との通交を遮断するための制令であったと理解されているからである[3](山本 一九九五)。

換言すると、家康が貿易を断念した時期——スペイン外交が実質的に終息へと向かった時期の特定やその理由の解明は、「鎖国」の理解にかかわる重要課題なのである。しかし朝尾があげた理由は家康自身の対外主権の掌握や国制上の優位といった問題であり、スペイン交渉自体に「鎖国」を推進させる要素があったのかは検討されていない。これは朝尾が執筆した当時、日本・スペイン交渉史の基礎的な研究が不足していた事情によると思われる。

そこで本稿では、朝尾以降に発表された諸研究に学びながら、外交交渉の着手から実質的な終息にいたる過程を改めて叙述し、右の課題を考えてみたい。なお子細に史料を検討すると、諸先学の指摘には修正が必要と考えられる部分が少なくないため、各所で私見を加えている。また日本・スペイン交渉史の主要史料はその多くが日本語に翻訳されているので、支障がない限り、これらを利用することにしたい。

一、ルソンとの初期交渉

家康からの打診

日本とスペインの関係は、文禄元年(一五九二)、豊臣秀吉がルソンに投降を呼びかけた、いわゆる強硬外交を契機としている。同年この問題に対応するため、ルソンの総督府は島内にいた修道士を使節として日本に派遣した。一般的に家康の貿易交渉は、この過程で来日したフランシスコ会士ヘスース(Jerónimo de Jesús)を仲介として、一五九八年(慶長三)、秀吉の死直後に始まるとされている。

しかし推定一五九六年九月付とされる、同上会士アセンシオン(Martín de la Ascensión)の報告書には、「関東の王《レイ》、家康殿」から「メキシコへ船一、二艘を送るため、マニラの総督の朱印状《チャパ》すなわち通行許可状」を獲得するよう依頼された(Alvarez-Taladriz 1973: 142-143)とある。なお同年一〇月一七日にはスペイン船サン・フェリーペ号の土佐漂着事件が起き、秀吉奉行の増田長盛がスペイン人からの情報をもとにルソン・メキシコ間を往来するガレオン船の航海図——関東付近を通る——を作成している(松田 一九六六)。同年その情報を家康も入手し、スペイン貿易の着想に至った可能性もあり、アセンシオン報告書の成立はそれ以降のことかもしれない。

さらに推定一五九八年付、ヘスースのサン・グレゴリオ管区長宛て書簡には、次の一節がある(4)(Pérez 1929: 314-315)。

> 聖母マリア受胎の祝日の前夜、二年前の同夜には、私たちの聖兄弟たちが捕らえられたのですが、その夜、暴虐者〔秀吉〕の跡を継いだ国王〔家康〕から書面が到着して、彼に逢いに行くことを私に命じて来ました。〔中略〕〔家康に言われたことは〕「何も心配するな。今後は隠れていたり、聖服を脱いでいたりしなくてもよろしい。なぜなら、そなたを大いに必要としているからであり、カスティーリャ人がメキシコへ船で行くときには、毎年関東Quantoという私の領国の一島を通るのだから、水やその他の必要なものを取りに寄港するために、そこの港を見、私の家来と取引をさせ、そこにある銀の鉱山の仕事を家来に教えてくれることを非常に望んでいる。〔後略〕」

家康は秀吉の死後さっそくヘスースと接触を図り、スペイン船の関東寄港と銀鉱山の技術供与を希望したことがわかる。

すでに関東では、北条氏が三浦半島の三崎で唐船貿易を展開しており小田原には唐人町が形成され、武田氏は領国内の金銀山を開発していた。豊臣政権下、最大の関東大名であった当時の家康には、これらを継承し、領国経営に生かす考えがあったと見られる(小川 二〇一六)。

日本人海賊(倭寇)の問題

家康はヘスースとともに、ルソンとの交渉に着手した。まず商人の五郎右衛門、次いでヘスースを総督テーリョ(Francisco Tello de Guzmán 在任一五九六—一六〇二年)のもとに送り、「そちらから船を自分の領国に送り、スペイン船の造船師とそれを操縦するための水夫、また領国にあるいくつかの銀鉱山を採掘・精錬する鉱夫を派遣させること。自国にはそれを理解する人物がいないため、切り拓けない」との要望を送った(AGI, F, 27)。

しかしテーリョの回答は、日本人海賊の苦情についてであった。海賊は一五八〇年代前半、連年のようにルソン島北部を襲い、後半には幾分治まったようである。しかし一五九九年七月一二日付書簡で総督は本国に「以前は常々二、三艘来航するだけであったのに、本年は海賊船が七艘も現れてかなり損害を与えた」と報じた(AGI, F, 6, R. 9, N. 161)。

これらの海賊は、この時期アジアの海上を跋扈《ばっこ》したいわゆる倭寇を指す。倭寇は中国人の王直が有名だが、日本人海賊の正体は海岸地帯を支配した土豪層であり、時には戦国大名の水軍に従事した、自律的な武装海戦集団だったようだ。秀吉は天正一六年(一五八八)海賊停止令を出し、その一部を朝鮮侵攻のための水軍に編入したが(宇田川 一九八三)、秀吉の死後、彼らは再び稼ぎ場をルソンに求めたのであろう。

総督の苦情に家康はどのように対処したのか。慶長六年(一六〇一)一〇月付国書には、「旧年の日本人海賊はひと月の間に残らず誅殺し、海陸安静、国家康寧である」「本朝から出発する商船は、今後その地に到着したら、本書に押印した朱印をもって信用を表するであろう。それ以外は許可しないように」(異国近年御草書案)とある。海賊の処刑と、いわゆる朱印船制度の開始を予防策として提案している。さらに総督の要望に応えて、年六艘(一六〇四年以降は四艘)のみの朱印船渡航を認めている(異国御朱印帳/諸島誌)。一六〇四年に総督アクーニャ(Pedro Bravo de Acuña 在任一六〇二—〇六年)は、家康の措置により「日本人海賊の不安は回避されている」と本国に報告した(AGI, F, 7, R. 1, N. 17)。その効果は実際にあったようだ。

しかし一六〇六—〇九年、今度はルソンのマニラ市内で日本人による暴動が起き、一六〇八年総督ビベロ(Rodrigo de Vivero y Velasco 在任一六〇八—〇九年)は、島内の日本人多数を国外追放した(諸島誌)。この報を受けた家康は日本人暴徒の処刑を命じ、浦賀港にスペイン船を保護する旨の制札を出すことにした(中村 一九八〇:五三六頁)。

宣教の問題

貿易交渉の過程で次に生じたのが、宣教の問題である。家康は慶長七年(一六〇二)、総督に宛てた朱印状で日本への渡航安全を保障したが、その中で「惣別異国人居住の儀、主次第たるべし、但し仏法広むる儀は固く禁制の事」との条項を加えた。この部分のポルトガル語訳文とスペイン語訳文を現代日本語に再訳すると「一般に外国人の滞在は任意であり彼らの望むとおりである、しかし法の公布は彼らに厳重に禁止されている」となり、正確に翻訳されたことがわかる(5)(岸野 一九七四:三六頁)。

「仏法」「法」はキリスト教を意味しており、これを報じたイエズス会士は「この条項によってキリスト教徒は恐怖に陥った」と述べた(APTSI, L, 1051-8:岸野久氏提供)。つまり家康はこのときはじめて禁教を内外に表明したのだが、宣教抜きで外国人の日本滞在を認める点は秀吉の伴天連追放令と同趣旨であり、その継承関係がうかがえる。

ところがルソン当局は本国向け文書でこの重要な禁令に全く言及していない。それどころか一六〇四年に総督アクーニャは、宣教師の保護を家康に願っている。国書奉呈の場に居合わせた明経博士の舟橋秀賢は、漢文訳されたこの書簡を読み、「本朝への通船は貿易ではなく「無極の大道」〔キリスト教のこと〕を知らせるためだというが、これは我が国を傾けるためではないのか」と思わず記したほどであった(慶長日件録)。

このため家康は推定一六〇五年の総督宛て書簡で再び、「この地方(国)は、神国、つまり神々に捧げられた地方と呼ばれており(中略)この事実を私一人が破棄し去ることは出来ない」「いかなる形においても、あなたがたの宗教が日本で布教され説かれることは好ましくない」(諸島誌)と、禁教の意を明記した。「神国」は伴天連追放令で使用されたレトリックであるが、家康も継承するのだという。ところがこの文書についてもルソン側の反応は不明であり、その関心の低さが見て取れる。これはなぜなのだろうか。

先の一六〇二年の禁教令を家康が出した契機は、ルソンの修道士が大挙して九州各地に到着したことにある(五野井 一九九二：一五頁)。これは彼らに日本行きを許可したルソン当局が「(家康は)修道士たちに非常に好意的な態度を示した」「ここから修道士が行くことを〔フランシスコ会士に託した手紙で〕望んだ」などと判断したからであった。一六〇四年にも家康の好意を得ているとの報告を日本から受けている(清水 二〇一二：五八－六一頁)。すると、日本のフランシスコ会士が家康の「好意」を強調してルソン側に伝えたことが原因にあげられそうである。

日本宣教は教皇令によってイエズス会の独占状態が続いたため(五野井 一九九〇：一九〇頁)、ルソンの修道士はこれを打破するべく日本使節の名目で渡航し、宣教を半ば強引に開始した経緯があった。このため宣教の支障となるような禁教情報は十分に伝えず、その結果、ルソン当局が家康の禁教令を名目的なものと判断した可能性がある。

ただし修道士が報じた家康の「好意」に、根拠がなかったわけではない。一六〇二年、家康はイエズス会士に二通の特許状を交付して大坂・京都・長崎の施設存続を保障したほか(五野井 一九九二：一七頁)、〇四年に薩摩にいたドミニコ会士を引見し、〇六－〇七年は日本司教セルケイラ(Luis Cerqueira)とイエズス会準管区長パシオ(Francisco Pasio)を、さらに〇八年にドミニコ会士を引見していた(五野井 一九九〇：一九五頁)。彼らの宣教活動を家康は無論知っていたであろうが、積極的な取締りはせず黙認している。このことは、ルソン側の誤解を助長したであろう。

家康の曖昧な態度は、この時期日本にいたすべての修道会士が南蛮貿易を仲介する役割を果たしていた(高瀬 二〇一七：二七一頁ー)からにすぎない。家康としては一片の禁教令を通達すれば、宣教を抑止しつつ貿易を続行できると考えていたのであろうが、ルソン側の反応は、その判断が誤りであることを如実に示すものであった。この宣教の問題は、先に見た暴徒化する日本人の問題とともに、後々両国の関係に影を落とすことになる。

ルソン貿易掌握の意味

いずれにせよ前述の交渉の結果家康は、スペイン貿易の一部であるルソン貿易を自らの統制下に置くことはできた。ルソンから派遣される使節船は、当初家康の依頼であった浦賀港への直航を試みて失敗したが、一六〇六年以降は連年入港に成功し、家康を満足させている。近世初期の古記録には「ルスンの屋形」が「金襴《きんらん》、大段子《おおどんす》、繻子《しゅす》、猩々皮《しょうじょうひ》(緋)」などの「進物」を、毎年のように家康に贈ったとある(当代記)。

ルソン貿易の掌握は、それ自体に重要な意味があった。第一に、実利面で大きな価値があった。一七世紀初頭に成立した『フィリピン諸島誌』には、日本人はルソンへ「マニラの必需品である非常に良質の小麦粉、高価な乾肉、美しい色調の絹布、油絵や金箔を置いた上品で立派に枠取りされた屏風、あらゆる種類の刃物、たくさんの武具(以下略)」「多量の銀の板」をもたらし、日本へは「中国産生糸、金、鹿革、染料となる蘇芳《すおう》、蜂蜜、加工した蜜蠟、椰子《やし》酒、スペインの葡萄《ぶどう》酒、麝香猫《じゃこうねこ》、茶を入れておく壺、ガラス、布地、その他スペイン産の珍しい品物」を持ち帰ったとの記録が見える(諸島誌：三九一―三九二頁)。

右の輸入品のうち、家康の当初の関心は投機性の高い茶壺(真壺、ルソン壺)にあり、大名の取引を厳格に統制した

(上原 二〇〇六)。しかし真壺は間もなく現地で枯渇したようであり(諸島誌:三二六頁)、以後は中国産生糸が取引の中心となる。一五六七年の明の海禁緩和策以降、ルソンに移住した華人の商業活動を背景に、一七世紀初頭にルソン船が日本へ運ぶ生糸量は、生糸貿易を主体とするポルトガル船に影響を与えるほどになっており(高瀬 二〇一七)、この生糸を諸商人に先駆けていかに優先的に大量購入できるかは、国内統制にも関わる問題であった。一六〇四年に家康はポルトガル船の輸入生糸を指定商人が優先的に取引し、国内商人に小口分配する糸割符を制定した。スペイン船にもパンカダ(一括取引)が適用されたようである(ヒル 二〇〇四:九五頁)。

ルソン貿易を掌握した第二の意味は、家康の理想とする通交体制の構築にある。一六一〇年一二月、家康は断交状態にあった明国の福建道総督に宛て、修好と日明貿易の復活を求める書簡を家臣の本多正純の名で送らせた。そこには日本国主家康に「朝鮮、安南、交趾、占城、暹邏、呂宋、西洋、柬埔寨等」の「蛮夷之君長酋師」が、つまり朝鮮以下ルソンを含めた「野蛮」な諸国の長が、国書と貢物を贈りに来ると述べられていた(異国日記)。ルソンからすれば対等な友好の使節に過ぎないが、家康政権は格下の国から進物が送られていると都合よく読み替えており、ここには尊大な国際秩序観から成る「日本型華夷意識」の萌芽を見て取ることができる。その自信の根拠は日本の「武威」にあった(朝尾 一九七〇、藤井 一九九四)。

豊臣政権にかわる公儀権力を打ち立てようとしていた家康にとり、実利と名目の両面でルソン貿易は重要であった。それだけにその拡大版であるメキシコ貿易への期待も大きかったのであろう。倭寇の大量処刑や、禁教への曖昧な態度が示されたゆえんである。

スペイン人の反応

家康の貿易要求に対し、ルソン側の反応はどうであったか。総督アクーニャは、推定一六〇三年五月付の家康宛て文書で、スペイン国王に家康の貿易計画を伝えると述べていた(AFPI, F. A. B-407：澤村るり子氏提供)。事実、国王に宛て「メキシコ貿易を許可するのはほとんど不都合がなく、修道士の日本入国のためにも、(海賊や日本への漂着に対する)フィリピンの不安のためにも、都合が良い」と書いた(AGI, F, 19, R. 3, N. 47)。ビベロも明確に賛成の意を表した。独自の利点として、メキシコ商品の布類、藍、洋紅、毛布、コルドバ革、干果物、葡萄酒、絹布と日本銀の取引に利益が見込まれること、オランダ人対策に好都合であること(後述)を、一六一〇年五月三日付の国王宛て書簡で述べている(日本見聞録)。

後年、スペイン国王にこの件での対応を求めたインディアス枢機会議の記録を見ると、前述の利点のうち、日本での「聖福音の宣教」のみがあげられている。これを受け一六一三年フェリーペ三世は、「殿下(家康)の方から提案されている諸事(修道士の入国・滞在許可)を遵守されるならば、メキシコの国から御地にないような品々を船載した船一艘が毎年渡航する」と、家康に宛て、貿易了承の旨を返答するよう指示した(仙台市史：三二・三三号)。

二、メキシコ貿易交渉の展開と転回

ビベロとの協定案

本稿の主題である外交交渉に入ろう。一六〇九年(慶長一四)一〇月一日、総督の任期を終えメキシコに帰任するビベロの船が暴風に遭い、上総国岩和田に漂着した。ビベロは一一月末駿府の家康のもとを訪れたが、ここでメキシコ貿易交渉は急展開を見せる。

家康と話し合った後ビベロは、八項目から成る協定案(一二月二〇日付)を作成した。その概要を示すと、第一、スペイン人に関東の港を与え教会と修道者を置くこと。第二、スペイン船は日本全国に自由に入港でき安全が保障される。第三、スペイン船に公正な価格で糧食・職工の提供がなされること。第四、スペイン使節に名誉ある待遇を与え、スペイン船の商品はパンカダや統制価格を適用しない。第五、スペイン人鉱夫により採掘・精錬された銀について、スペイン側の取り分は四分の三とする。金鉱の採掘・精錬に必要な水銀は、適切な価格で日本に運搬する。第六、鉱山にスペイン人居住区を設け、スペイン使節かカピタンがスペイン人の裁治権を有する。第七、オランダ人を追放する。第八、全港の測量を許可する。以上は要するに、スペイン側の貿易条件を提示するものであった(AGI, F, 193, N. 3)。

銀の採掘・精錬をめぐる協定

このうち交渉の要点となった第五条の全訳を示そう。

五、殿下〔家康〕のほうからドン・ロドリゴに交渉を求めたのは、殿下が国内に所有する多くの銀山の採掘・精錬のためのスペイン人鉱夫来日の件であった。〔私は〕その開始を困難と考える。しかし、ドン・フェリーペ王に、一〇〇人ないしは二〇〇人を以下の条件で送るよう交渉する用意がある。つまり発見される鉱山について、採掘・精錬される銀の半分は鉱夫の取り分、残りの半分は二分して、日本の皇帝殿下と主人ドン・フェリーペ王の取り分とする。荒廃あるいは未発見のすべての鉱山のみならず、スペイン人の知識と技術によって発見されたすべての鉱山ではそのようにする。すでに採掘・精錬された鉱山では、その所有者は上述のスペイン人と新たに協定を結ぶ。もし水銀が必要なら、適切な価格でもってこちらに運搬し、その水銀を金鉱の採掘・精錬に用いる。

(AGI, F, 193, N. 3; ヒル 二〇〇〇:二二五頁を一部改訳)

家康の希望する「銀山の採掘・精錬のためのスペイン人鉱夫来日」について、最大で二〇〇人を送るようスペイン国王と交渉するが、家康の取り分の銀は四分の一とすることを条件にあげている。明らかに家康に不利な内容だが、ビベロはなぜこれほど強気になれたのだろうか。

この時期の家康にとって鉱山開発は、戦国大名段階とは異なる重要な意味合いを持っていた。とくに一六〇九年と翌年は、「公儀」として金銀貨の全国的な流通を打ち立てる目的で、金座・銀座に供給する地金を確保するための法を整備していた。なかでも銀貨は公儀の貿易取引の手段や外交儀礼の贈答品として、つまり威信財としても重要な意味があった(安国 二〇一六)。灰吹法などの在来技術で銀はすでに増産されていたが、家康はさらなる量産を望んでいると考えたからか、ビベロは「きっと認められる」と、第五条の受諾にはかなり自信を持っていたようである(日本見聞録)。

ところが家康は、ビベロの協定案第五条を受諾しなかった。この事実は研究史上ほとんど顧みられていないが、鉱山技術の輸入が家康のスペイン通交の主要な動機の一つであったとすれば、それを断念した理由は以降の外交の推移にかかわり重要であろう。直接はビベロの提示した条件が意に沿わなかったと考えられるが、次項ではもう少し広い視角で、協定案断念の要因を探ってみよう。

なお先行研究ではスペインの銀精錬技術であるアマルガム法に家康の関心があり、事実輸入されたとある(小葉田一九七六ほか)。しかし水銀を使用するアマルガム法自体は銀よりも金の精錬に向いた簡素な技術であり、しかも交渉時点ですでに佐渡相川鉱山で使用されていたとの指摘がある(仲川 二〇一九)。ビベロ自身も協定案第五条で「金鉱の精錬・採掘」のための水銀の輸入に言及していた。また日本の鉱山は、鉄製の道具が普及し採掘・採石技術全般が向上する中で増産が可能になったとされている(山口 一九九三)。すると、家康はスペインの鉱山技術全般に興味を持っていたというべきである。過去に普及したビベロ報告の翻訳書を確認すると、「精錬」と「採掘」両方の意味を含むbeneficiarse; el beneficio の訳語に「精錬」のみがあてられており、ここから誤解が生じたと考えられる。

オランダ、イギリス進出の影響

協定案謝絶に大きく関連すると思われるのが、ビベロが同案の第七条にあげた、オランダ人の存在である。新教国のオランダとイギリスが日本にはじめて接触したのは、一六〇〇年オランダ商船リーフデ号の豊後《ぶんご》臼杵《うすき》湾漂着によってである。同船はマゼラン海峡を通過し太平洋経由でアジアに向かったが、それは英蘭共通の敵であるスペイン船を襲い、積荷を奪うためであった(クレインス 二〇二一：五三頁)。

漂着者のうちオランダ人ヨーステン(Jan Joosten van Lodenstijn)とイギリス人アダムス(William Adams)が家康の外交顧問となったことはよく知られている。彼らの仲介により、ビベロが漂着する二カ月ほど前の一六〇九年八月一四日(旧暦七月一五日)、日本での商館設立を願うネーデルラント東インド会社の使節ブルック(Abraham van den Broek)とポイク(Nicolaes Puijck)が駿府城で家康に謁見し、ここにオランダとの通交が成立した(永積 一九九〇：一〇三頁)。

一六〇二年三月に設立されたネーデルラント東インド特許会社は同年末にジャワのバンタンで商館を開設したが、日本に輸出する中国商品は、マカオに拠点を置く敵国のポルトガル船から奪取する方針であった。一六〇三・〇七年には東シナ海上を巡航して長崎に向かうマカオ船を欠航させている(Boxer 1968: 58-63)。オランダ使節は家康に生糸、鉛を贈ったが、これはポルトガル船の代行能力をアピールする意味があったであろう。この状況を踏まえてビベロは、オランダ人追放を協定案に入れたのである。

しかし家康にとって新教国との通交開始は、従来問題の多かった旧教国との貿易を見直すことのできる、絶好の機会であったに違いない。オランダ船到着の二日前、マカオから長崎にポルトガル船ノッサ・セニョーラ・ダ・グラッサ号が来航すると、家康はただちに船の商品を長崎奉行の監視下に置き、自由貿易ではなく自身が先買いをするとの口実で新規の貿易規則を課した(五野井 一九七二：五三頁)。既述したように一六〇四年、家康はポルトガル船に糸割符制度を布いたが、キリシタン商人やポルトガル人側に立つイエズス会士が介在したために統制は骨抜き状態であり

(クーパー 一九九一：二三六頁)、これにてこ入れしたのである。

しかし船長は新規の統制に抵抗し、長崎の生糸取引は停止してしまう。これを見た家康は一六一〇年一月六日(旧暦前年一二月一二日)に船の焼討を命じた(通航一覧)。この決断は、ビベロとの交渉でスペイン通交の見込みが立ったためという見方もできるが、最終的に家康がビベロ協定案を部分的に謝絶したのはその翌月のことである。一六一〇年初頭に家康は、スペイン船を含めて南蛮通交全般を見直し始めているのである。

この転回を可能にした背景として、新教国だけではなく朝鮮との通交関係が再開し、琉球侵攻を通して間接的な中国通交の見込みが立ったという変化ももちろん重要であろう。しかし南蛮貿易の競合者として現れ、その代替者の可能性を示したオランダ人との通交関係の成立は、結果として南蛮勢力を排除した「鎖国」の形成に大きく影響したとみるべきなのだ。

一六一〇年一月二二日(旧暦前年一二月二八日)、家康はフェリーペ三世の側近レルマ公(Duque de Lerma)に宛てスペイン船の渡海許可証を、また慶長一五年一月九日付で日本寄港時の安全を保障し修道士の全国居住を許可する旨の和平協定の覚書をレルマ公とメキシコ副王に宛て発給し、使節にフランシスコ会士ソテロ(Luis Sotelo)を任命した(パステルス 一九九四：一九七頁)。だが結局ビベロの要求した、「オランダ人と銀の件はなんら改められ」なかったのである(日本見聞録：六四頁、ヒル 二〇〇〇：一八四頁)。

八月に入り、ビベロは家康がアダムスに命じて無理やり造らせた外洋船サン・ブエナ・ベントゥーラ号に乗り、病気のソテロにかわり使節となったフランシスコ会士ムニョス(Alonso Muñoz)とともに、無事アカプルコに帰還した。家康はビベロに帰国船と資金の提供を自ら申し出、京都の商人田中勝介らを同乗させていた。一向に進展しないメキシコ貿易の既成事実を、自ら作ろうとしたのである。

三、交渉の破綻

ビスカイノ冷遇の原因をめぐって

翌一六一一年(慶長一六)七月四日、家康はメキシコ副王の答礼使節として来日したビスカイノ(Sebastián Vizcaíno)を駿府で引見した。日本人商人も帰国したが、田中勝介を含め数名はメキシコで受洗し、キリシタンとなっていた(ヒル 二〇〇〇:二七七頁)。

ビスカイノの報告書を見て第一に注目されるのは、家康はビスカイノを引見したものの、その後、駿府での使節の宿泊費用を支払っていないことである。帰国時には日本で新造した乗船サン・セバスティアン号が座礁し、ビスカイノは家康に救済を求めるものの、このときも費用の用立てはない。このためやむなく仙台の伊達政宗に頼り、慶長遣欧使節の船で帰国の途についている(探検報告)。こうした使節への冷遇は、浦賀貿易構想の放棄を示唆するものである。

使節冷遇の原因として一般的には、ビスカイノがメキシコ副王から命じられた日本近海の金銀島探検の目的を隠して、日本沿海地図の作成許可を願い出たことをオランダ人から聞いた家康が警戒心を抱いたとされている。

しかしこの理解には疑問が残る。第一に、家康はオランダ人の讒言《ざんげん》を聞くと「スペイン人がよってたかって押し寄せようが、自衛の兵力は十分あり、懸念はない」、「そんな不確かなもの(金銀島のこと)を探しに行くのは大きな冒険である」(探検報告)と述べたとある。一方家康は既述のように、ビベロがオランダ人追放を要請しても聞く耳を持たなかった。相互の中傷に中立的な姿勢を貫いたのは、新旧教国間が戦争状態にあることをよく理解していたからであろう。その家康がオランダ側の情報のみを鵜呑みにしたとは考えにくい。

地図の一件については、家康はビスカイノだけではなく、アダムスに対しても関東貿易のために日本沿海地図を作成させている。また、イギリス人が北方航路を開拓する計画を話すと非常に強い関心を示し、松前氏に紹介状を書くと提案した（慶元書翰：三・七・八号）。ビスカイノに対しては「その発見を目指す〔金銀〕島は彼〔家康〕の国に属するとすると、どこの島なのか、あるいはどの辺りにあって、それについてどんな情報を得、どんな富があるのか」（探検報告）と尋ねている。要するにこの時期の家康は、ヨーロッパ人を警戒する国防よりもむしろ、提携して国富を拡大することに強い関心があったと見るべきであろう。

このような家康の対外姿勢は、「自衛の兵力は十分」との自信に支えられていた。一般的に秀吉と比較して家康は「和平外交」を展開したと言われるが、既述したポルトガル船焼討や琉球侵攻が示すように、本質的には秀吉と同様「武威」に依拠した外交なのである。その家康が、スペイン人の太平洋進出を警戒して貿易を断念したとは到底考えられない。

貿易構想の消滅

オランダ人讒言説が成立しないとなると、なぜ家康がビスカイノ来日の時点でスペイン貿易構想を放棄する態度を見せたのか、改めて検討しなければならない。

日本側の史料を見ると、田中ら帰国した商人が「数多羅紗・葡萄酒」「猩々緋」などを持ち帰ったが、同時に「日本人再ひ来るへからすと戒めける」、「重《かさね》て日本人渡海無用の由、ノビスパン〔メキシコ〕の者堅く日本人へしめす」（通航一覧）と、日本人へメキシコ渡航禁令が示されたと伝えている。この禁令自体はスペイン側史料に残っていないようであるが、フィリピン総督は一六一二年七月二〇日付書簡で、スペイン国王に宛て「メキシコ副王は日本からの渡航を禁じた」と明記しており（清水 二〇一二：七二頁）、事実と見られる。家康にとってはスペイン側の要求に応じて国内宣教の点で譲歩したにもかかわらず、貿易については統制権を奪われることを意味しており、通交を断念する大きな理由となったであろう。

ではなぜ日本人に渡航禁止令が発出されたのか。ビスカイノは最終的に支倉常長使節一行以下日本人一五〇人をメキシコに連れ帰ったが、メキシコ副王グアダルカサル侯爵（Marqués de Guadalcázar）は「他の災難を避けるために彼ら（日本人）を懇《ねんご》ろに処遇する一方」（仙台市史：七八号）、一六一四年三月四日、使節と船長、その随行員を除いた日本人全員から武器を取り上げ、翌日、日本人のメキシコ市内外での自由売買を認め、保護するとの布令を出した（仙台市史：六九号）。その二カ月後にフェリーペ三世に宛てた報告書には次のようにある。

> かの国の人々（日本人）について認識するにしたがって、人々がこの国と望んでいる交渉については配慮と警戒がさらに必要であると日ごとに思えてきます。実際、特にアカプルコの港において生じた事態に際して経験したことです。そこで何が起きたかは当書翰に同封するその事件に関してなされた調書（報告の）謄本によって、陛下は合点されるでしょう。そして他の災難を避けるために彼らを懇ろに処遇する一方で、彼らが舶載したものを販売するに際して守るべき訓令を与えて、彼らから武器を取り上げるように命じました。（中略）フィリピン（諸島）を通して修道者たちを補充することや今までの親交をこの先も維持することは適切なことであり得ましょう。私が理解している限りでは、他のことはすべて謝絶するのが良い（と存じ上げます）。（仙台市史：七八号）

アカプルコ港で日本人が騒動を引き起こしたため、副王は右の措置を取ったとし、日本貿易にも反対すると開陳している。スペイン人の間で暴徒化する日本人が問題となっていたことはすでに見たところであるが、そのような日本との通交は、キリスト教改宗の見込みがあるからこそ維持する価値があったということを、副王の報告書はよく示唆している。

事実、一六一四年末にフェリーペ三世はメキシコ副王から家康が禁教令を発令したとの報告を受けると、日本との貿易を認めると記した国書の一文を、現地で削除するよう命じた（仙台市史：一三七七号）。この禁教令は一六一二年四月、ビスカイノの滞在中に発令され、はじめて家康が全国的にキリシタン取締りを命じた法令として知られている。

おわりに

一六一五年(慶長二〇)八月一五日、メキシコで修正された国書を携え、浦賀に到着したスペイン国王使節三名は、全員修道士であった。家康は拝謁を許しはしたが終始無言を貫き、秀忠は贈り物すら受理せず、以降スペインとの外交は、ルソンとの公貿易も含めて途絶えた。その後、ルソンの総督府は一六二四年に使節船を日本に送り、貿易の再開を願った。オランダ対策で軍需品を調達する必要があったからである。しかし秀忠は、「「伴天連之本国」は貿易を口実に「邪法」を弘める意図あり」と述べ、使節を追い返した。翌一六二五年には民間の通商関係も拒絶して、日本・スペイン関係は断絶する(清水 二〇一二)。

断交の要因は、本稿でも見たように、キリスト教をめぐる両国家の方針の違いにあった。カトリックのキリスト教共同体であることを国家の統合原理としたスペインの場合、異教徒との信頼関係の構築は、異教徒のキリスト教改宗が大きな意味を持っていた。とくに日本人に対しては、禁教令を発令した秀吉の強硬外交や倭寇襲撃を経験しただけに強烈な不信感があり、その改宗は貿易の必須条件となっていた。メキシコに渡航した田中勝介、支倉使節一行が現地で受洗したのはこのためであり、ルソン貿易に関わった日本人商人も同様であった。

それでもなおメキシコで日本人の渡海禁止令が発令された事実は、日本・スペイン貿易の成立には、恐らく日本の国家規模の改宗を必要としたことを物語っている。しかしそれは、秀吉の禁教令を継承した家康には到底受け入れられない条件であった。

そして江戸幕府は後年、この禁教方針をもとにキリスト教を遮断する「鎖国」を形成した。西回りで登場したスペイン人との交渉の経緯が、「鎖国」への道を決定的に加速化したのだ。

注

（1）本稿では史料・文献上の Nueva España はすべてメキシコに、Castilla と España はスペインに統一する。

（2）家康のキリシタン禁令に関して現在は、慶長一七年（一六一二）三月が最初の全国令と修正されている（清水 一九七二）。

（3）「鎖国」研究は伝統的にヨーロッパ諸国との関係が重視されてきたが、一九七〇年代以降は東アジア世界との関係を不可欠な要素と見ている（朝尾 一九七〇、荒野 一九八八、トビ 一九九〇）。最近年は「近世化」論が注目されている。同論では一六世紀以降に大陸間交易が実現し、広域的に商業・軍事・宗教が伝播して共時的な反応が各地域で引き起こされ、近世日本の国家形成の動きもその一端であったとされる（岸本 二〇一九）。本稿も太平洋航路の開通でいっそう活性化した異文化間交流の日本の反応として、「鎖国」の形成を見直すものである。

（4）（Pérez 1929）を確認のうえ、アビラ・ヒロン『日本王国記』（佐久間正ほか訳、岩波書店、一九六五年）六四七―六四八頁掲載の訳文に一部改訳を加えた。

（5）日本語部分は一六〇二年一一月一四日付、都発、「パードレ・オルガンチーノ他による一六〇二年日本に起った出来事の〔証明〕」（APTSI, L, 1051-8. 原語：ポルトガル語）の中に、アルファベットで記されている。スペイン語訳文は（Iaccarino 2017: 58）を参照。

参考文献

朝尾直弘（一九七〇）「鎖国制の成立」『講座日本史 四』、東京大学出版会。

朝尾直弘（一九七五）『鎖国』小学館。

荒野泰典（一九八八）『近世日本と東アジア』東京大学出版会。

上原兼善（二〇〇六）「初期徳川政権の貿易統制と島津氏の動向」『社会経済史学』七一―五。

宇田川武久（一九八三）『日本の海賊』誠文堂新光社。

小川雄(二〇一六)『徳川権力と海上軍事』岩田書院。

小葉田淳(一九七六)『金銀貿易史の研究』法政大学出版局。

岸野久(一九七四)「徳川家康の初期フィリピン外交――エスピリトゥ・サント号事件について」『史苑』三五―一。

クーパー、マイケル(一九九一)『通辞ロドリゲス――南蛮の冒険者と大航海時代の日本・中国』松本たま訳、原書房。

クレインス、フレデリック(二〇二一)『ウィリアム・アダムス――家康に愛された男・三浦按針』ちくま新書。

岸本美緒(二〇一九)「総論」同編『銀の大流通と国家統合』山川出版社。

五野井隆史(一九七二)「慶長一四年(一六〇九)の生糸貿易について」『史学雑誌』八一―一一。

五野井隆史(一九九〇)『日本キリスト教史』吉川弘文館。

五野井隆史(一九九二)『徳川初期キリシタン史研究 補訂版』吉川弘文館。

清水紘一(一九七二)「慶長十七年キリシタン禁止令の一考察――家康政権とキリシタン宗門」『キリシタン文化研究会会報』一五―一。

清水有子(二〇一二)『近世日本とルソン――「鎖国」形成史再考』東京堂出版。

高瀬弘一郎(二〇〇二)『キリシタン時代の貿易と外交』八木書店。

高瀬弘一郎(二〇一七)『新訂増補 キリシタン時代対外関係の研究』八木書店。

トビ、ロナルド(一九九〇)『近世日本の国家形成と外交』速水融・永積洋子・川勝平太訳、創文社。

仲川隆夫(二〇一九)「新潟県佐渡島相川鉱山の江戸時代初期のアマルガム法について――開発途上国における金の小規模採掘に着目した」日本地質学会学術大会講演要旨。

中村孝也(一九八〇)『新訂 徳川家康文書の研究(下巻之二)』日本学術振興会。

永積洋子(一九九〇)『近世初期の外交』創文社。

パステルス、パブロ(一九九四)『一六―一七世紀 日本・スペイン交渉史』松田毅一訳、大修館書店。

ヒル、フアン(二〇〇〇)『イダルゴとサムライ――一六・一七世紀のイスパニアと日本』平山篤子訳、法政大学出版局。

松田毅一(一九六六)『太閤と外交――秀吉晩年の風貌』桃源社。

安国良一(二〇一六)『日本近世貨幣史の研究』思文閣出版。

山口啓二（一九九三）『鎖国と開国』岩波書店。
山本博文（一九九五）『鎖国と海禁の時代』校倉書房。
異国日記／異国近年御草書案／異国御朱印帳＝以心崇伝（一九八九）『異国日記　金地院崇伝外交文書集成　影印本』異国日記刊行会編、東京美術。
慶元書翰＝『慶元イギリス書翰』（一九六六）岩生成一訳注、改訂復刻版、雄松堂。
慶長日件録＝『慶長日件録　一』（一九八一）続群書類従完成会。
諸島誌＝モルガ（一九六六）『フィリピン諸島誌』神吉敬三訳・箭内健次訳注、岩波書店。
仙台市史＝『仙台市史　特別編八　慶長遣欧使節』（二〇一〇）仙台市史編さん委員会編、仙台市。
通航一覧＝『通航一覧　五』（一九一三）国書刊行会。
当代記＝『当代記　駿府記』（一九九五）続群書類従完成会。
日本王国記＝ヒロン、アビラ（一九六五）『日本王国記』佐久間正・会田由・岡田章雄訳、岩生成一注、岩波書店。
日本見聞録／探検報告＝ビベロ、ビスカイノ（一九二九）『ドン・ロドリゴ日本見聞集・ビスカイノ金銀島探検報告』村上直次郎訳、駿南社、ヒル前掲書（二〇〇〇）。
Alvarez-Taladriz, José Luis (1973), *Documentos franciscanos de la cristiandad de Japón (1593-1597): Relaciones e Informaciones/San Martín de la Ascensión y Fray Marcelo de Ribadeneira*, Osaka : [s. n.].
Boxer, C. R. (1968), *Fidalgos in the Far East, 1550-1770: Fact and Fancy in the History of Macao*, Hong Kong: Oxford University Press (reprint).
Iaccarino, Ubaldo (2017), *Comercio y diplomacia entre Japón y Filipinas en la era Keicho 1596-1615*, Germany: Otto Harrassowitz.
Pérez, Lorenzo (1929), *Fr. Jerónimo de Jesús, restaurador de las misiones del Japón, sus cartas y relaciones (1595-1604)*, Firenze: frazione QUARACCHI.
Relación＝Vivero, Rodrigo de, *Relación que hace D. Rodrigo de Vivero y Velasco, gobernador y capitán general de las Islas Filipinas*, Barcelona: Imp. Barceloneسa, 1904.
AGI, F.＝Archivo General de Indias, Filipinas.
ARSI, J. S.＝Archivum Romanum Societatis Iesu, Japonica-Sinica.

AFPI, F. A.=Archivo Franciscano Provincia Inmaculada, Fondo AFIO.
APTSI, L.=Archivum Provinciae Toletanae Societatis Iesus Legajo.

（附記）　脱稿後、本稿の内容に関連する佐々木徹『慶長遣欧使節——伊達政宗が夢見た国際外交』(吉川弘文館、二〇二一年)が刊行された。

【執筆者一覧】

佐々木憲一(ささき けんいち)
1962年生．明治大学文学部教授．日米考古学.

関 雄二(せき ゆうじ)
1956年生．国立民族学博物館副館長・人類文明誌研究部教授．文化人類学・アンデス考古学.

大越 翼(おおこし つばさ)
1956年生．京都外国語大学ラテンアメリカ研究所所長・外国語学部教授．マヤ歴史人類学.

網野徹哉(あみの てつや)
1960年生．東京大学大学院総合文化研究科教授．アンデス社会史.

横山和加子(よこやま わかこ)
慶應義塾大学名誉教授．ラテンアメリカ社会文化史.

金井光太朗(かない こうたろう)
1953年生．東京外国語大学名誉教授．アメリカ政治史.

大峰真理(おおみね まり)
1967年生．千葉大学文学部教授．近世フランス国際商業史.

小原 正(おばら ただし)
慶應義塾大学経済学部准教授．ラテンアメリカ史.

清水有子(しみず ゆうこ)
1972年生．明治大学文学部准教授．近世日本史.

川田玲子(かわた れいこ)
同志社大学他非常勤講師．メキシコ社会文化史・宗教史・図像研究.

佐藤正樹(さとう まさき)
慶應義塾大学経済学部専任講師．アンデス植民地史.

菅谷成子(すがや なりこ)
愛媛大学法文学部教授．東南アジア史・フィリピン史.

細川道久(ほそかわ みちひさ)
1959年生．鹿児島大学法文学部教授．カナダ史・イギリス帝国史.

鈴木 茂(すずき しげる)
1956年生．名古屋外国語大学世界共生学部教授・東京外国語大学名誉教授．ブラジル近現代史.

【責任編集】

安村直己(やすむら なおき)
1963年生．青山学院大学文学部教授．ラテンアメリカ史．『コルテスとピサロ——遍歴と定住のはざまで生きた征服者』(山川出版社，2016年)．

岩波講座 世界歴史 14　　第5回配本(全24巻)

南北アメリカ大陸 ~17世紀

2022年2月25日 第1刷発行

発行者 坂本政謙

発行所 株式会社 岩波書店 〒101-8002 東京都千代田区一ツ橋2-5-5
電話案内 03-5210-4000 https://www.iwanami.co.jp/

印刷・法令印刷 カバー・半七印刷 製本・牧製本

© 岩波書店 2022 Printed in Japan ISBN 978-4-00-011424-0

岩波講座

世界歴史

A5判上製・平均320頁（黒丸数字は既刊，＊は次回配本）

全㉔巻の構成

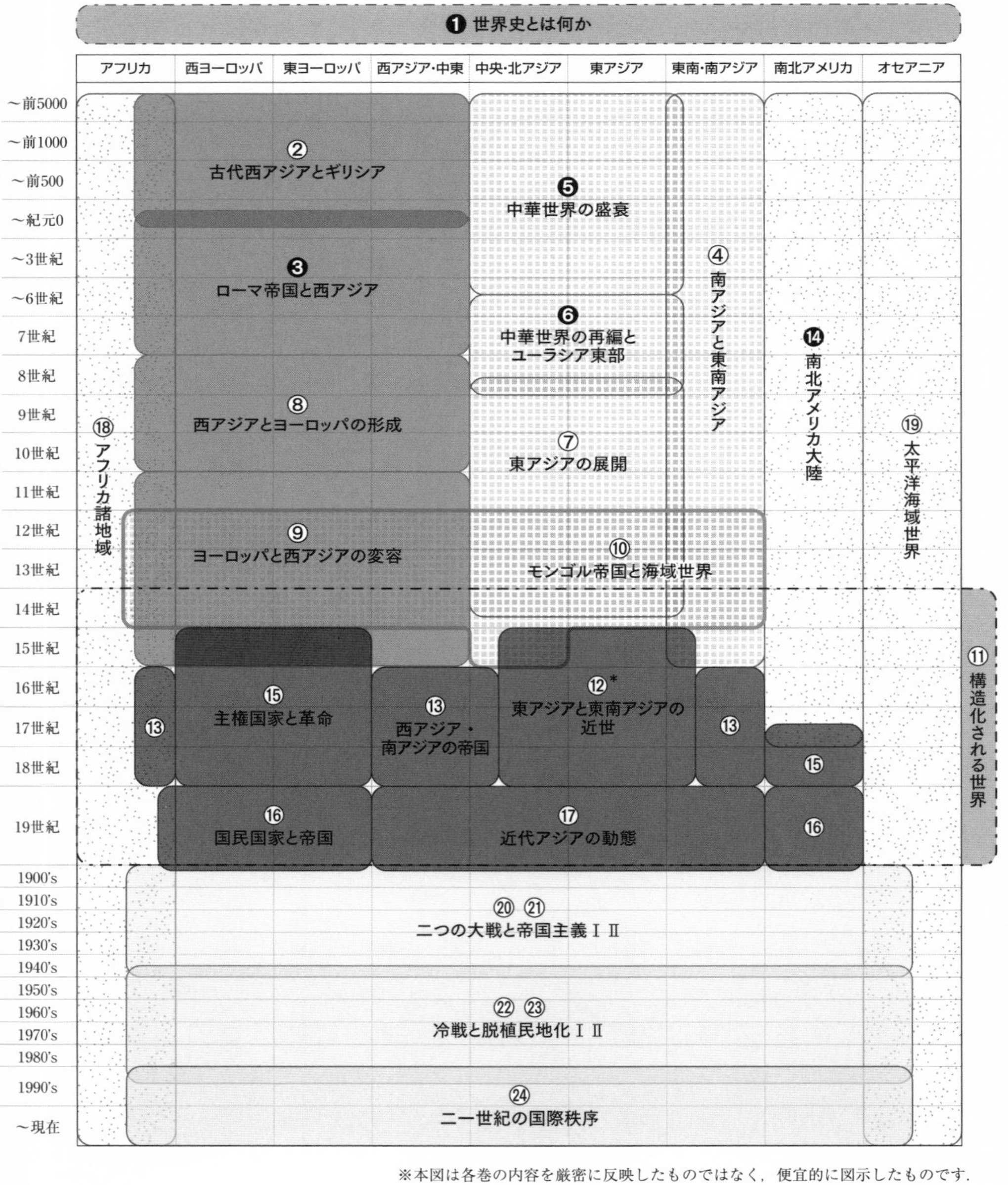

※本図は各巻の内容を厳密に反映したものではなく，便宜的に図示したものです．